W9-DEW-817

Данил Корецкий

ПОХИТИТЕЛЬ СЕКРЕТОВ

МОСКВА

УДК 821.161.1
ББК 84 (2Рос=Рус)6
К66

Корецкий, Д.

К66 Похититель секретов / Данил Корецкий. — М.: АСТ: Астрель, 2007. — 315, [4] с.

ISBN 978-5-17-046752-5 (ООО «Издательство АСТ»)
ISBN 978-5-271-16815-4 (ООО «Издательство Астрель»)

Дмитрий Полянский – ценитель прекрасного. Аристократ, сибарит, эстет. При этом он разведчик-профессионал высочайшего класса, способный работать в любой стране мира и выполнять такие задания, перед которыми спасовал бы сам Джеймс Бонд, будь он живым шпионом, а не литературным вымыслом.

УДК 821.161.1
ББК 84 (2Рос=Рус)6

Подписано в печать 02.07.07. Формат 84x108 1/32.
Усл. печ. л. 16,8. Тираж 50000 экз. Заказ № 5455 Э.

Общероссийский классификатор продукции
ОК-005-93, том 2; 953000 — книги, брошюры

Санитарно-эпидемиологическое заключение
№ 77.99.60.953.Д.007027.06.07 от 20.06.2007 г.

РУССКАЯ ЗИМА В ВЕНЕ

Глава 1

Неизвестный враг

Вена известна ароматным кофе, вкусными пирожными, Моцартом и шпионажем. Первые три составляющие городского имиджа проявляют себя дразнящими запахами и возвышенной музыкой, которая, правда, в тех местах, где бродят стада неукротимых туристов, слышится реже, чем попадаются на глаза конфеты и ликеры «Моцарт». Настолько реже, что не отягощенный устаревшим классическим образованием заезжий молодняк обоснованно приходит к выводу, что «Моцарт» — это просто торговая марка: название заполонивших прилавки бухла и закуси, хотя, как можно приторное пить и сладким же заедать, остается непостижимым для самых изощренных и пытливых умов.

Шпионаж, как и положено, никак себя не проявляет. Для обычных граждан его вроде бы и нет. Да и профессионалы, особенно старого поколения, положа руку на бестрепетно стучащее сердце, должны признать, что с этим делом в последние десятилетия стало пожиже. После войны в австрийской столице переплетались интересы европейских разведок: западные резидентуры исправно скачивали информацию с Востока, а восточные, соответственно,— с Запада. Впрочем, в те годы точно такое положение наблюдалось и в обоих Берлинах, и в Париже, и в Брюсселе...

Военные вихри, взбаламутившие Европу, постепенно улеглись, накал страстей остужался размеренной температурой холодной войны и, скорей всего, снизился бы до нуля, но тут через Вену открыли «еврейский канал», по которому граждане СССР с упречным пятым пунктом листка по учету кадров под предлогом возвращения на историческую родину — в Израиль получили возможность выбраться в свободный, а главное изобильный западный мир. От первых же глотков свежего воздуха демократии репатрианты прозревали и меняли планы: вместо малоизвестной исторической родины с непереносимо-знойным климатом пустыни, арабским окружением и постоянной угрозой войны многие выбирали конечной точкой маршрута Германию, Бельгию, Францию или Соединенные Штаты...

Но я хорошо чувствую запах шпионажа. Настолько отчетливо и остро, что в носу свербит, словно от амброзии. Обычные люди не ощущают ее запаха, а аллергики начинают морщиться и сморкаться, едва приблизятся к зловредному растению на расстояние пистолетного выстрела. Кстати, если на ствол навинчен глушитель, то это расстояние здорово сокращается. Об этом обычные люди тоже не знают. Ну, это так, к слову. Вернемся к аллергии...

Конечно, было бы ханжеством утверждать, что я страдаю аллергией на деятельность, которой всю жизнь профессионально занимаюсь. Тут уместней другое сравнение: запах серы неискушенные светские граждане и экзорцисты, каменно укрепившие дух и плоть в многократных схватках с нечистым, воспринимают совершенно по-разному.

И опять-таки, я вовсе не претендую на лавры святости и непогрешимости противостоящих дьяволу священнослужителей. Я грешен, слаб телом и духом, я неоднократно и, надо признаться, часто с удовольствием, нарушал библейские заповеди, словом, я бы никогда не предложил себя молодому поколению в качестве примера для подражания...

Но сейчас я прибыл в Вену именно в качестве экзорциста — изгоняющего дьявола. Операция называется «Неизвестный враг». Моя задача: разорить осиное гнездо — тайную враждебную организацию, доставляющую в последнее время много беспокойства нашей Службе. Иван так и сказал: «Вырви с корнем эту сорную траву, нам сразу станет легче дышать!»

Хорошо сказал — образно и красиво. Наверное, под влиянием забытых ныне плакатов из времен нашей молодости: «Сорную траву — с поля вон!» И крепкая рука в закатанном рукаве рабочего комбинезона, захватывающая под корень поганкоподобных спекулянтов, тунеядцев, стиляг и прочий нетрудовой сброд...Тогда эта задача решалась легко: через парткомы, трудовые коллективы и единогласные профсоюзные собрания.

Как мне следует выдернуть враждебную организацию, Иван не пояснил. Тем более что неизвестно кому она принадлежит, где находится и из кого состоит.

Собственно, известно вообще только три факта. Два месяца назад в отеле «Европа» у российского гражданина Извекова украли портфель из крокодиловой кожи, месяц спустя российский гражданин Торшин был обнаружен без сознания в парке Праттер, а перед самым Новым годом российский гражданин Малахов вышел вечером прогуляться по Кертнерштрассе и вообще бесследно исчез! Факты, как вы понимаете, совершенно вопиющие: пострадали три российских гражданина! Это ли не повод бросить против неведомого врага всю мощь государства!

Конечно, сотни российских туристов, ограбленных, обворованных и избитых в Турции, Таиланде или Египте и убедившихся, что никто и пальцем не шевельнул, чтобы их защитить или восстановить нарушенные права, очень удивятся столь активной позиции и невиданному заступничеству родной отчизны. Да и кто угодно из людей, знающих реалии российской действительности, удивится тоже.

Но если добавить, что Извеков был главным инженером КБ «Авиакосмос» и кроме несомненно дорогого портфеля утратил чертежи новейшей ракеты для полета на Марс, капитан Торшин являлся сотрудником австрийской резидентуры, расследовавшим пропажу секретных материалов, а специально присланный из Москвы майор внешней контрразведки Малахов шел по следам Торшина, то все станет на свои места, и повод для удивления исчезнет напрочь: безопасность россиян — это одно, а государственная безопасность России — совсем другое! Хотя, наверное, большой пропасти между этими понятиями быть не должно, ибо второе складывается из совокупности первых. Во всяком случае, в цивилизованном государстве...

Я стою у окна отеля, смотрю на черепичные крыши, готические шпили и на резной фасад собора Святого Штефана. За стеклом зловеще кружатся огромные черные мухи, некоторые угрожающе, хотя и бесшумно, бьются в стекло. А через несколько метров картина меняется: отвратительные страшные мухи исчезают, на фоне ярко освещенного собора водят хоровод легкие снежинки. Обычные снежинки, ничего зловещего в них нет. Просто снег и метель — ничего больше. Стоит только выйти из тени, и картина меняется...

Разведчики это знают лучше других: половина их жизни скрыта завесой секретности и конспирации, а вторая проходит на виду у всех, под пристальным вниманием и подозрительными взглядами заинтересованных лиц и организаций. И это самая опасная часть жизни. Ибо пока разведчик не проявляет активности, он невидим. А стоит начать делать свое дело, как шапка-невидимка слетает и безжалостные лучи контрразведки противника высвечивают тебя целиком!

Через час я выхожу на свет. В прямом смысле это будет яркий свет посольских люстр и разноцветных огоньков елочных гирлянд. Рождественский прием в российском посольстве. Все трое пострадавших с этого начинали. Под какой свет они попали в том, втором, переносном смысле, я не знаю. Но каждый последующий случай имел более тяжкие последствия, чем предыдущий... Кража — отравление — похищение человека... Если логически продолжить эту цепочку, то меня должны просто убить!

* * *

Просторный зал приемов полон, многоголосый гомон и звуки музыки гулко отражаются от высокого потолка с золоченой лепниной. Пушистая елка переливается разноцветными огоньками, создавая особую атмосферу новогоднего праздника. По протоколу сегодня все в смокингах. Торжественные официанты, проворно разносящие выпивку и закуску,— в белых, гости — в черных. Если поставить вперемешку — получится черно-белая рояльная клавиатура. А если выстроить друг против друга, то получится нечто вроде шахматной доски... Кто же играет на ней очередную партию? Кто, кроме меня?

Я — основной игрок сегодняшнего дня. Это ради меня организован сегодняшний прием. Ради меня перед торжественной частью посол вручил благодарственные грамоты нескольким дружественным австрийским политикам и журналистам, работникам посольства, осуществляющим связи с общественностью, консулу и новому главному инженеру «Росавиакосмоса» Игорю Сергееву. Это мой оперативный псевдоним на нынешнюю операцию. Грамоту я якобы получил за большой вклад в организацию международной выставки высоких технологий, успешно прошедшую в Вене два месяца назад. Как раз тогда, когда произошла неприятность с портфелем господина Извекова. Таким образом, я был ненавязчиво введен в игру и представлен всем присутствующим, в том числе тем, которые были осведомлены о последствиях прошедшей выставки больше других...

Я стою в углу, у резной колонны, и беседую с Виктором Ивлевым — атташе посольства. Он в полосатом шевиотовом костюме и в оранжевых штиблетах, как и еще четырнадцать человек, незаметно перемешавшихся с гостями и вроде бы растворившихся в общей массе.

Шутка. Такая история имела место в тридцатые годы: молодой сотрудник иностранного отдела НКВД получил направление в нью-йоркскую резидентуру, а заодно ордер на приличную одежду, которая в советских магазинах никогда не продавалась, а распределялась исключительно среди «номенклатуры». На первой же вечеринке в посольстве новичок был шокирован: его неискушенная в тонкостях конспирации жена легко раскрыла всех коллег-разведчиков! Потому что они... Правильно: были облачены в одинаковые шевиотовые костюмы и оранжевые ботинки! Этот казус уже много лет включается в учебники по конспирации разведдеятельности...

Сейчас времена изменились, и одинаковые наряды канули в Лету. Но одинаковые манеры остались. Поэтому те, кому это интересно, могут легко вычислить сотрудников венской резидентуры, пытающихся раствориться среди «чистых» дипломатов.И все заинтересованные лица знают, что Виктор Ивлев — атташе только по должности прикрытия... Профессионалам хорошо известны даже биографии и послужные списки иностранных коллег.

Ивлев в смокинге и с бокалом. Я тоже в смокинге, хотя у меня его отродясь не было. Это смокинг Торшина. Он почти моего размера и почти новый. А сантименты в нашей профессии не приветствуются.

— Хороший коньяк, рекомендую,— с улыбкой говорит Ивлев, резко меняя тему при приближении официанта.— Это испанский, выдержанный в бочках из-под хереса...

Я беру пузатый бокал, который, по меркам русского человека, скорее пуст, чем полон, и вежливо киваю. Я вообще не люблю коньяк.

— Нет десяти человек с первого приема, восьми со второго и семи с третьего,— с той же улыбкой и тем же тоном продолжает Ивлев основную тему. Он подтянут, худощав и безлик, как, собственно, и требует кадровый стандарт любой разведки мира.

— К тому же, на втором присутствовали пятеро отсутствовавших на первом, а на третьем — десять, которых не было ни на первом, ни на втором. Но в целом на девяносто два процента состав совпадает...

К нам подходит полноватый, но крепкий мужчина средних лет, с низким широким стаканом в руке и улыбкой на холеном лице. Он похож на бульдога, надевшего маску веселого добродушия.

— Добрый вечер, Виктор! — обращается мужчина по-английски к моему спутнику.

По акценту можно определить, что это американец. Второй секретарь американского посольства в Вене, а в действительности — глава местной резидентуры ЦРУ Марк Уоллес. Я бы с удовольствием сказал, что все это я тоже определил по его акценту, но боюсь, что мне никто бы не поверил. И в первую очередь,— сам Уоллес, хотя сейчас он старательно делает вид, что верит во все: и в то, что это самый обычный прием, и в то, что Виктор Ивлев действительно атташе посольства, и в то, что я — подозрительный новый фигурант — действительно заслужил грамоту за труды на ниве науки. И уж конечно, он искренне верит, что сам он «чистый» дипломат и не имеет никакого отношения к ЦРУ!

— Здравствуйте, Марк! — Капитан Ивлев корректно наклоняет голову в европейском поклоне.— Знакомьтесь, это наш земляк Игорь Сергеев, он ведущий специалист «Авиакосмоса»...

Улыбка добродушного бульдога становится еще шире.

— Привет, Игорь! Я Марк. Вы надолго в Вену?

— Как пойдут дела. Думаю, на неделю...

Мы обмениваемся рукопожатиями. У Марка крепкая и сухая ладонь.

— Здесь есть замечательный ресторанчик, лучший в городе, давайте сходим на днях, я приглашаю! — Марк излучает доброжелательность и полнейшее радушие. Это компанейский парень, который всегда рад новым знакомствам, симпатизирует каждому, с кем знакомится, причем настолько, что готов сразу раскошелиться на стол в дорогом ресторане!При этом он не переигрывает и ухитряется не выглядеть идиотом... Да, Уоллес настоящий профессионал!

— Спасибо, Марк, но если мы примем ваше приглашение, то с условием — платим поровну! — смеется Ивлев.

— Я давно не вижу Виталия Викторовича,— добродушный бульдог пригубляет свой стакан с плавающими кубиками льда.— Он обещал мне интересную марку...

В шумном зале будто лопнула туго натянутая струна. Мужчины, похожие в своих смокингах на деловитых воробьев с белыми грудками, продолжали склевывать бутерброды и рюмки с проплывающих подносов. Глубоко декольтированные дамы, безуспешно подражая Монне Лизе, загадочно улыбались поверх бокалов с шампанским. Деликатно играл небольшой оркестр, и звука лопнувшей струны никто не услышал, хотя для нас с Ивлевым вопрос прозвучал как замаскированный глушителем выстрел. Потому что Виталий Викторович — это не кто иной, как капитан Торшин — один из участников чрезвычайных происшествий, потрясших венскую резидентуру российской разведки! Интерес к нему резидента ЦРУ не может быть случайным, и такие вопросы случайно не задаются, значит, обнародованный интерес имеет прямую и явную цель, которая нам пока непонятна...

— Виталия Викторовича вызвали в Москву,— ровным голосом сообщает Ивлев, не переставая улыбаться.— Он будет учиться в Дипломатической академии.

Хрен там, в академии! Нарушение норм поведения в стране пребывания, расконспирация, несоблюдение личной безопасности... В лучшем случае, попадет на курсы машинистов метрополитена!

Я тоже улыбаюсь.

Уоллес кивает.

— А смокинг он, очевидно, продал Игорю?

— Что?! — переспрашивает Ивлев.

Я успеваю сдержать аналогичный вопрос, так как он не имеет смысла. Это не вопрос, а проявление эмоций. А следовательно — слабости. Лучше сделать вид, что не расслышал последнюю фразу.

— Здесь на рукаве небольшая дырочка,— поясняет Уоллес и показывает пальцем.— Я сам ее случайно прожег. Сигарой.

— Думаю, на многих смокингах есть дырочки от сигар,— Ивлев продолжает улыбаться.— Вряд ли они отличаются друг от друга...

— Вы правы,— соглашается Уоллес.— Просто до нас дошла информация о том, что у вас возникли некоторые проблемы...

— Да нет,— атташе Ивлев недоуменно приподнимает бровь.— Никаких проблем!

— И они связаны с недавней выставкой передовых технологий,— американец чуть поклонился в мою сторону.— Думаю, что присутствие здесь Игоря подтверждает эту информацию.

— Не знаю, о чем вы говорите, Марк, но мое присутствие здесь вызвано предстоящими переговорами с австрийским правительством,— вступаю в разговор я.— И больше ничем. Во всяком случае, ни о каких иных причинах мне ничего не известно.

— Отлично! — Уоллес допивает свой виски и откланивается.— Возможно, я что-то неверно понял. Но в любом случае, если вам понадобится помощь, я буду рад сделать все, что в моих силах.

— В наших силах,— уточняет он, подчеркивая, что выступает не как частное лицо, а как представитель серьезной государственной структуры.

— Спасибо, дружище! — Ивлев ответно поднимает свой бокал на уровень глаз, будто салютуя.

Некоторое время мы молчим. С одной стороны, надо запомнить каждую фразу американца: интонации, порядок слов, соответствующее им выражение лица. С другой — обсуждать происшедшее здесь и сейчас нельзя. Это будет специальное — очень важное обсуждение.

— Здравствуйте, я журналист, вот моя карточка,— выныривает откуда-то сбоку маленький худощавый мужчина семитского вида. У него волнистые волосы и заметная плешь.— Меня интересует русско-австрийский проект космических телекоммуникаций. Вы могли бы дать интервью по этому вопросу?

— Возможно,— киваю я.— Но не в индивидуальном порядке. И не раньше, чем пройдут переговоры. Речь может идти о пресс-конференции, когда договор будет подписан.

— А какова максимальная зона покрытия спутника-ретранслятора? — не унимается он.— При достаточной ширине встает вопрос о привлечении к проекту и других стран. Так диктует экономическая целесообразность...

— Сотрудники группы подготовки переговоров не уполномочены обсуждать с кем-либо конкретные детали,— строго говорю я.— Ждите официальных заявлений.

Журналист исчезает.

— Вы замечательно входите в роль,— говорит Ивлев, улыбаясь. Но улыбка явно вынужденная — чувствуется, что он сильно озабочен.

— Поскучаете немного без меня? — спрашивает он.— Я должен доложить резиденту о подходе Уоллеса.

Полковник Фальшин стоит в стороне — коренастый седой мужичок с колючими глазами. Смокинг сидит на нем как на корове седло, да и весь его вид — настороженный и подозрительный — чужероден крутящемуся вокруг веселью.

— Чуть позже. Сейчас вы мне нужны здесь. А минуты в этом деле ничего не решают.

Получилось суховато и слишком по-командирски. Но Виктор не обиделся. К тому же у меня действительно широкие полномочия.

Прием идет как обычно: лица участников все больше краснеют от выпитого и возбуждающей атмосферы элитарного праздника, сильнее пахнет дорогим парфюмом, потянуло сигарным и трубочным дымом, несколько пар уже кружатся в вальсе...

Неподалеку появляется громоздкий, как колонна, дородный господин: властное высокомерное лицо, прекрасно сидящий смокинг, уверенные манеры. К нему немедленно подбегают официанты с подносами, он берет коньяк и, игнорируя бутерброды, по-хозяйски осматривается. Движением руки подзывает к себе какого-то австрийца, выслушивает что-то похожее на короткий доклад, потом делает знак сотруднику посольства, и тот почтительно спешит навстречу... Удивительно! Можно подумать, что это посол или кто-то из его заместителей...

Забыв про этикет, толкаю Ивлева локтем в бок.

— Что это за чудо в перьях?

— Где? А-а-а... Это господин Курц,— настолько торжественно поясняет атташе, что я испытываю раздражение. Почему наши склонны прогибаться перед богатыми иностранцами?

— Ну и что?!

— Разве фамилия вам незнакома?

— Я знаю только, что «курц» — это «короткий». Так обозначают патроны: «браунинг» девять миллиметров, курц. И что с того?

Если я хотел вывести капитана из себя, то мне это не удалось.

— Господин Курц — очень богатый и влиятельный человек в Вене,— пропустив мою фразу мимо ушей, спокойно поясняет Ивлев.— Он считается другом России и пока оправдывает это мнение... Пойдемте, я вас познакомлю.

— По крайней мере свою фамилию он не оправдывает,— бурчу я.— Ему следовало быть толстым коротышкой...

Курц уже разговаривает с высокой стройной дамой в строгом черном, под горло, платье. У нее длинные рыжие волосы до плеч, в руке сандаловый веер, она многозначительно улыбается и строит собеседнику глазки. Плешивый журналист и еще несколько человек столпились вокруг и ждут своей очереди, чтобы побеседовать с влиятельным господином. Но, увидев Ивлева, Курц сразу переключает внимание на нас. Мы знакомимся, маска высокомерия бесследно растворяется в радушной улыбке.

— Будем совместно запускать спутник? — спрашивает он, крепко тряся мою руку.— Я вложил три миллиона в этот проект, надеюсь, он принесет хорошую прибыль! Давайте за это и выпьем! Кстати, какая там зона покрытия?

Черт!

— По памяти не скажу,— я чокаюсь и делаю первый за вечер глоток. Коньяк действительно хороший.— Надо смотреть документы.

Курц весело хохочет.

— Я думаю, что все документы есть в вашей голове!

Скромная улыбка, которую можно истолковать как угодно,— вот весь мой ответ.

— Но она заперта, как сейф! И это вполне понятно: сейчас ведь бал, а не деловые переговоры! Извините мою бестактность. Лучше развлекайтесь, потанцуйте с Иреной — она почти русская!

— Прекрасная идея! — я поворачиваюсь к рыжеволосой.— Вы позволите?

Она поощряюще смеется.

— С удовольствием!

Мы идем к пятачку для танцев. Черное платье оказалось строгим только спереди, сзади эта строгость компенсирована некоторым легкомыслием, и сейчас я рассматриваю узкую женскую спину, обнаженную до копчика. Мне даже кажется, что я различаю начало межъягодичной ложбинки, но тут Ирена поворачивается и перехватывает мой взгляд.

— Кажется, вы изучаете анатомию? — Она смотрит мне прямо в глаза. И в этом взгляде столько же скромности, сколько в задней части черного платья.

— Я вообще очень любознателен,— говорю я чистую правду и начинаю уверенно кружить даму в вальсе.— Почему господин Курц сказал, что вы почти русская?

— Я полячка,— поясняет она.— В Европе не делают различий между славянскими народами. Хотя я родилась и выросла здесь...

У Ирены тонкая талия и узкие бедра, кожа на спине горячая и чуть влажная. Она танцует легко и грациозно, не отстраняясь, когда я прижимаю ее немного сильнее, чем допускают правила приличия. Так создается иллюзия доступности, которая должна «заводить» мужчину и способствовать тому, чтобы он потерял голову. Но искушенного в боях с нечистой силой экзорциста это не касается: он привык не поддаваться на дьявольские уловки.

— У вас роскошные волосы! — Я слегка растрепываю густую рыжую гриву. И, чтобы как-то оправдать такую вольность, добавляю:

— Если верить рекламе, это исключительно заслуга шампуня...

Ирена заливисто смеется.

— Ложь! Все, что есть у женщины,— это подарок природы. И гены родителей! Вы прибыли на предстоящие переговоры по коммуникационному спутнику?

— Да,— я прижимаюсь щекой к ее гладкой горячей щеке, и мой жаркий шепот наверняка щекочет изящное маленькое ушко.— Скажу вам по секрету — я один из главных экспертов...

Тяжелый аромат дорогих духов кружит мою склонную к наслаждениям голову, и я даже на миг утыкаюсь носом в обтянутое тонкой тканью плечо. Получилось: вот он — длинный волосок, отливающий золотом на космическом мраке черной супершерсти —350... Я аккуратно цепляю его пальцами, чтобы при первой возможности опустить в карман.

— А вы чем занимаетесь?

Ирена слегка отстраняется и принимает официальный вид.

— Я работаю в министерстве культуры.

— Вот как?!

Это непритворное удивление. Я бы дал сто процентов, что Ирена — светская львица, дама полусвета, профессионально вращающаяся в кругах, где бывают богатые мужчины. И, как все такие дамы, не имеющая определенного рода занятий.

— Что вас так удивило?

— Вы не похожи на чиновницу...

Она снова смеется и опять становится похожей на... на саму себя.

— На самом деле я и не чиновница. Просто это мое хобби. А у вас есть хобби?

Еще бы! Но рассказывать о большинстве из них не рекомендуется или даже прямо запрещено. Хотя есть у меня и безобидные увлечения.

— Я коллекционирую кортики и стилеты. И изучаю отражение национального характера в форме и способе применения оружия.

Ирена смотрит несколько удивленно.

— И как одно связано с другим?

Я старательно и, надеюсь, успешно изображаю интеллектуала:

— Французская дуэльная шпага честна и откровенна, как и сам благородный поединок; итальянский стилет хотя и мал, но хитер и быстр — он легко прячется в складках одежды и в самый неожиданный момент разит насмерть, без труда проскакивая между кольцами кольчуги; кривой иранский кинжал полон восточной таинственности и коварства — он таится в рукаве халата, а когда чай выпит и рахат-лукум съеден, может блеснуть вместо ослепительной улыбки хозяина и перехватить горло гостя от уха до уха...

— Да вы поэт! Я много читала об оружии, но таких выводов нигде не встречала!

Я склоняю голову в скромном жесте благодарности.

— Это очень интересная тема! В споре о силе меча Ричард Львиное Сердце разрубил окованное железом копье, а султан Саладин положил на изогнутую египетскую саблю тонкий шелковый платок, дунул — и две его половинки разлетелись в стороны... Так чей меч сильнее? Только на миг задумайтесь над этим и поймете разницу между европейским и восточным менталитетом...

Мои познания не из очередной вызубренной «легенды»: я действительно могу говорить об оружии часами, и здесь меня никто не собьет и не поймает на неточностях.

— А как характер нации проявляется в русском оружии? — лукаво улыбается Ирена.

— Прекрасный вопрос!

Действительно, задать его могла только умная женщина. А ответить — умный мужчина, познавший философию оружия.

— Русичи использовали прямой широкий меч, мощную булаву, самострел — для обращения с ними нужны сила и удаль, а тактика боя открыта и проста: вперед, и рази врага! Но и хитрость нам отнюдь не чужда: засапожный нож прятался в голенище, как оружие последнего шанса — в тесной рукопашной схватке его неожиданно втыкали в бок противнику...

— Здесь это называют славянским коварством,— говорит Ирена.

Музыка закончилась, и я, взяв ее за гладкое предплечье, веду обратно.

Ирена доверительно наклоняется ко мне.

— Моя работа тесно связана с вашим увлечением. Приходите завтра в пять тридцать в музей замка Хоффбург, в рыцарский зал. Я лично проведу для вас интересную экскурсию. Вам понравится, уверяю...

Последняя фраза прозвучала многообещающе. Но я бы пришел в любом случае.

Через несколько минут я незаметно передал Виктору Ивлеву свой аккуратно сложенный и тщательно отглаженный носовой платок. Внутри находился волос Ирены.

— Сопоставительная экспертиза. Вначале по общим признакам, потом на генетическом уровне. Напиши: «Особо срочно!»

Ивлев кивнул. Он был в теме.

А Ирена остаток вечера кружилась в танце с полковником Фальшиным: запрокидывала голову, смеялась, будто невзначай поглаживала морщащийся на его спине смокинг. И строгий резидент уже не был похож на подозрительного мужичка-боровичка — веселый и галантный кавалер, ценитель женской красоты, искренне отдыхающий на дружеской вечеринке. Или это мастерство конспиративного перевоплощения, или... я даже не знаю, что подумать!

Когда гости расходились, Ирена помахала мне, как хорошему приятелю. И я ответил ей очень дружески и с искренним восхищением. Потому что результаты сопоставительной экспертизы еще не готовы. И доподлинно неизвестно, совпадает ли волос Ирены с тем волосом, который нашли на пиджаке Торшина. Хотя по виду они очень похожи.

* * *

Утро. Легкий снежок, еще более легкий морозец. Я иду в полицейский участок. Вопреки распространенным мифам о безупречном европейском порядке, тротуары покрыты снегом. Только у офиса Австрийских авиалиний и возле отделанного гранитом «Дрезден банка» все расчищено до асфальта. В остальных местах невидимые дворники ограничились тем, что вместо песка рассыпали мелкую гальку. Не удивлюсь, если весной ее соберут, вымоют и отвезут на склады до следующего сезона. Европейцы — народ экономный...

Покрытые снегом машины вдоль тротуаров топорщатся острыми усами стеклоочистителей: рачительные австрийцы заботятся, чтобы они не примерзли к стеклу. Снег здесь вроде стихийного бедствия, и автовладельцы мигом пересели на общественный транспорт. Если кто-то все же рискует сесть за руль, то машину не очищает: только лобовое стекло обмахнет да так и едет, словно в сугробе...

Прохожих немного, почти все в куртках, легких пальто и без головных уборов — сразу видно, что зиму здесь не воспринимают всерьез. Сквозь витрину кафе видны немногочисленные посетители, греющие ладони о фарфоровые чашки. Я на миг останавливаюсь, но смотрю не на них, а на свое отражение. Купленное на распродаже в Париже серое кашемировое пальто — хит прошлого сезона, и в нынешнем сидит безукоризненно. Это очень радует: значит, оторванные от сердца восемьсот евро потрачены не зря. И кстати, никто не идет за мной следом, что радует не меньше.

К черному ходу продуктового магазина два молодых человека в белых халатах везут на колесной тележке подвешенные на цепях бело-розовые туши свиней, чистые и гладкие, как тела девушек в дорогом стриптизе.

А вот и здание полицейского участка. Оно имеет такой же респектабельный и цивильный вид, как какой-нибудь банк. Почти такой же. И работа в нем организована четко, как в банке. Объясняю цель своего визита, доброжелательный и компетентный дежурный мгновенно вызывает инспектора, который ведет розыск пропавшего господина Малахова. Это крупный широкоплечий мужчина лет сорока двух, с иссиня-черными волосами, зачесанными на пробор, и такими же безупречными усами. Мои усы заметно отливают рыжиной, но это значения не имеет: все усачи испытывают симпатию друг к другу — я неоднократно убеждался в справедливости подобной закономерности.

— Гуго Вернер,— белозубо улыбается инспектор, протягивая руку. Он вполне цивильно одет и лишен той замордованности, которой страдают отечественные сыщики.

— Игорь Сергеев. Российский «Авиакосмос».

— Пройдемте ко мне в кабинет. Кофе?

— Не хочу отрывать у вас лишнее время...

— Значит, кофе...

Какой иностранец мог бы рассчитывать на столь любезный прием в обычном милицейском отделе? Да никакой! Только если бы его принимал крупный начальник. Значит, выведенная мною закономерность подтверждается очередной раз! Правда, мог сказаться тот факт, что я еще и представитель солидной зарубежной компании, но думаю — главную роль играют все-таки усы!

— Вашим соотечественникам в последнее время не везет... Месяц назад сотрудника посольства отравили какой-то гадостью... Но это фатальное совпадение, не больше! Вена любит своих гостей, а к русским мы относимся с большим уважением...

— Мы в этом никогда не сомневались...

Обмен любезностями занимает минут пять.

У господина Вернера отдельный, вполне приличный, хотя и не очень большой кабинет: письменный стол с компьютером, приставной столик, несколько стульев, стальной шкаф со множеством ящичков, шифоньер, жалюзи на окне, есть даже подставка для зонтов... Все новое, добротное, качественное. Есть у него и помощник, который через несколько минут приносит не какой-то растворимый, а свежесваренный ароматный кофе.

Тем временем Гуго Вернер нашел в своем компьютере нужный файл и жестом успешного фокусника повернул ко мне монитор. Но ничего для себя нового я не увидел. Только фотографию майора Малахова. Ту, которую посольство представило в полицию одновременно с заявлением о розыске.

— Мы приняли все возможные меры,— комментирует инспектор.— Но пока успеха достигнуть не удалось.

Эти цирковые номера мне хорошо знакомы. Когда нет результатов, в ход идут общеизвестные факты и обнадеживающие заявления. Похоже, в определенных ситуациях все полицейские мира одинаковы.

— Вы, наверное, знаете, уважаемый господин Вернер, что в настоящее время наши страны обсуждают очень перспективный совместный проект космического сотрудничества...

Полицейский кивает. Да, это все знают. Сообщения о чудо-спутнике не сходят с полос австрийских газет.

— Господин Малахов, а это мой друг и коллега, играл в разработке этого проекта не последнюю роль... Его скорейшее обнаружение — вопрос не просто текущей политики, а вопрос успешного долговременного сотрудничества между Австрией и Россией...

Вернер очень внимательно выслушивает, как будто он не полицейский, а дипломат.

— Господин Сергеев, позвольте вас заверить, что австрийские полицейские власти понимают всю сложность ситуации...

И говорит он как дипломат. Я бы даже заподозрил совершенно невероятное — подмену полицейского на контрразведчика, но только что он продемонстрировал навыки оперативника криминальной полиции. А их привить гораздо сложнее, чем обучиться дипломатическому этикету.

Короче, на первый взгляд, мой визит кончился ничем. Если не считать, конечно, кофе. Но его не считать нельзя — это было бы несправедливо: во рту еще долго сохранялся вкус отборных, хорошо прожаренных зерен.

Мы обменялись визитными карточками и тепло распрощались. Каждый был доволен собой.

Гуго Вернер был уверен, что я приходил «подтолкнуть» розыск земляка и коллеги, а также что-нибудь разнюхать. Он, почти не затратив усилий, показал себя с наилучшей стороны и сделал все, чтобы меня удовлетворить, а если не достиг цели, то по вине объективных обстоятельств.

А я, хотя и изобразил на лице легкое недовольство, уходил вполне удовлетворенным. Потому что приходил сюда не для того, чтобы активизировать ход расследования — по вполне понятным причинам местная полиция и так должна носом рыть землю, хотя вполне возможно, они обходятся обычными лопатами. И не для того, чтобы узнать новости: как только новость появится, ее немедленно сообщат в посольство. Я приходил в полицию, чтобы обозначиться еще на одном направлении возможной утечки информации. И познакомиться с господином Вернером, чтобы при случае использовать его в своих интересах. Так что в действительности мой визит отнюдь не был бесплодным.

Глава 2

Оживший рыцарь

Летом в парке Праттер много людей, особенно в районе аттракционов. Центральные аллеи плотно забиты гуляющей публикой, медленно вращается гигантское колесо обозрения, в кабинки которого можно заказать обед, с визгом пролетают сквозь водопады брызг лодки с туристами, орущие от ужаса вагончики с лязгом проносятся по перекрученному монорельсу американских горок, в многочисленных открытых кафешках пьют пиво с обернутыми копченым шпиком колбасками...

Но сейчас здесь царят тишина и запустение. Тихо поскрипывают голые, с обледеневшими ветками деревья, почти на каждом — птичья кормушка; аттракционы покрыты шапками снега; медленно порхают в хрустальном воздухе пушистые снежинки — долетев до земли, они укладываются в сугробы, которые и здесь никто не торопится убирать. Только слева, за колесом обозрения, совсем по-русски шоркает лопата в руках крепкого чернокожего парня — в наших краях мне таких дворников видывать не доводилось. Неспешной походкой подхожу ближе, добродушно улыбаюсь и обращаюсь к нему по-английски:

— Привет! Небось, не часто приходится возиться со снегом?

— Не знаю. Я здесь первый год,— отвечает дворник, не прекращая своего занятия. Желтая куртка муниципального рабочего надета прямо на куцее пальто, на ногах — высокие ботинки. Копна густых волос утепляет голову лучше кроличьей шапки.

— А у нас в Канаде снега полно,— я достаю пачку «Винстона».— Передохни, покурим!

Вообще-то я не курю. А сигареты ношу для установления контакта: угощение — уже дружеский жест, а совместное курение сближает, как и любое совместное занятие, кроме, пожалуй, драки. Это как раз тот редкий случай, когда небольшие материальные затраты приносят хорошие моральные дивиденды.

Дворник выпрямляется, отставляет лопату, зачем-то оглядывается по сторонам и только потом берет сигарету.

— Значит, вы из Канады? — Он выпускает дым через широкие ноздри плоского носа. Черная кожа на фоне снега кажется еще чернее.

— Да. Журналист. А ты откуда?

Я более-менее правдоподобно имитирую процесс курения.

— Из Франции. То есть вообще-то из Сенегала. Приехал в Париж, но работы не нашел, вот перебрался сюда...

Одной затяжкой дворник скуривает сигарету на четверть.

— Я как раз пишу о трудовой миграции. Могу и о тебе написать.

Он качает головой.

— Зачем? Лучше не будет, только хуже. Я когда вас увидел — подумал, что еще один полицейский...

— Еще один? Они что, часто сюда ходят?

— Последний месяц часто. Там человека нашли — без сознания...

Сенегалец показывает рукой куда-то в сторону.

— Да ну?! И что с ним произошло?

На черном лице отражается недоумение.

— Не знаю. Но никакого криминала не было. Не убили, не ограбили. А полицейские все ходят, все расспрашивают...

На место происшествия выходили и Ивлев, и ребята из службы охраны посольства, и Малахов. Всех их, очевидно, сенегалец относит к полиции.

Крохотный окурок летит в только что насыпанный сугроб, дворник опять берется за лопату. И замирает, видя перед лицом... нет, не ствол пистолета, что за глупости! Обычную купюру достоинством в десять евро.

— Покажи мне место, где нашли этого несчастного. Может быть, получится интересная статья. Читатель ведь любит загадки!

Лопата летит вслед за окурком и втыкается в сугроб, как широкое сенегальское копье.

— Пойдемте. У каждого своя работа...

Выглянуло тусклое, как старый пятак, зимнее австрийское солнце. Сразу же послышалось чириканье повеселевших птичек. Мы неспешно движемся по заснеженной аллее, я проваливаюсь по щиколотки в холодную белую вату. В меховых полуботинках становится мокро.

— Почему здесь никто не убирает?..

— Зачем? Само растает...

Вполне знакомый мотив. Судя по всему, очищать эту аллею должен именно мой новый друг.

— Тоже правильно! — одобряю я, чтобы усилить расположение сенегальца. Тот запрокинул голову к солнцу и широко улыбается.

— Как тебя зовут? — спрашиваю я, укрепляя дружбу. Ибо ничто так не располагает человека, как интерес к его делам. Впрочем, из этого правила есть много исключений, но касаются они, в основном, нашей специфичной работы.

— Ифрит.

— Ифрит? Это джинн, который сидел в кувшине?! — вспоминаю я сказку про старика Хоттабыча.

Мой спутник качает головой.

— Не обязательно именно тот. Это имя могучего духа. Оно должно принести счастье...

— Это хорошо... А что для тебя счастье?

Ифрит задумывается, но не надолго.

— Найти хорошую работу, получить вид на жительство, вызвать сюда Маргет и родить с ней десять сыновей.

— Десять?!

— Десять,— убежденно повторяет сенегалец.

«Бедная Вена!» — думаю я. А вслух говорю:

— Надеюсь, у тебя все получится...

Звучит не очень искренне, но Ифрит благодарно кивает.

Мы прошли с километр, а может и больше. Аллея заканчивалась, упираясь в невысокую гору с небольшим, явно заброшенным замком наверху.

— Вот здесь его нашли,— черный снаружи и розовый внутри палец показывает под толстый дуб с обнажившимися корнями.

Да, именно здесь — я видел фотографии. Снега тогда не было, и Виталий Торшин лежал ничком на черной земле, вытянув вперед правую руку.

— А что там? — я киваю на замок.

— Там нехорошее место,— мрачнеет дворник.— Нечистая сила там...

— Какая такая нечистая сила?!

Он пожимает плечами.

— Никто не живет, а ночью, бывает, свет горит... Страшные истории рассказывают...

— Кто рассказывает?

Жест повторяется.

— Люди говорят: там призраки... Волк и карлик. Я здесь недавно, и то слышал... У-у-у-у... У-у-у-у!

Приставив ладонь ребром ко рту, он изображает вой собаки Баскервилей.

— Ну, расскажи мне про призраков, может, испугаюсь...

Я вновь достаю сигареты, и мы закуриваем для дальнейшего сближения. Хотя куда больше — мне кажется, что мы и так уже почти родственники...

Но мой чернокожий родственник, хотя и курит богатырскими затяжками, про замок рассказывать не хочет и ни на какие увещевания не поддается. Он снова тычет своим двухцветным пальцем в корни дуба.

— Я лучше другое расскажу... Никому не говорил, а вам скажу... Это из-за женщины все получилось...

— Из-за какой женщины?!

— Не знаю... Только он не один был, с женщиной... Они мимо прошли, еще светло было... Я хорошо рассмотрел... Можете написать, только про меня не надо...

— Ты что, брат, обижаешь! — я обнимаю своего родственника за плечи.— А что за женщина? Как она выглядела?

Сенегалец расплывается в белозубой улыбке, словно черный рояль распахнул широкий ряд белых клавиш. Так он несколько минут назад улыбался солнцу.

— Красивая!

Улыбка вдруг исчезает, словно в рояле неожиданно захлопнули крышку. Ифрит освобождается от родственных объятий и напряженно смотрит за мою спину. Я оборачиваюсь. Ничего страшного там нет. Только человек, замерший в конце аллеи. Он смотрит в нашу сторону. Широкая куртка и капюшон скрывают очертания фигуры.

— Я должен идти,— говорит сенегалец.— Мне не следовало прекращать работу. Могут быть неприятности...

— Какие неприятности, дружище? Из-за такой ерунды?

Но у Ифрита явно испортилось настроение.

— Никогда не следует много болтать,— мрачно говорит он.— Особенно в чужой стране...

Не прощаясь, сенегалец уходит. Я хочу рассмотреть незнакомца, который так его напугал. Но в конце аллеи уже никого нет.

* * *

У входа в рыцарский зал замка Хоффбург рыцарь на коне встретил меня копьем. Хорошо, что турнирным — с разлапистым трилистником вместо смертоносного острия. Конь накрыт толстой клетчатой желто-красной попоной, смягчающей удар, грудь всадника тоже прикрыта мягким желто-красным квадратом.

— Папа, а они живые?

Навстречу шла типичная австрийская семья: родители, явно разменявшие сороковник, и мальчик лет восьми, в круглых очках. Здесь поздно женятся и поздно заводят детей, точнее, одного ребенка, который от своей «переспелости» страдает либо плоскостопием, либо близорукостью, либо чем-то еще. Ничего, если мечты моего друга Ифрита исполнятся, он вам поправит демографическую ситуацию! Впрочем, его соотечественники уже успешно это делают...

— Кто? — спрашивает белобрысая мама, явно презирающая косметику, хотя она ей отнюдь бы не помешала.

— Ну, эти, железные дяди?

— Как они могут быть живыми, если ты сам говоришь, они железные? — вмешивается папа, которого макияж тоже бы не испортил.

— Просто я видел, как один пошевелил рукой! — настаивал мальчик.— И вздохнул!

— Не говори ерунды!

В огромном зале обилие средневекового оружия поражает даже воображение видавшего виды человека, к которым я отношу и себя — может быть и нескромно, но без большого преувеличения. Углы заняты копьями, некоторые необыкновенной толщины — с телеграфный столб! В прозрачных стеллажах различные диковинки: шпага с двумя клинками, раскрывающийся нажатием на рычаг кинжал, кремневый пистолет с шестью стволами... На стенах под потолком собраны розетки из спадонов: полутораметровыми клинками внутрь, двуручными рукоятками наружу. Десять розеток — по девять мечей в каждой! Ничего себе! Двуручный меч — достаточно редкая вещь, а тут такая коллекция!

— Вы пунктуальны, как истинный австриец! — Ирена встречает меня обворожительной улыбкой. Сегодня она одета в черный брючный костюм и черные сапоги на высокой «шпильке». Можете не сомневаться, что ткань туго обтягивает грудь, бедра и ягодицы. Рыжие волосы собраны в пучок на затылке, выигрышно открывая длинную шею.

— Это директор музея, он будет нас сопровождать! — красотка скороговоркой представляет нас друг другу. Я не разобрал имени низкого пожилого мужчины с большой плешью, но с радостной улыбкой пожал ему руку, лихорадочно размышляя: зачем Ирена привела его с собой? Я-то надеялся на более интимную встречу...

— Здесь собраны личные доспехи императоров рода Габсбургов начиная с тысяча четыреста тридцать шестого года,— с места в карьер берет директор.— Заметьте, это не просто защитные костюмы, а произведения искусства: тонкая резьба, чеканка, позолота, чернение, синение, замысловатые узоры гравировки. Фамильные гербы, батальные сцены, сложные орнаменты...

Я рассматриваю мастерски изукрашенную сталь, восхищенно качаю головой, цокаю языком и всем своим видом изображаю полное восхищение. При этом совершенно искренне. Удивительно, что драгоценные латы использовались не только на парадах, но и на полях сражений: на некоторых имеются боевые отметины — вмятины, царапины, трещины. Они, несомненно, спасли своих владельцев...

Я тычу пальцем в глубокую вмятину, изуродовавшую позолоченную картинку — след то ли арбалетной стрелы, то ли мушкетной пули, и прищелкиваю языком.

— Однако, ваши короли были храбрецами! Они не прятались за спины своих воинов!

Директор кивает.

— О да! Вождь нации не может позволить себе трусость!

Зал почти пуст: музей скоро закрывается. Высокая и худая, как вобла, немка в наушниках аудиогида рассматривает командный жезл императора Фердинанда Третьего со встроенной подзорной трубой. Парень и девушка студенческого вида изучают монстрообразный щит с железной перчаткой, шипами, зазубренным клинком, да еще вделанным фонарем... Пожалуй, он мог бы потягаться со зловещей перчаткой Фредди Крюгера!

Вдоль стен горбятся кирасы, разнообразные доспехи: костюмные и конные, полные и поясные... В высокие стрельчатые окна проникают слабеющие красноватые лучи заходящего солнца, они слегка окрашивают шлемы и забрала, отражаясь от полированной стали тусклыми розовыми бликами.

Большинство доспехов имеют классические пропорции: широкие плечи, выпуклая грудь, поджарый живот, узкие бедра. Скорей всего, не оттого, что их носили атлеты — портреты владельцев на стенах тому наглядное свидетельство,— просто бронированный костюм еще в большей мере, чем тканый, позволяет скрывать погрешности фигуры. Впрочем, не всегда — вот совершенно карикатурная стальная оболочка какого-то австрийского барона — толстого, низкорослого, с огромным животом...

— ...они как дорогие наряды для балов — с рюшечками, золотым шитьем, атласными вставками и драгоценными камнями, только в основе не шелк и бархат, а прочная броня,— увлеченно рассказывает директор, и я понимаю, зачем он здесь: он знает дело и на сегодняшнем интеллектуальном обеде призван подать закуску («стартерс», «аперитив», как пишут в европейских меню), после которой Ирена предложит основное блюдо. Пока же она слегка улыбается, делая вид, что хорошо знает все, о чем говорит директор. Но если бы так, его бы здесь не было.

— Цена таких доспехов равнялась двенадцати годовым окладам министра и тремстам годовым зарплатам ремесленника. Последние, правда, не носили даже самых простых доспехов: жизнь простого человека мало ценилась во все времена...

— Да, дорогой друг, это извечная историческая несправедливость! Вы блестяще владеете материалом,— я бережно, как знаток знатока, беру директора под локоть.— А что вы думаете насчет гипотезы о маленьком росте людей средневековья?В литературе неоднократно приходилось встречать утверждения, что якобы средневековые латы рассчитаны на низкорослых владельцев, а значит, еще несколько веков назад человеческая особь мужского пола была гораздо ниже современного мужчины...

Запоздало приходит мысль, что с учетом роста самого директора я допустил бестактность, но собеседник тут же опровергает такое предположение. Он расплывается в улыбке человека, которому дали возможность блеснуть своими знаниями.

— Боюсь, мистер Сергеев, что это не больше, чем популизм! Никто не проводил специальных исследований. Общее число изученных доспехов не определялось, процентное соотношение высоких и низких не выводилось, удельный вес латников в мужском населении не рассчитывался, вторая и третья цифры не сопоставлялись. А следовательно, никакой научной основы подобные выводы не имеют!

Низенький человек с торжествующей улыбкой поднял палец.

— Возможно, они сделаны на примере одного рода, отличавшегося низким ростом. Кстати, у меня в семье все мужчины были не очень высокими...

Я делаю протестующую гримасу. Дескать, помилуйте, о чем вы говорите? У вас прекрасный рост!

— Но в Тауэре выставлены доспехи Ричарда из Йорка... — продолжает он.

— Высотой два метра и два сантиметра,— скромно вставляю я.

— Вот именно!

Директор в восторге, его глаза горят торжеством, он готов меня расцеловать. Если бы мне надо было его вербовать, то лучшую прелюдию придумать трудно.

— Так вот Ричард, а возможно и его родственники, позволили бы прийти к прямо противоположным заключениям!

Мы громко смеемся, хлопаем друг друга по плечам и жмем друг другу руки.

— А вот обратите внимание на кирасу курфюрста Фридриха фон дер Пфальц...

Ирена кашлянула. Я понимаю, что первая часть интеллектуального обеда подошла к концу.

— К сожалению, я должен вас оставить,— настроение у моего нового друга резко меняется: выражение озабоченности, словно влажная губка, стерло с лица веселое оживление.

— Буду рад видеть вас в своем кабинете и оказать помощь по любым вопросам,— говорит он, по-моему, довольно искренне.

Ох, не давайте таких опрометчивых обещаний, мой восторженный друг! Очень часто о них впоследствии приходится горько жалеть...

Звук шагов нашего добросовестного гида гулко отдается под высокими сводами, становясь все тише, и, наконец, тает в районе мраморной лестницы. Тощая немка и студенческая парочка ушли еще раньше. Мы с Иреной остались вдвоем в огромном, тускло освещенном зале, окруженные доброй полусотней стальных фигур. За окнами стремительно смеркается, а в зале свет почему-то так и не зажгли. То ли по природной австрийской бережливости, то ли по каким-то иным причинам...

— Вы действительно хорошо разбираетесь в оружии,— нарушает молчание Ирена.— Я даже думаю, что лучше, чем в делах «Росавиакосмоса».

Ничего себе! Более чем двусмысленное заявление! Но профессионалы не поддаются на провокации.

— Возможно,— небрежно отвечаю я.— Личная заинтересованность всегда эффективней казенной надобности.

Она делает шаг вперед. Расстояние между нами меньше метра.

— Здесь есть телекамеры? — спрашиваю я, оглядываясь по сторонам.

— Нет. Здесь нет никакой аппаратуры... Абсолютно никакой.

Наступает неловкое молчание. Какое же основное блюдо приготовила для меня Ирена? Неужели то самое?

— Как вам понравилась экспозиция? — Ирена делает еще шаг вперед. Теперь мы стоим лицом к лицу. В сумраке глаза ее загадочно блестят.

— Великолепная! — чтобы не навлекать на себя подозрений, я вынужден сделать то, что сделал бы обычный, не имеющий отношения к спецслужбам и не связанный требованиями конспирации мужчина: трогаю ее за грудь, потом обнимаю за талию, притягиваю к себе и целую в податливые губы, которые сами раскрываются навстречу.

Бурный обмен поцелуями, зубы стукаются друг о друга, как фарфоровые стопки со сладким любовным зельем, которое вполне может оказаться смертельным ядом. Острые ноготки Ирены пробегают по спине, умелые руки забираются под рубашку, ощупывают бока, грудь, живот, ныряют под брючный ремень, привычно вжикают «молнией»... Похоже, она проверяет — нет ли на мне радиомикрофона или сканера, я не остаюсь в долгу: распахиваю ее жакет, поднимаю тонкую водолазку, срываю бюстгалтер... Так, здесь все чисто, для естественности оглаживаю округлые груди, попутно целую остро торчащие соски, расстегиваю и рывком сдергиваю тугие брюки... Под трусиками тоже ничего нет, точнее, нет никакого шпионского снаряжения, а то, что должно быть у женщины, как раз имеется. Лобок подбрит, оставлена только узкая, коротко подстриженная вертикальная полоска, горячая промежность выбрита начисто, нежная влажная бахрома ложится в ладонь, раскрываясь, как готовый к употреблению моллюск... Конечно, при поверхностном подходе можно посчитать, что тщательный личный досмотр уликовых материалов не выявил. Но не исключено, что компромат может быть спрятан в естественных отверстиях тела, поэтому нельзя останавливаться на полпути, и Ирена это понимает, потому что извлекает наружу мой щуп, предназначенный как раз для углубленных исследований скрытых полостей — он очень чувствительный и находится во вполне рабочем состоянии...

Присев на корточки, она дает мне возможность убедиться, что во рту у нее ничего не скрыто. Молодец Ирена, вижу, ты склонна к сотрудничеству! Если это, конечно, не попытка усыпить мою бдительность... Если так — напрасно! Добросовестность, последовательность и доведение любого дела до конца — вот принципы, которые я всегда и неукоснительно исповедую! Насчет позы конечного этапа исследования двух мнений быть не может: тут нет ни дивана, ни стола, ни даже стула, а высокие узкие сапоги в соединении с брюками исключают фронтальные подходы... Я ободряюще поднимаю Ирену на ноги, разворачиваю спиной, она без дополнительных указаний слегка наклоняется, ухватившись за позолоченную колонну восемнадцатого века.

Поскольку это работа, а не какие-то глупости, то я, отстранившись на миг, достаю небольшой пакетик из фольги, в котором ждет своего часа миниатюрный бронежилет, только не из кевлара, а из латекса, проверенный не контрольными отстрелами, а электроникой, и называемый не «Кора» или «Модуль», а «Дьюрекс». В полумраке белеют стройные ноги и аппетитные ягодицы Ирены, с треском рвется фольга, шуршит тончайшая резина, полсотни железных мужиков жадно ждут последнего аккорда неожиданной увертюры. После небольшой заминки я врываюсь в скользкого моллюска и подробнейшим образом исследую его внутренности, стараясь вогнать свой щуп как можно глубже. Для этого, бессознательно следуя правилам ножевого боя, я при каждом выпаде дергаю чуть влажные бедра Ирены на себя — надо признать, что она вполне добросовестно мне помогает и активно подается навстречу, чтобы свести к минимуму глубину неисследованного пространства...

Уф! Никто не сможет упрекнуть меня в недобросовестности и поверхностном подходе к делу. Я сделал все, что мог. И если уликовые материалы не обнаружены — значит, их просто нет!

Я привожу одежду в порядок, вытираю платком вспотевший лоб. Никогда еще мне не приходилось выделывать подобные дивертисменты в музее, даже не сняв пальто! Ирена тоже быстро застегивается, одергивается, поправляет волосы и расправляет складки одежды. Она тяжело дышит, так что ее дыхание отдается эхом чуть в стороне. Если, конечно, это не дыхание возбужденных рыцарей. На многих доспехах имеются стальные гульфики разных размеров: от скромных до весьма внушительных, и энергетика того, что в них находилось, вполне может привести в неистовство бесплотный дух, заточенный в железную оболочку.

Мне кажется, я слышу какие-то звуки: скрипы, едва слышное царапанье, скрежет... Как будто застоявшиеся рыцари переминаются с ноги на ногу... Про восковые фигуры говорят, что они оживают по ночам... А как ведут себя эти стальные панцири?

— Ну, ты и шустрый парень! — улыбается Ирена и гладит меня по щеке.— Никак не ожидала такого натиска!

Э-э-э, подруга, да ты не очистилась от греха лицемерия!

— Так уж и не ожидала?

— По крайней мере, здесь и сегодня!

Она успокоилась и выглядела как ни в чем не бывало.

— Тогда скажите, пожалуйста, прекрасная дама, зачем вы меня сюда пригласили? Ведь не для того же, чтобы провести музейную экскурсию?

— И для этого тоже...

— «Тоже»? А главная цель?

Ирена улыбнулась.

— Хочу задать вам один вопрос. Вы что-нибудь теряли?

— В каком смысле? Я очень организованный человек, я никогда ничего не теряю.

— Не вы лично. Просто у меня оказалась одна вещь, которая принадлежала Российскому «Авиакосмосу», сотрудником которого вы якобы являетесь.

— Почему «якобы»? — слегка обиделся я.— Могу показать официальный документ... Да и позвонить нетрудно, вам ответят, что Сергеев в командировке в Вене... А что это за вещь?

В облике Ирены что-то изменилось. Улыбка исчезла. Она смотрела на меня в упор, причем очень серьезно. Я даже не думал, что она умеет так смотреть.

— Один листок. Если он подлинный и принадлежит вашему ведомству, то можно вернуть остальные. За вознаграждение, разумеется.

— Какой листок?

Она запустила руку под жакет, вытащила лист бумаги, развернула. А ведь я слышал, как что-то шуршит во внутреннем кармане...

Серые сумерки сгустились настолько, что буквы сливались в слепые строчки. Ирена пошарила внизу колонны, щелкнул выключатель, и галогеновый свет залил стеклянный стеллаж с парадной шпагой императора Максимилиана второго и ружьем императора Рудольфа второго. Она поднесла листок к освещенному пространству. Лицо ее было уверенным и спокойным. Я взял документ в руку.

«КБ № 4, отделы 4, 6, 8, тема 12: проект «Вулкан», руководитель темы... главный конструктор... генеральный конструктор... подписи, печати...»

Дальше можно не смотреть. Да, это подлинный титульный лист из пропавшей папки: фотографии копии я изучил досконально. Тот самый документ, с пропажи которого начались все наши неприятности!

Тем не менее, я продолжал глубокомысленно пялиться в бумагу, поворачивать ее под разными углами к свету и молчать, потому что совершенно не знал, что сказать и как себя вести.

Подтвердить подлинность документа? Зачем? Какую пользу это принесет? И кому? Если бы его действительно хотели вернуть за вознаграждение, то почему не обратились в наше посольство? И в чем смысл его возвращения? Какой смысл нам платить? Копии всей разработки в КБ имеются, а похититель наверняка переснял ее за десять минут. Тайна, попавшая в чужие руки, в тот же миг перестает быть тайной. Вернуть украденный секрет невозможно, как и нарушенную девственность. Тогда что мы покупаем?

Многозначительно смотрю лист на просвет, задумчиво выпячиваю нижнюю губу.

Нет, что-то здесь не то! Украденные секреты не возвращают. Цель его демонстрации в другом... Похоже, Ирена просто хочет удостовериться, что документ подлинный. Значит, надо спутать ей карты! Если девочка думает, что поймала меня в «медовую ловушку» и теперь я у нее на коротком поводке, то она глубоко ошибается!

— Вынужден вас огорчить, милая! — наконец произнес я, протягивая бумагу обратно.— Это грубая фальшивка. Каждый, кто знает подписи конструкторов, определит подлог с первого взгляда. Думаю, что какие-то мошенники хотят бессовестно вас надуть...

Казалось, что женщину ударили под дых. Она даже покачнулась.

— Как?! Поддельные подписи?

— Да. И это очень легко проверить.

От уверенности и невозмутимости не осталось и следа. Она пыталась сложить листок, но бумага не поддавалась, ухоженные руки с аккуратным маникюром заметно дрожали. Зря ты влезла в это дело, милая! Шпионские игры не для женщин!

— Давай уйдем отсюда, дорогая! — я снова перешел на свойский тон.— Пойдем в кафе, посидим, поворкуем... Я слышал, что в темноте эти железные истуканы оживают! Так что лучше держаться от них подальше...

— Что? Нет, нет, тут никого нет... Я сегодня не могу в кафе...

Ей, наконец, удалось справиться с упрямым листком и водворить его обратно в карман.

— Я зайду к директору за пальто, и он отвезет меня домой. А ты минут через пять-десять выходи через главный вход. Чтобы никто ничего не подумал...

Цокот острых шпилек изрешетил многозначительную тишину рыцарского зала, прокатился к выходу, отстучал по мраморным ступенькам и растворился вдали. Наступила мертвая тишина. Только мое дыхание эхом отдавалось от кирасы курфюрста Фридриха фон дер Пфальц. Почему оно такое тяжелое? Я ведь уже успокоился...

Серые сумерки продолжали сгущаться, готовясь перейти в стадию окончательной темноты. Угловатые силуэты рыцарей, казалось, увеличились. Или стали ближе. Я почувствовал себя неуютно. Подкрадываются они ко мне, что ли? Зря я обозвал их истуканами: без веской причины никогда не следует заводить врагов... Вдруг они действительно оживают? Хотя мы материалисты и не верим в подобную чепуху! Это только пустые оболочки, неодушевленный металл...

Я прошелся вдоль строя железных фигур, всматриваясь в темные провалы открытых или зарешеченных шлемов, пытаясь заглянуть в узкие глазницы опущенных забрал.

— Ну что, брат курфюрст? — покровительственно спросил у Фридриха фон дер Пфальц.

Но фраза оборвалась — слова застряли в горле, по спине пробежал ледяной холод, и волосы встали дыбом. Я ясно ощутил присутствие другого человека и почувствовал его взгляд! Да, да — сквозь прорези в миланской стали на меня смотрели глаза того, чье тяжелое дыхание я принимал за свое собственное!

Тело оцепенело, превратившись в камень. Две статуи — каменная и железная — замерли друг против друга. Обе не двигались и не дышали. Так застывают ковбои в крутых вестернах, ожидая, когда движение одного развяжет руки другому... Тот, кто прятался в стальной оболочке, не выдержал первым и тяжело втянул воздух сквозь дыхательные отверстия шлема. Это нарушило неустойчивое равновесие: я вышел из ступора и быстро направился к выходу. Сзади отчетливо послышался лязг поднимаемого забрала. Мне показалось, что сейчас за спиной раздастся железный топот преследователя...

Может смеяться, но я побежал!

* * *

Мимо таблички «Технический перерыв» я вылетел в следующий зал. Он был ярко освещен, пожилая служительница удивленно посмотрела сквозь круглые очки — я перешел на шаг, чувствуя себя полным идиотом. Если рассказать кому-то, как я убегал от оживших рыцарей...

Нет, это, конечно, останется тайной! Так же, как и эпизод с Иреной. Это только Джеймс Бонд трахает всех попавшихся на киноэкранном пути красоток при снисходительном понимании руководства. Но в реальной жизни неразборчивый в связях сотрудник «МИ-5» мгновенно получил бы такого пинка, что вылетел бы из красивого голубого здания на берегу Темзы, опережая свой собственный жалобный визг!

А я вполне мог бы попасть под следствие внутренней контрразведки на предмет выявления государственной измены. Ибо все, что я делаю в интересах службы, должно происходить только с санкции руководства. То, что я проделал с Иреной, при наличии санкции называется «контактом W». А при ее отсутствии — б...вом и моральным разложением.

Стрелки часов показывают ровно семь. Я провел в музее всего полтора часа, а кажется, что прошла целая вечность...

На улице окончательно стемнело. Мимо широкой дворцовой лестницы спешат по домам закончившие работу венцы. Слева в тени топчется мужчина, и, хотя лица его не видно, я знаю, что это капитан Ивлев. Он здесь не один: еще несколько сотрудников перекрывают запасные выходы. В моем прикрытии задействовано пять или шесть офицеров, а я чуть не испугался пустых железных оболочек! Нет, до «чуть не испугался» было, конечно, далеко, но неприятные чувства, несомненно, возникали, это надо признать самокритично...

В аркаде дворца тихо и проникновенно играет на скрипке Моцарта молодой парень, глаза у него закрыты, на лице отражены переживания,— он весь в мире музыки. Если он старается из-за денег, то по виду этого не скажешь.

На площади стоят фиакры, остро пахнет навозом. Кроме запаха, присутствует и его материальная основа, рассыпанная на заснеженной булыжной мостовой, всего в сотне метрах от резиденции Президента республики.

Оказывается, гигиенические лотки под хвостами есть не у всех лошадей — вот тебе и хваленый европейский порядок!

Я чувствую, что устал. Перехожу узкую улочку, захожу в старинное кафе «Гринштайдл», заказываю венские колбаски, две бутылки пива, венские булочки, венский апфельштрудель и кофе по-венски. Расслаблено осматриваюсь по сторонам. Мебель темного дерева, много зеркал, круглые мраморные столики, гнутые венские стулья, буфет с пирожными, газеты в деревянных зажимах...

Зал почти полон. Венцы и приезжие пьют кофе с пирожными. За соседним столиком две пары средних лет оживленно разговаривают, смеются, прихлебывая маленькими глотками темное пиво из высоких стаканов. Судя по всему, они отмечают какое-то событие и сидят уже не меньше часа, но никакой закуски на столе нет, а три бутылки пива опустошены только наполовину. Оставшейся выпивки им хватит на весь вечер, и это никого не удивляет: здесь не принято много заказывать. Поэтому на обильно заставленный поднос, который мне приносит полная официантка, все смотрят с удивлением.

В том числе и сильно постаревший Спартак, поднявший когда-то восстание рабов в Риме. Не сам гладиатор, разумеется, а тот, кто воплотил его образ на киноэкране. Он сидит у двери — аккуратный... нет, назвать его старичком не поворачивается язык,— аккуратный пожилой человек в костюме и галстуке. Действительно здорово похожий на Керка Дугласа. Трудно определить возраст, но очевидно он одинок и пришел сюда, чтобы побыть на людях и развеяться. Маленькая чашечка кофе с конфеткой и стаканом воды стоит пять евро. Газета и праздничная обстановка — бесплатно. Может ли его московский сверстник запросто зайти в «Пушкин», «Ваниль» или, на худой конец, в «Пирамиду», чтобы отвлечься от одиночества и приятно провести время? Вряд ли, у пожилых соотечественников совсем другие заботы...

«Керк Дуглас» отложил газету, теперь он попеременно прихлебывает кофе, воду и, как он думает, незаметно, но с явным интересом наблюдает за мной.

Я жадно расправляюсь с сочными колбасками, горячими, только из печи, булочками, в несколько глотков выпиваю одну бутылку пива и наполовину опустошаю вторую. Соседи перестают смеяться и не спускают с меня глаз. Так бы они рассматривали предающегося чревоугодию Гаргантюа. Я выпячиваю грудь: «Знай наших!»

Через несколько минут голод утолен, и я приступаю к десерту. И почти сразу «Керк Дуглас» оказывается у моего столика. Это удивительно само по себе: в Европе не принято нарушать «прайвеси».

— Извините, вы из России?

Я чуть не поперхнулся: он говорил по-русски и почти без акцента!

— Можно я к вам присяду?

— Можно. Как вы узнали? И откуда так хорошо знаете язык?

«Спартак» тяжело опускается на стул напротив. Вблизи тоже не удается определить, сколько ему лет. Может, шестьдесят, а может, и все сто. Но взгляд у него живой, как у молодого. И искорки хитринки проскакивают в прищуренных глазах.

— Я был у вас в плену. Потом женился, жил под Саратовом. В шестьдесят втором вернулся. Так что русский вопрос изучил досконально...

Да, люди часто прокалываются на национальных привычках в еде. Американцы литрами пьют колу со льдом и запихиваются гамбургерами, итальянцев выдает пристрастие к пасте, испанцев — привычка поливать хлеб оливковым маслом, натирая чесноком и помидорами... А я, очевидно, слишком жадно жрал! Хорошо, что по легенде я действительно русский специалист. Иначе — расшифровка, а может, и провал...

— Неужели только русские быстро и много едят?

Бывший военнопленный слегка улыбается.

— О, нет! И немцы, и австрийцы, и итальянцы... Все голодные мужики. Не в этом дело. Просто вы макали сосиску в горчицу, а так действительно делают только русские. Остальные мажут ее ножом или выдавливают из тюбика...

Очень ценное замечание! Но чтобы сделать его, мало быть наблюдательным человеком — надо уметь анализировать факты, классифицировать характерные признаки приема пищи и использовать их для национальной идентификации. Все это не приходит само собой — этому специально обучают...

— Разрешите угостить вас кофе? — уже с новым чувством я незаметно разглядываю нового знакомого.

У него высокий лоб, пронзительные, не потерявшие цвета и блеска голубые глаза, резкие черты худощавого лица, хищный тонкий нос, волевые носогубные складки, все еще мощный подбородок, только без ямочки, как у его знаменитого двойника. Ухоженная, покрытая горным загаром кожа, ровно подстриженные ногти. Отглаженный и вполне приличный костюм, свежая сорочка, новый галстук, завязанный модным узлом, запах хорошего одеколона...

Да... Если старость — это беспомощность, бедность и зависимость от всех и вся, то «Керк Дуглас» никакой не старик, а нормальный европейский мужчина. Вполне возможно, у него есть любовница... Даже наверняка есть!

— С удовольствием, только без кофеина. В моем возрасте иначе не заснешь.

Неожиданно он переходит на немецкий.

— Что показало ваше физиономическое исследование? Удалось составить представление обо мне?

Да, это явно не простой пенсионер. Но кто бы он ни был, наша встреча безусловно случайна, ибо я сам до последнего момента не знал, что зайду в «Гринштайдл».

— Боюсь, что вы преувеличиваете мои способности,— я делаю глоток кофе и беспечно пожимаю плечами.— Да и таких далеко идущих задач я не ставил.

— Извините. У вас был такой цепкий, изучающий взгляд... Позвольте представиться: Курт Дивервассер, бывший альпийский стрелок отдельной горно-штурмовой бригады «Эдельвейс» группы армий «Юг». Мы действовали в районах Кавказского хребта — Чегет, Эльбрус... Когда меня пленили, молодой русский капитан смотрел на меня в упор, просвечивая, как рентгеном... До сих пор помню его безжалостные голубые глаза!

Дивервассер поднес к лицу согнутые ладони, будто в каждой держал среднего размера яблоко и собирался вставить их себе в глазницы.

— За неделю до этого в бою лавиной засыпало ваш батальон, и капитан думал, что это сделали мы... Тогда меня бы расстреляли на месте!

Он на миг замолчал. Барабанившие по столу сухие пальцы выдавали волнение.

— Может быть, выпьем по рюмочке обстлера? — предложил я, переводя наше общение с корректно-сдержанного европейского пути на рельсы русского бесшабашного загула.

— С условием, что я угощаю,— поддержал меня испорченный пленом Курт.

Австрийская фруктовая водка имеет крепость тридцать восемь градусов, выпить крохотную рюмку — все равно что ничего не пить. Но рюмкой, как известно, дело никогда не ограничивается. Потом угостил я, затем опять он, потом снова я...

Компания за соседним столиком изумлялась все больше и, наконец, очевидно устыдившись собственной скаредности, допила свое пиво и покинула кафе. Другие столики тоже постепенно пустели. А мы продолжали угощать друг друга — пропорционально нарастали взаимные симпатии и расположение. Я рассказал своему новому другу о сложной миссии «Росавиакосмоса» в Вене, а он, подтверждая мои догадки, поведал, что тридцать лет прослужил в австрийской политической полиции, то есть контрразведке. И хотя уже давно находится в отставке, все еще поддерживает связи с коллегами и читает лекции для молодых сотрудников. Что ж, во всем мире ветераны передают опыт подрастающему поколению. Только одно странно...

— В России после плена вас бы не взяли на секретную службу,— сказал я и заказал еще пару рюмок.— Даже тем, кто мальчишкой жил на оккупированной территории, все дороги в органы власти были закрыты...

Мой собеседник пожал плечами.

— В каждой стране свои правила. И потом — у вас большая территория и много людей. А в маленькой Австрии — мало. К тому же мы проиграли войну. А значит, все были в плену или на оккупированной территории. Кому служить в армии, работать в полиции, избираться в парламент?

Что ж, логично! Хотя и непривычно для нашего менталитета.

— За вас, Курт! У вас была долгая и очень насыщенная жизнь!

— Да. Жаль, что она позади. За вас. Прозит!

Рюмки прозвенели и опустели в очередной раз.

— Кстати, когда мы чокаемся, мы смотрим друг другу в глаза, а русские смотрят на рюмки,— вдруг сказал Дивервассер.— Вас это не касается, вы тоже смотрите в глаза...

— Да? — удивился я.— И что это значит?

— Не знаю,— дедушка Курт задумчиво покачал головой.— Не знаю...

А что тут знать? Дело ясное — раз меня научили правильно смотреть, значит, я прошел специальную подготовку для конспиративной работы за рубежом. Это и ежику понятно. А герр Дивервассер меня разоблачил. Только ни ему от этого никакой пользы, ни мне никакого вреда. А в другое время и при других обстоятельствах он мог бы «колоть» меня, как в далекие военные годы «колол» его самого безымянный капитан из «СМЕРША». Тем более что глаза у них, очевидно, были одинаковыми.

— А что у вас за заброшенный замок? На холме, у парка Праттер? — спросил я, чтобы сменить тему.

Дивервассер допил свой кофе и отодвинул чашку.

— Кронбург. Построен в пятнадцатом веке графом Альгенбергом.

— Говорят, там водятся привидения?

— Говорят, — кивнул отставной контрразведчик. — Уже лет двести пересказывают на разные лады... Хотя сходятся в одном: старший сын графа был косой, низкорослый, горбатый, но отличался огромной физической силой и неистовым нравом. Косой Иоганн в равной мере притягивал несчастья и сеял их вокруг... Нещадно порол крестьян, насиловал девушек, за неповиновение мог убить или сжечь дом. Его рыкающий смех и дикий взгляд наводили ужас в округе, да и в самом замке. Все его ненавидели и боялись, за глаза называли Бешеным волком и считали оборотнем...

«Керк Дуглас» замолчал и зачем-то понюхал рюмку из-под обстлера.

— А потом на него напал настоящий бешеный волк. Совсем рядом с замком: тогда вокруг рос густой лес... Многие считали, что это был другой оборотень, а может — отделившаяся от Иоганна его звериная сущность... Как бы то ни было, волк загрыз Косого, а тот задушил волка, их так и нашли сплетенными в смертельном объятии... С тех пор горбатый карлик и бешеный волк гоняются друг за другом по замку, особенно в новолуние...

Курт Дивервассер замолчал и с треском поставил рюмку на стол, будто заверил свой рассказ печатью достоверности.

— Надеюсь, призраки карлика и волка бегают по замку только в легенде? — улыбнулся я.

Но мужественное лицо «Спартака» оставалось серьезным.

— Не знаю. Легенда существует уже несколько столетий. Многие слышали волчий вой или жуткий звериный смех, от которого волосы встают дыбом... В газетах то и дело печатают письма очевидцев, которые видели и карлика, и волка.

— Не ожидал от вас такого ответа! Вы же, как я успел убедиться, сугубо реалистичный человек!

Герр Дивервассер пожал плечами и отказался от очередной рюмки.

— А что тут еще скажешь? Замку Кронбург пять веков, вся его история состоит из несчастий и преступлений. Последние сто лет там никто постоянно не живет, а лет сорок он вообще стоит заброшенным. Лет пять назад один смельчак на спор отправился туда переночевать, а для уверенности захватил с собой револьвер. Утром его нашли с пулей в виске из этого самого револьвера...

— И что выяснилось? — перебил я.

Курт снова пожал плечами.

— Да ничего. Расследование пришло к выводу, что это самоубийство.

— Странноватое самоубийство!

— Вот именно,— мрачно кивнул герр Дивервассер.— Совсем недавно — может год, может полтора, два газетчика решили повторить эксперимент и тоже устроились на ночлег... Так один выбросился с верхнего этажа и разбился насмерть...

— А второй?

— Второй уцелел,— по-прежнему мрачно сказал мой собеседник.— Только бедняга сошел с ума. И ничем не смог помочь полиции. Одно время в замок водили туристов, но потом перестали: многих охватывал страх, женщины падали в обморок, даже опытным гидам становилось не по себе. Как это все расценить, если не брать во внимание легенды? Лично я не знаю.

— А не сходить ли нам туда вдвоем, чтобы разгадать эту загадку? — как и положено выпившему русскому, предложил я своему новому другу.— У вас ведь наверняка имеется оружие?

— Имеется. Но, честно говоря, у меня нет ни малейшего желания этим заниматься,— покачал головой двойник Керка Дугласа.— Привидения — совершенно не моя сфера. А дилетанты обычно плохо кончают. Даже с оружием. Вы со мной согласны?

— Целиком и полностью,— с горячечной искренностью отозвался я. Дело шло к закрытию кафе, и время нашей дружбы заканчивалось. Но видимость дружеского расставания нарушать нельзя — это против правил.

— У нас с вами много общего, и вы мне понравились,— сказал Курт Дивервассер, внимательно глядя мне в глаза, как будто хотел заглянуть в мозг и прочесть мысли.— Вот моя карточка, если надумаете — позвоните.

На стол лег маленький плотный прямоугольник с золотым тиснением. «Интендант 2 класса в отставке», адрес и телефоны...

Это уже напоминало прелюдию к вербовке. Причем в данном случае вербовать собирались меня. Что ж, не только у нас бытует поговорка, что контрразведчики бывшими не бывают...

— С удовольствием! И у меня к вам возникли дружеские чувства, я тоже буду рад встретиться.

Я вручил собеседнику свою визитку.

— Только... — герр Дивервассер на секунду замешкался, глядя в пустую чашку, словно хотел определить судьбу по узорам кофейной гущи. Интересно, чью судьбу — свою собственную или мою? — Должен сказать, что ту лавину обрушило именно мое подразделение. Причем я им командовал!— голос его был сух и резок.

Он поднял голову и теперь смотрел мне в глаза. Прямо, откровенно и с вызовом.

— Какую лавину? — не сразу понял я.

— Ту, которой накрыло русский батальон. Они пытались зайти нам в тыл. Я применил направленный взрыв. Вы знаете, что такое скальный лед высокогорья? В нем очень трудно проделать шпуры для зарядов. Они должны быть глубокими, чтобы энергия пошла внутрь и ледник раскололся. Я лично пробил шесть, ободрав пальцы почти до костей. Но расчет оказался правильным: лавина смела противника. Была война. Но я люблю полную ясность. Это что-то меняет в наших взаимных симпатиях?

Я задумался. И, конечно, ответил так, как надо было ответить.

— Нет. Прошло ведь столько лет... И потом, действительно — была война... Конечно, нет!

Хотя я вовсе не был уверен, что думаю так в действительности. И постарался избежать рукопожатия, чтобы не касаться ладони, нажавшей в незапамятные времена на рычаг индуктора. Коротко поклонился и все — тут это вполне допустимо.

Глава 3

Негласное расследование

Отчет занял пять страниц убористого текста — шрифт двенадцатый, через один интервал. Набирал его я собственноручно на компьютере резидентуры с программой, препятствующей сохранению файлов. Первый лист начинался традиционным: «Совершенно секретно. Экз. единственный». А заканчивался подписью и обязательной фразой: «Отпечатано исполнителем». Потом я составил подробный план дальнейшей работы, где в числе прочего запросил санкцию на «контакт типа W» с Иреной.

Документы выглядели солидно и создавали впечатление полной подконтрольности моей работы руководству. Но это была только видимость, дань бюрократизму Системы. В отчете содержалось лишь то, что я посчитал нужным туда включить. А в плане — только то, что я наверняка сумею сделать. Если писать всю правду, тебя постоянно будут драть: за неправильные действия или невыполнение своего же собственного плана.

А ведь продвижение по службе базируется не на совершенных подвигах, а на этих самых бумагах... Поэтому они всегда субъективны. Чего-то не дописал Торшин, о чем-то умолчал Малахов, в чем-то врет Извеков... Если бы они соблюдали правила поведения и были искренни, то возможно, не попали бы в беду... Получается замкнутый круг. Как я прочел в одной книжке: « Не еб...т потому, что прыщи, а прыщи оттого, что не еб...т»

Руководитель венской резидентуры полковник Фальшин сед, осанист и сановит. У него грубое, будто тесанное топором лицо, обвисшие щеки, брюзгливо поджатые губы и двойной подбородок. Резидент внимательно читает отчет, делая пометки остро отточенным синим карандашом. На миг отрывается от текста, рассматривая меня сквозь очки с толстыми стеклами, как будто наводит микроскоп на любопытное, но в общем никчемное насекомое.

— Ничего подозрительного в музее не заметил? Гм... Не заметили?

Сидящий по другую сторону приставного столика Ивлев прячет улыбку. Полковник вспомнил, что насекомое прислано с особыми полномочиями и имеет право отправлять в Центр телеграммы собственным шифром. А это серьезно, как отравленное жало. Так что в разряд никчемных меня заносить нельзя, по крайней мере, в этой командировке...

— Предложение выкупить чертежи — оно ведь ни в какие ворота не лезет! Тогда зачем вся эта комедия? И еще...

Я подумал: говорить или нет? В конце концов, можно и сказать — ощущения к делу не пришьешь, да и выговор за них не объявишь... Конечно, напрямую про оживающих рыцарей нельзя, надо аккуратно...

— Мне показалось, что там кто-то есть. Какие-то звуки, чье-то дыхание...

— Испугались? — Резидент покровительственно улыбается. Хотя никакая это не улыбка — просто растянутые определенным образом губы, не выражающие на самом деле ни веселья, ни добродушия, ни покровительства. Это маска, за которой прячется мизантропическое отношение ко всему окружающему миру. Таков мой вывод.

— Испугался?! Я?! Ну что вы!

— Ну, ну,— довольно ядовито произносит Фальшин.

Он продолжает читать, наконец, откладывает отчет и берется за план работы. Его он пробегает довольно быстро, только один раз хмыкает и говорит Ивлеву:

— Покажешь мне фотографию этой Ирены!

— Так точно, товарищ полковник! — чеканно докладывает Виктор, и я понимаю, что дисциплина в резидентуре на высоте. По крайней мере в том смысле, в каком ее понимает товарищ Фальшин.

Резидент подписывает план, соглашаясь с ним полностью. Впрочем, особого выбора у него нет: в противном случае я мог запросить санкцию у Центра. Затем полковник поворачивается к единственному по-настоящему подчиненному ему сотруднику.

— А сейчас доложи результаты наблюдений!

— Есть,— тем же солдафонским тоном рапортует Ивлев и уже обычным голосом продолжает: — Ирена Касторски с директором покинули музей в восемнадцать пятьдесят пять. Распрощавшись, они сели каждый в свою машину и разъехались. В девятнадцать ноль-ноль появился Сергеев, почти следом еще девять служащих — рабочий день закончился. А в девятнадцать двадцать через черный ход вышел сотрудник американской резидентуры Аллан Маккой. Последним в девятнадцать тридцать пять ушел хранитель исторического отдела Хорст Винер, подозреваемый в связи с американской разведкой. Очевидно, он и выпустил Маккоя через заднюю калитку!

— Ясна картина, товарищ Сергеев? — спрашивает Фальшин, снимая очки.— Маккой слушал ваш разговор с этой блядью. Ради этого она вас и пригласила!

А ведь действительно, тогда все совпадает...

— Значит, Хорст Винер посадил американца в доспех, а Ирена подвела меня к нужному месту,— стал размышлять вслух «товарищ Сергеев» и осекся...

«Ну и сука! — изумился я.— Зачем же она устроила для него сексуальное шоу?»

Взяв себя в руки, «товарищ Сергеев» продолжил свои логические размышления:

— Только что он хотел услышать? А-а-а... Убедиться в подлинности документа самым простым способом — из первых рук! Когда я сказал, что это фальшивка, Ирена чуть в обморок не упала! Значит, для нее это очень важно. Но какова цель...

— Хватит умствований,— Фальшин пристукнул коротокопалой ладонью по столу.— Главное, что эта блядь работает на американцев. А еще важнее, что за всей этой историей стоит Марк Уоллес!

Имя своего оппонента полковник произнес с нескрываемой ненавистью. Еще бы! События последнего времени вряд ли поспособствуют его служебному долголетию. Особенно с учетом пенсионного возраста резидента...

— За всеми этими историями!

Резидент вскочил, так что кресло откатилось назад и глухо ударилось об обитую звукопоглощающей пенорезиной стену.

— Вряд ли документы украл Уоллес, а на наших людей напал кто-то другой! Все, что случилось,— это звенья одной цепи! Вот вам и секрет его подхода на приеме: со следа сбивает, иуда!

Фальшин нервно забегал по не слишком просторному кабинету: от сейфа к платяному шкафу и обратно.

— Чтобы так дерзко действовать, надо получить специальную команду! И иметь вполне определенную цель: разрушить нашу резидентуру! Именно разрушить! За двадцать лет я не помню ни одного такого случая, если не считать происшествий в Латинской Америке и на Африканском континенте!

Взяв себя в руки, резидент вернулся в свое кресло. Но эмоции продолжали распирать его массивное тело: он дергался, размахивал руками и подпрыгивал на мягком сиденье.

— И я не собираюсь оставаться в долгу! Сегодня же направлю в Центр спецсообщение о силовых провокациях американцев и запрошу санкцию на ответную акцию типа «Л»! А тебя, Ивлев, попрошу разработать план операции. Цель — Марк Уоллес лично! Мы захватим его и обменяем на Малахова! Думаю, Москва согласится!

Я не разделял такой уверенности. «Острые» акции против конкурирующих резидентур в цивилизованном мире не применяются со времен «холодной войны». Просто у Фальшина нет другого выхода. Он ничего не теряет, потому что уже проиграл, и только отчаянной выходкой может взять реванш. Пан или пропал!

Очевидно, сомнения отразились на лице специального представителя Центра, мнение которого будет наверняка учитываться при оценке ситуации.

Резидент изменил тон на искренне-уважительный. Что характерно, получилось это у него без труда.

— Я знаю, что вы опытный специалист, товарищ Сергеев. Очень прошу вас помочь капитану Ивлеву в разработке акции «Л».

Что ж, за всеми нашими неприятностями действительно торчат уши американской разведки...

— Постараюсь,— скромно ответил я.— Только... Кто будет исполнять эту акцию? Надо задействовать нелегальную сеть...

Полковник Фальшин то ли подпирает голову, то ли просто упирает кулак себе в скулу. Задор его куда-то исчезает.

— Да, тут есть проблема... Нелегальная сеть замкнута на Центр, она не используется уже лет пятнадцать, а может и больше...

В голосе полковника отчетливо слышится недовольство халатностью неких головотяпов, допустивших такое нетерпимое положение. Между прочим, за существование работоспособной агентурной сети в Австрии отвечает никто иной, как резидент товарищ Фальшин.

Он снова встрепенулся, явно взбадривая сам себя.

— Но это ничего не значит! Мы запросим Москву, и нелегалов активизируют! Или перебросят кого-нибудь из сопредельного региона...

«Да, конечно, сейчас... Высадят с подводной лодки группу боевых пловцов — прямо в центре Вены! Или сбросят парашютистов на собор Святого Штефана...»

Я с задумчивым видом чешу в затылке, будто взвешиваю вероятность такой возможности. Хотя все и так предельно ясно. Любая помощь в подобной ситуации очень маловероятна... Вряд ли все возможности внешней разведки России будут брошены на спасение карьеры облажавшегося резидента. Но вслух я своих сомнений не высказываю. Напротив.

— Нужно хорошее обоснование. Я сделаю все, что смогу,— заверяет озабоченного полковника посланец Центра.

* * *

Работа в посольстве заняла целый день, и, когда я освободился, уже стемнело.

Улица Грабен — пешеходный центр Вены. Украшенные гирляндами деревья напоминают о прошедших праздниках, в окружении сугробов стоит огромная елка, точно такая, как на Театральной площади в Тиходонске. На каждом шагу продают горячий глинтвейн, жареные каштаны и печеную картошку. Я иду в плотном потоке людей разных возрастов, рас и национальностей. Никто не одет так, как манекены в блестящих витринах фешенебельных магазинов, где царствуют щипаная или вязаная норка, ультрамодная обувь и шарфики с меховой отделкой по полторы тысячи евро. К сожалению, не подражают и стилю торгового дома «Е. Браун и К», где стоят пластиковые дамы в изящном белье...

В повседневности здесь одеваются просто и практично: женщины игнорируют «шпильки», предпочитая туфли на низком каблуке, похожие на мужские. Почему-то они любят туфли на меху зимой и сапоги на босу ногу летом. Все шиворот-навыворот... Только Ирена ломает европейские стереотипы, у нее свой, особый стиль...

Телефоны Ирены целый день не отвечают. Ее нет ни на работе, ни дома. А между тем, она — единственная связь с миром таинственных событий, в котором я призван навести порядок. Поэтому на сегодня у меня запланировано посещение госпожи Касторски на дому. Или пани Касторски? Как бы то ни было, но сейчас идти хоть к одной, хоть к другой еще рановато...

Чтобы убить время, рассматриваю витрину магазина «Монеты и почтовые марки». Вопреки названию, здесь представлены еще и награды, в том числе и моей родины. Орден Славы стоит восемьдесят евро, юбилейные медали «60 лет Советской армии» — десять евро, «Ветеран труда СССР» — десять евро... Дешево. Вон французская медалька вытягивает на сто восемьдесят. Может, их реже продают?

Холод забирается под мое прекрасное кашемировое пальто, да и голод дает себя знать. Захожу в первое попавшееся кафе — здесь все хорошие, не ошибешься. Любезный и расторопный официант находит свободный столик и быстро приносит заказ. Сосиски на гриле, завернутые в бекон, с квашеной капустой, кисло-сладкие свиные ребрышки, пропитанные восхитительным дымком дубовых углей, непривычно сладкая горчица, прозрачное свежее пиво... На десерт — чай с ромом и, конечно же, знаменитый апфельштрудель — вчера я в нем не разочаровался.

На этот раз я мажу белую горчицу на румяный бекон и треснувшие от жара сосиски ножом, как и положено. И ем неспешно, отрезая умеренные ломтики, причем нож держу в правой руке, а вилку — в левой. Однако никто из десятков жующих вокруг людей не обращает на меня внимания.

Это хороший признак. Хотя сам по себе подход Ирены и несколько ее двусмысленных фраз свидетельствуют о том, что определенные подозрения на мой счет у противоположной стороны имеются. Но такие подозрения существуют всегда. Иногда они оправдываются, иногда нет. Во всяком случае, оснований для того, чтобы плотно сесть мне на хвост, у них не имеется. Хотя скоро появятся. Возможно, уже сегодня.

Я не люблю есть в одиночестве. Было бы лучше, да и честнее пригласить на ужин (а по-местным меркам это обед) моего коллегу Ивлева. Но он находится при исполнении служебных обязанностей. Уже два часа он мотается по Вене, чтобы избавиться от возможного «хвоста». Это заведомая перестраховка: австрийская контрразведка не очень строга к русским дипломатам, но порядок есть порядок. Потом он сядет во взятый напрокат переводчиком посольства автомобиль — скорей всего, неприхотливый и не привлекающий внимания «Форд-фокус» — и будет ждать меня в условленном месте. Куда я тоже должен буду прийти без «хвоста», которого у меня, кажется, и так нет. Впрочем, это я так думаю. А надо в этом убедиться на сто процентов.

Я заканчиваю основные блюда и *мотивированно* осматриваюсь, как будто хочу поторопить официанта с десертом. Молодой симпатичный австриец в красной форменной курточке ловко пробирается между столиками, виртуозно балансируя подносом, заставленным тарелочками с пирожными, бутербродами, сосисками, кофейными чашечками, пивными бокалами, разноцветными коктейлями. Как он умудряется помнить, кто что заказал? Я помахал ему рукой, попутно просканировав взглядом весь зал.

В кафе много народа, довольно тесновато, все заняты обычными делами: едят, пьют, разговаривают, смеются. Никто не рассматривает меня в упор, не фотографирует, не записывает остронаправленным микрофоном. Но это ничего не значит: когда таким делом занимаются профессионалы, то все происходит незаметно.

Две не слишком молодые и не очень красивые брюнетки неуверенно движутся по залу. Они разрозовелись от морозца, продрогли и явно не хотят возвращаться на холодную улицу, но свободных столиков, увы, нет.

Совершенно неожиданно симпатичный и галантный господин с тщательно подбритыми усами приглашает их за свой стол. Дамы удивлены — очевидно, не привыкли к подобным знакам внимания, но охотно принимают приглашение. Одной лет сорок пять, вторая немногим младше, с большим носом, чем-то похожа на птицу.

— Спасибо, вы очень любезны... — Рад помочь таким милым женщинам. Вы откуда? — Туристки из Италии... — Как вам здесь нравится? — Очень, Вена такая же веселая и открытая, как Рим... — Позвольте угостить вас обстлером, это местная граппа, он вас согреет... — О, спасибо, синьор так внимателен и щедр, вы наверное испанец...— С первой попытки не угадали, попробуем еще раз...

Мы оживленно разговариваем, смеемся, пьем обстлер, как хорошие знакомые. Если за мной следят, то решат, что это мои связи, а значит, внимание наблюдателей рассеется. Что и требуется... Наклонившись к уху Птицы, я прошу номер ее телефона, записываю цифры на тонкой спичечной коробочке. Если за мной наблюдают, то я облегчаю им задачу, выделяя более близкий контакт. Теперь за ней должны следить отдельно. Предлагаю встретиться завтра — здесь же и в это время. Предложение принято с удовольствием.

Расплачиваюсь за всех, снимаю с вешалки и небрежно перебрасываю через плечо пальто, захожу в туалет. В местных туалетах часто устроены окошки, выходящие во двор. Есть окошко и здесь, но такое маленькое, что лезть в него без крайней необходимости не хочется. Если бы за мной гнались убийцы — другое дело... Повторная попытка — черный ход. Надо сделать каменное лицо и уверенным шагом пройти в глубину служебных помещений, распахивая все двери подряд и сообщая персоналу какую-нибудь ерунду типа:

— Извините, я оставил во дворе свой мотоцикл...

Срабатывает: я оказываюсь в кирпичной подворотне, перешагиваю через какие-то ящики, протискиваюсь сквозь узкую щель между домами и попадаю в темный, по европейским меркам, переулок. Здесь меня заведомо никто не ждет, преследователи могут появиться только сзади. Держась в тени и стараясь не производить шума, иду в сторону какой-то улицы, время от времени оглядываясь назад. Никого. Через несколько минут сажусь в такси и называю подготовленный для таких целей адрес. За задним стеклом ничего подозрительного не замечаю. Владевшее мной напряжение начинает постепенно отпускать.

* * *

Через час, сменив два автобуса и три такси, я подъехал к заправке у парка Зигмунда Фрейда. «Форд-фокус», излюбленный автомобиль российской разведки: надежный, неброский, вместительный, юркий и достаточно скоростной,— стоял в глубокой тени напротив, он мигнул фарами, и через минуту я сел в пахнущий гамбургером салон. Ивлев дожевывал материальный носитель запаха.

— Знаете, что сказал шеф? — с усмешкой спросил он.— Сергеев обязательно найдет эту суку — у него мощный стимул, так что готовься держать свечку!

— У него только контакт «W» на уме?

— Конечно. Вы отчаянный человек. На моей памяти никто такого не запрашивал...

Я вздохнул. Значит, или грешили «втемную», или работали вполсилы. Потому что секс — универсальная отмычка для многих жизненных ситуаций, если ее не использовать, то упускаешь много возможностей...

— Поверь, Виктор, я думаю только о деле! — сказал я чистую правду и вдобавок самым убедительным тоном, на который был способен.

— Я в этом даже не сомневаюсь!

Напарник кивнул головой, слегка улыбнувшись той половиной рта, которую я не мог видеть, но все же увидел в зеркальце заднего вида.

— Что ж, поехали, навестим пани Касторски!

Ирена снимает квартиру в престижном районе. На улице ни души. Вдоль тротуара — засыпанные снегом автомобили. Места для парковки поблизости нет, поэтому Ивлев высаживает меня метрах в ста от подъезда, а сам отправляется на второй круг. Солидная стеклянная дверь производит впечатление и дает представление о стоимости квартир в этом доме. Кстати, тротуар вокруг очищен от снега, что добавляет информацию к размышлению о здешних ценах и источниках дохода скромной чиновницы.

Я нажал кнопку домофона с номером «восемь». Длинные гудки — и только. Задрал голову, осмотрев фасад из гладкого розового кирпича. Окна горели лишь в трех квартирах — австрийцы рано ложатся. Повторил попытку — и снова безуспешно. Чтобы не крутиться на ярко освещенном пространстве, перешел дорогу, попытавшись укрыться в тени дерева. Бесполезно! На пустой улице прячущийся человек привлекает внимание и выглядит злодеем. А здесь на каждом шагу телекамеры... И любой житель считает своим долгом сообщить в полицию о любом подозрительном факте. Скорей бы подъехал Ивлев!

Послышался шум мотора, но более мощного, чем я ожидал. Это был черный представительский «мерседес», которых в Вене раз в двадцать меньше, чем в Москве. Как вообще выживают эти венцы: у них и казино одно-единственное, оно принадлежит государству, и все доходы идут в казну... Очень странная нация!

Между тем «мерседес» остановился у розового дома, хлопнули дверцы, и наружу выскользнули две фигуры: мужская и женская. Обе высокие и статные. Неужели измена?! Я вгляделся: да, это Ирена! Ах, коварная, значит, ты не хранишь мне верность! А я так надеялся... Правда, выглядит она довольно скучной — ни обычной живости, ни кокетливого смеха...

Наверняка тоскует по мне, и конечно, ее мучат угрызения совести... Все-таки нелегко переступить через настоящую любовь, даже если безжалостные обстоятельства оказываются сильнее и подталкивают к грехопадению... Несчастная!

Кто же он — таинственный злодей-соперник? Пока женщина отпирала дверь, ее спутник вполоборота стоял рядом, и я хорошо разглядел его профиль. Красивый мужчина, кажется восточных кровей, лет тридцати пяти-сорока, с аккуратной бородкой-«эспаньолкой» и усиками, держится как наследный принц... Плюс черный «мерседес». Опрос, который провели в Великобритании, выявил, что самыми сексуальными автомобилями считаются «астон мартин» любой модели, «феррари», и родстер «БМВ Z 4». Причем наиболее притягательные цвета черный или красный. В Австрии все скромнее, и «мерседес» вполне может заменить «феррари».

Значит, сегодня акцию «W» с Иреной проведет этот восточный красавчик. Досадно! Но почему автомобиль не уезжает, нагло остановившись в запрещенном месте и уверенно попирая запретные желтые линии? Сейчас подъедет Ивлев, он не знает, что «мерседес» принадлежит нашим фигурантам, поэтому остановится и начнет искать посланника Центра... Что мне тогда делать? Садиться в «форд-фокус», на глазах у заинтересованных лиц? Или продолжать, подобно страусу, прятать голову в песок, дожидаясь, пока напарник меня окликнет? И в том, и в другом случае это полная демаскировка, почти провал...

На третьем этаже, справа от подъезда, в широком окне вспыхнул свет.

Изнуряемый ревностью, сомнениями и страхом разоблачения, я переминался с ноги на ногу, стараясь не выходить из-за дерева. Со стороны могло показаться, что я собираюсь помочиться. Это хорошая мотивация моего поведения для любого российского города. Но не для Вены. Здесь за подобную невинную шалость вполне можно получить месяц тюрьмы... Нет, все-таки в Европе не чувствуешь себя так уютно, как дома!

Свет на третьем этаже погас, и я подумал, что элегантный бородач перешел к акции «W», хотя я на его месте не стал бы лишать себя зрелищной составляющей этого увлекательного дела. Но через минуту входная дверь открылась, Ирена с восточным принцем вышли на улицу и сели обратно в машину. В руках у неверной красотки был небольшой дорожный саквояж. Напряжение нарастало. Только бы не подъехал Ивлев!

«Мерседес», взметая широкими шипованными покрышками снежную пыль, мягко тронулся с места, его задние фонари постепенно уменьшались, наконец, замигал указатель поворота, и авто скрылось за углом. Тут же в начале квартала показались фары «Форда-фокуса». Нарочно такой синхронности было бы трудно добиться даже после многочисленных тренировок. Я перевел дух и вышел из-за дерева. «Форд» притормозил.

— Давай вперед, Витя! — почти крикнул я, прыгая в теплый салон. Едой уже не пахло.— Надо догнать черный «мерседес»!

— «Мерседес»? — с сомнением переспросил он и робко придавил педаль газа. Сомнение относилось не к разнице в мощности двигателей, а к гонкам по ночной Вене. А может, и к тому, и к другому.

Я понял, что никого мы не догоним: психологический настрой во многом определяет успех любого дела. Так и получилось. Доехали до конца квартала, повернули на перпендикулярную, ярко освещенную улицу —

машин здесь немного, но «мерседеса» не видно, проехали вперед, остановились у светофора...

— Куда рулить? — спросил Ивлев.— Может, они уже свернули! А может, едут прямо...

— Не знаю,— честно ответил я.— Подожди, дай подумать...

Дело усугубляется тем, что в Вене нет разрытых и плохих дорог: все улицы и переулки являются проезжими, поэтому преследуемые действительно могли свернуть куда угодно. Так что думай, не думай — толку не будет. Жаль. Хотя не думаю, что венцы тоскуют по ямам на дорогах и непроезжим улицам.

Я нащупал в кармане спичечный коробок и рядом с телефоном Птицы записал номер потерянной машины.

На светофоре зажегся зеленый.

— Так куда едем?

— Давай к замку Кронбург,— внезапно сказал я.— Знаешь, который возле «Праттера»...

— Но этого нет в нашем задании! — всполошился Ивлев.

И он прав. Любая самодеятельность в нашем деле строго запрещена. Она может быть истолкована как угодно. А «как угодно» на самом деле означает — в одном, самом худшем смысле. То есть как предательство!

— Под мою ответственность,— успокаивающим тоном произнес я.— Это продлится недолго. Меньше, чем операция «W».

То ли специфическое сравнение, то ли авторитет специального посланца Центра убедили Ивлева. Он хмыкнул и включил передачу. Машина рыскнула на скользком асфальте, выровнялась и набрала скорость.

Глава 4

Тайны замка Кронбург

Через полчаса, поднявшись по очищенному от снега серпантину, мы подъехали к замку. Он стоял на самом склоне безымянной горы, и, если верить путеводителю, из трех его башен открывался прекрасный вид на Вену.

Собственно, не верить этому никаких оснований не имелось: даже с уровня земли было видно, как горит и переливается центр города. Улицы и шоссе выделены желтыми огнями, площади и скверы освещены белым светом, яркими вставками горят рекламы — зеленые, синие, красные. На фоне тысяч огней теневые силуэты замка казались плоскими, будто вырезанными из плотной черной бумаги. Высокая стена, мрачно выступающая над ней темная громада основного здания, с бездонными провалами стрельчатых окон... Полная луна блеклым светом высвечивала чешуйки черепичной крыши. Одна башня толстая и высокая, с плоским верхом, две потоньше — остроконечные, со шпилями... Медленно падающие пушистые снежинки довершают картину, придавая ей вид театральной декорации. Только какую пьесу разыгрывают на этих подмостках?

Кронбург возводили с тысяча четыреста тридцать второго по тысяча четыреста пятьдесят девятый год. Строительство сопровождалось несчастными случаями и пожарами, в результате которых погибли десять рабочих. В шестнадцатом веке замок считался чудом австрийского ренессанса. Больше полутысячи лет замок оставался резиденцией семьи Альгенбергов, а в тысяча девятьсот шестьдесят третьем году перешел в собственность города Вены, несколько лет в нем был филиал исторического музея. В прошлом году Кронбург выкуплен частным лицом, затеявшим его реконструкцию. Эти сведения я почерпнул из Интернета. О привидениях, таинственных смертях журналистов и прочей мистической чепухе там не упоминалось.

— Ну, и что мы здесь будем делать? — напряженным тоном спросил атташе российского посольства Ивлев, которому совершенно нечего было делать ночью в этой части Вены.

А капитан внешней разведки Ивлев, хотя и мог по служебной надобности находиться где угодно, но только с ведома начальства, поэтому ему явно не терпелось вернуться в рамки официального задания.

— Ничего. Давай прокатимся взад-вперед. Посмотрим и поедем по домам...

— Что тут смотреть,— Ивлев недоуменно пожал плечами и благоразумно замолчал. Ибо полномочный посланец Центра, в восприятии работников «на местах», это всегда «проверяющий». Бог его знает, что он там напишет по возвращении... А слова «нерешительность» или «трусость» способны испортить любое личное дело.

Сейчас, правда, от всех моих полномочий не было никакого толку. Я даже не знал, как ими распорядиться. К замку меня привела интуиция, связавшая черный «мерседес» с Кронбургом. Но объяснять свои поступки интуицией — дело заведомо проигрышное. Можно прослыть полным идиотом.

«Форд-фокус» проехал мимо замка, остановился и через несколько минут двинулся обратно. Несмотря на то, что фактически мы находились в центральной части города, место вокруг замка было глухим, как когда-то шумевший здесь лес. Ни фонаря, ни машины, ни прохожего, только в стороне, на отшибе, тускло светят какие-то лампочки... Я напряженно сканировал взглядом каменные конструкции Кронбурга, пытаясь проникнуть сквозь грубую кладку и рассмотреть то, что находится внутри. . Если бы мой взгляд обладал магнетической силой, как у Давида Копперфильда, то стены замка рассыпались бы и превратились в прах... Но увы, я так ничего и не смог увидеть. Хотя...

Замок остался позади.

— Уезжаем? — с облегчением спросил Ивлев.

— Нет. Разворачивайся.

Что-то зацепило один из нейронов в моем мозгу. Мельчайшая деталь. Она может ничего не значить, а может значить очень многое...

— Зачем?! Ведь уже проехали туда и обратно, как сказали...

— Разворачивайся! Проедем еще раз...

С тяжелым вздохом атташе-капитан крутанул рулевое колесо. «Форд» занесло, противно заскрипела резина. Замок вновь стал приближаться.

Стекло. Среди десятков черных провалов стрельчатых окон в одном блестело стекло. Значит, где-то в глубине за ним горел свет!

Теперь я знал, куда смотреть. На миг сомкнул веки, чтобы зрачок расширился. И снова открыл, уставившись в нужную точку. Точно! В одном окне мелькал красноватый отблеск открытого огня. Факела, подожженной газеты, зажигалки или свечи...

Мы проехали замок и снова развернулись. Но на этот раз, как ни всматривался, я уже ничего не увидел.

Уже высаживая меня в квартале от гостиницы, Ивлев внезапно спросил:

— А там что, зоопарк неподалеку? Ну, там, на горе?

— Да вроде нет. А что?

— Ничего. Просто я слышал волчий вой...

— Что?! — я резко развернулся и уставился капитану в лицо: не разыгрывает ли? Нет. Виктор совершенно серьезен.

— Какой волчий вой?! Где ты его слышал?! — тон получился слишком резким.

— Да что вы так всполошились? — удивился Ивлев.— Ехали вдоль замка, я приспустил стекло, показалось — за стеной волк воет...

— Так «воет» или «показалось»?!

— Воет. Показалось, что за стеной. Но откуда в Кронбурге волк?

— Да, действительно... Ты вот что, Витя... Машину не сдавайте. Она мне понадобится.

* * *

Как я и предполагал, Центр не дал санкции на проведение операции «Л». Правда, с обнадеживающей формулировкой: «Решение отложено до получения дополнительных данных, подтверждающих обоснованность запроса».

Дополнительные данные пытался собрать я лично, три дня осуществляя наружное наблюдение за замком Кронбург. Вообще-то слежка — работа для прапорщиков и младших лейтенантов, но что поделать — за рубежом у нас нет штата «топтунов»...

Вести наблюдение на малонаселенной вершине холма оказалось сложно: вокруг родового гнезда графов Альгенбергов простиралось пустое пространство, на котором не то что человек, но и случайно забежавшая собака сразу привлекали внимание. Лишь в паре сотен метров стоял небольшой ресторанчик под названием «Замок».Особым успехом он не пользовался — на стоянке всегда было не больше трех-четырех машин. В качестве фирменного блюда здесь подавали «кронбургский шницель», и все три дня мне пришлось изображать поклонника этого чуда кулинарии, хотя он мало чем отличался от самого обычного венского шницеля, похожего на запанированное в сухарях слоновье ухо и мною отнюдь не любимого.

Ресторанчик я сделал своим опорным пунктом: утром на застекленной веранде пил кофе с блинчиками, неторопливо курил сигару, прогуливался по окрестностям, при этом *мотивированно* обходил замок, дышал чистым морозным воздухом и любовался открывающимся внизу пейзажем: готическими башнями и шпилями старого города, куполами соборов и дворцов, черепичными крышами старинных зданий, огромным колесом обозрения, под которым чистил аллеи от снега мой чернокожий друг Ифрит и до которого отсюда было рукой подать... Парк Праттер раскинулся у подножия холма, зловеще шевеля черными ветками обледеневших деревьев, хотя в этом шевелении не было бы ничего зловещего, если бы под ними, а точнее, почти под стенами замка не нашли отравленного Виталия Торшина, и я действительно просто прогуливался после легкого завтрака...

Завершив легендированную прогулку, я садился в верный «форд-фокус» и объезжал окрестности холма, наблюдая за дорогами и время от времени с разных ракурсов осматривая замок через подзорную трубу. К обеду возвращался в ресторан, съедал «кронбургский шницель» под бутылку светлого пива, снова долго сидел на веранде с кофе и сигарой, задумчиво рассматривая памятник замковой архитектуры шестнадцатого века.

Официанту я объяснил, что сделал предложение очаровательной, но капризной девушке, и теперь три дня жду в «Замке» ее согласия. Если его не последует, я навсегда уеду на другой конец земного шара — в Канаду. Он поверил столь романтической истории. Или сделал вид, что поверил: в конце концов, я был постоянным, щедрым на чаевые клиентом и ничего, кроме пользы, ни заведению, ни ему лично не приносил.

Потом, уже в сумерках, я приезжал ужинать — ел румяную, с хрустящей корочкой, истекающую жиром свиную ножку, запивал отличным рейнским вином, слушал Моцарта в исполнении старого интеллигентного скрипача... Расплатившись, некоторое время сидел в своем «форде», глядя на вырезанные из черной бумаги силуэты башен Кронбурга, а когда ресторан закрывался и немногочисленные посетители разъезжались, пристраивался за последней машиной, по пути осматривая замок в последний раз.

Никаких особых «дополнительных данных» я не собрал, хотя фактов, в том числе любопытных и труднообъяснимых, набралось достаточно.

Кронбург интенсивно реставрировали. В первую очередь восстановили высокую замковую стену: по более светлому оттенку современного камня можно было определить, что раньше в ней зияли огромные бреши. Где-то в основном здании велись отделочные работы, одновременно перекрывали крышу в южной башне... На моих глазах начали устанавливать дубовые, обитые железом ворота, но так и не довели дело до конца: огромные створки перекосило, и несколько рабочих безуспешно занимались их подгонкой.

Трудились, в основном, арабы — человек пятнадцать. Небольшой автобус привозил их в девять и забирал в семь, иногда на час-полтора позже. Я проследил за автобусом и узнал, что все они живут в одном месте — общежитии на окраине города. Но кто-то оставался в замке и после окончания рабочего дня: несколько раз я отчетливо видел в окнах сполохи света. В основном, на третьем этаже основного здания и в южной башне.

Несколько раз аккуратные строительные грузовички доставляли стройматериалы. Перекосившиеся ворота играли мне на руку: разгрузка производилась снаружи, и я мог наблюдать, как трудолюбивые арабы, словно муравьи, тащили во двор мешки с цементом и песком, связки черепицы, толстые трубы для фекальных масс... Ничего удивительного, в ходе реконструкции новому хозяину предстояло решить проблему канализации, ведь в замках ее отродясь не было — нужду справляли прямо на стены из нависающих выступами крохотных комнатенок сквозь круглые отверстия деревянных стульчаков. С учетом архитектурной специфики замка: гранитных стен и подвесных брусчатых полов,— проблема не относилась к числу самых простых... Однажды утром белый микроавтобус с надписью «Биофарм» привез несколько небольших коробок, похожих на посылки, причем разгружал их служащий в белом халате.

Самое интересное произошло как-то вечером: неожиданно приехал на своем черном «мерседесе» тот самый восточный красавец со щегольской бородкой, который увел от меня в неизвестном направлении Ирену — можно сказать, задув трепетный огонек разгорающейся любви и разрушив будущую семью... Вот и не верь после этого в интуицию!

Открыв заднюю дверцу, этот негодяй галантно помог выбраться двум молодым девушкам, вместе с которыми скрылся в замке. От возмущения у меня перехватило дыхание: это просто ненасытный развратник, сатириазис! Конечно, не исключено, что я неправильно истолковал обычный деловой визит — девушки вполне могли оказаться дизайнерами, художниками интерьеров, консультантами по мягкой мебели или экспертами по канализации... Хотя только в голливудских фильмах длинноногая двадцатилетняя блондинка с бюстом четвертого размера оказывается специалистом по атомной энергетике — в жизни такие чудеса, увы, не встречаются...

Через три с половиной часа мой удачливый соперник вывел девушек обратно, они были разгорячены — то ли алкоголем, то ли чем-то еще: весело взвизгивали, оскальзываясь на высоких каблуках, беспричинно смеялись, неумело пытались играть в снежки... К этому времени я подобрался поближе и при свете фар сумел неплохо рассмотреть обеих, придя к однозначному выводу: эти дамы зарабатывают на жизнь не приобретенными упорной учебой знаниями, а полученными от родителей, без всякого труда и совершенно задаром, естественными прелестями... Хлопнули дверцы, «мерседес» пунктуально мигнул указателем поворота и развернулся, оставляя меня размышлять о несправедливостях жизни, в силу которых я вынужден всю жизнь выполнять изнурительную, зачастую опасную работу, вместо того чтобы беззаботно пользоваться тем, что дала мне природа.

Действительно, тут есть о чем подумать, перебирая сотни горьких примеров из собственного и чужого опыта, а также из истории человечества, и приходя к неизбежному выводу о несовершенстве окружающего мира. Такие интеллектуальные сеансы успокаивают — мол, не только у тебя все могло быть лучше; и повышают самооценку, свойственную любому аналитически мыслящему человеку. Но эти опыты хорошо проводить на мягком диване у телевизора под бутылочку-другую пива или в глубоком кресле у камина со стаканчиком виски, искрящимся в багровых отсветах...

Сейчас обстановка не располагала к глобальным философским изысканиям, и я бросился к своему «форду». В отличие от законопослушного атташе Виктора Ивлева, меня не смущают ни лошадиные силы двигателей, ни возможность гонки по благочинным, не знающим лиха улицам Вены. Поэтому на этот раз «мерседес» далеко не ушел, и я, расчетливо оставив между нами «прокладку» из двух машин, плотно сел ему на хвост.

Девушки высадились в центре, на темной улочке, у ресторана «Золотой обруч», причем на этот раз развратный красавчик им руку не подавал и вообще не вышел из машины. Я успел заметить, как дамы привычно проскользнули в низкий стрельчатый проем обитой железом двери, и вновь двинулся за объектом наблюдения.

На этот раз мы приехали в фешенебельный район Пукерсдорф. Через охраняемые ворота «мерседес» въехал на территорию коттеджного поселка, расположенного между лесом и озером. Домики здесь стоят от шестисот тысяч евро. Значит, любовник ветреной Ирены и, похоже, значительной части женского населения Вены явно не бедствует. Мне оставалось остановиться в сотне метров и проводить габаритные огни «мерседеса» завистливым взглядом.

В резидентуре имелась копия компьютерной базы данных дорожной полиции Вены, но установить через нее имя таинственного незнакомца не удалось: «мерседес» был зарегистрирован на общественную организацию «Ислам и просвещение».

Компания «Биофарм» занималась исследованиями в области фармакологии и поставками лабораторных животных. Я позвонил туда и представился управляющим замка Кронбург.

— Вчера мы ожидали доставки нашего заказа, но, очевидно, что-то этому помешало... Вы не могли бы проверить, в чем дело?

— Да, конечно, одну минуту,— ответил любезный женский голос, и я расслышал, как защелкали клавиши компьютера.

— Извините, произошла какая-то ошибка: доставка произведена вчера в десять ноль пять.

Да, именно в десять ноль пять. У них хороший учет. Впрочем, это характерно для настоящего капитализма!

— Странно... Мне доложили, что привезли не все заказанное...

— Да, действительно — пятьдесят белых мышей и только двадцать серых,— после небольшой заминки продолжила невидимая собеседница.— Но мы же с самого начала предупреждали, что не можем гарантировать объемы по серым мышам: каждый раз их приходится ловить, и невозможно предугадать результат...

— Спасибо, извините,— ошеломленно сказал я.— До свидания.

Положив трубку, я долго сидел неподвижно, чувствуя себя полностью выбитым из колеи. Ну ладно, замок с привидениями. Ладно, таинственный незнакомец. Ладно, веселые девочки по вечерам. Все это можно понять или объяснить с большей или меньшей степенью достоверности. Но при чем здесь белые и серые мыши?!

* * *

— Господин Сергеев, я обозреватель газеты «Курьер», Холстер,— щуплый горбоносый человечек проводит рукой по волнистым волосам.— Вы обещали рассказать о полосе покрытия нового спутника. И об экономической обоснованности привлечения к проекту соседних государств...

С этим вопросом он приставал ко мне во время приема в посольстве, но тогда я при всем желании не мог ничего ответить. Я вспоминаю, что у настырного журналистаимеется заметная плешь на темени, которая из президиума не видна.

Пресс-конференция проходит в конгресс-холле Министерства экономического развития Австрийской республики. Собралось десятка два пишущих журналистов и с десяток снимающих. Здесь и местная пресса, и «Ассошиэйтед пресс», и «Би-би-си», и «Си Эн Эн»... Микрофоны с названиями изданий, фото и телекамеры, вспышки блицев... К счастью, дело идет к концу.

В одном ряду со мной сидят Генеральный директор «Росавиакосмоса» товарищ Ивашутин, российский посол товарищ Скворцов и замминистра экономического развития Австрии герр Альтус. Перед началом мероприятия они по очереди, с явным почтением пожали мне руку. Еще четыре участника пресс-конференции, сидящие с нами за одним столом, этой чести не удостоились, хотя являлись достаточно крупными политиками и бизнесменами. Таким простым способом у журналистов было создано впечатление, что я не только ведущий специалист Российского космического ведомства, но и влиятельная теневая фигура, пользующаяся уважением в руководящих кругах. На самом деле Ивашутину деликатно подсказали, с кем и как здороваться, Скворцову это подсказали еще раньше, а герр Альтус просто последовал их примеру. Но в результате нужный эффект был достигнут. Именно для этого я и пришел в конгресс-холл.

В зале находятся и имеющие отношение к проекту бизнесмены. Герр Курц смотрит в упор и едва заметно улыбается. На том же приеме он тоже доставал меня этим глупым вопросом. Но сегодня я во всеоружии. Надо только изобразить на лице выражение значительности и большой осведомленности.

— Зона покрытия зависит от высоты орбиты спутника, герр Холстер,— веско произношу я.— При наименее затратном варианте запуска спутник вращается на высоте ста десяти километров, при этом полоса покрытия приближается к тремстам километрам. С учетом зоны нелинейных искажений реальная полоса несколько сужается и составляет около двухсот тридцати—двухсот пятидесяти километров. Расширить ее можно путем увеличения высоты орбиты, но при этом затраты возрастают в геометрической прогрессии...

С умным видом я высказал все, что успел узнать. Но у слушателей должно создаться впечатление, что это только ничтожная часть моих познаний.

— Думаю, вам все понятно, герр Холстер, и дальше можно не объяснять,— я улыбаюсь, и эта улыбка означает, что на самом деле я так вовсе не думаю, но как вежливый человек публично не ставлю под сомнение способность герра коротышки постигнуть те сложные вещи, которые я озвучил.

— Да, конечно,— кивает тот и мгновенно переключается:— У меня вопрос к господину Альтусу: подписание договора прошло без осложнений?

Когда пресс-конференция закончилась и наиболее значимых участников пригласили в небольшой, но уютный бар, ко мне подошел улыбающийся Курц. Он, конечно, оказался в числе избранных. Еще бы! Властное лицо с осознанием собственной значимости, тончайший костюм от Армани из последней коллекции — серый в едва заметную голубоватую полоску, ценой не меньше пяти тысяч евро.

— Вы дали исчерпывающий ответ, господин Сергеев,— пророкотал великан своим густым баритоном.— Хотя я немного огорчен: надеялся выиграть на расширении зоны покрытия, а экономия, оказывается, влечет новые затраты. Получается замкнутый круг... Может быть, немного выпьем?

Предложение подкупало своей новизной и необычностью. Естественно, я отреагировал, как и подобает русскому мужчине.

— Единственное, что мне не нравится в вашем предложении,— это слово «немного»...

Курц захохотал и похлопал меня по плечу. С одной стороны — снисходительно, как подобает богачу его ранга, а с другой— сдержанно, будто признавая и мою значимость.

Бар выдержан в красно-черных тонах. Мы сели на красный кожаный диванчик, на три четверти окружавший круглый черный столик. Молодой человек в черном смокинге и с черной, в блестках бабочке нацелился черным карандашиком в красный фирменный блокнот. Я заказал «Джеймсон» со льдом, а Курц — двенадцатилетний «Чивас Ригал» с содовой. Начали с убойной по европейским меркам двойной дозы — по пятьдесят граммов. Смех, да и только!

— Выпьем, чтобы подсластить ваше огорчение от невозможности сэкономить! — Я поднял свой стакан и чокнулся с Курцем.

Он покачал головой.

— Ерунда! Миллионом больше, миллионом меньше — принципиального значения не имеет...

Из-под крахмального манжета голубой сорочки выглядывал платиновый «Патек Филипп» модели пять тысяч четвертой, как бы подтверждая, что Курц не очень преувеличивает. Действительно, что такое миллион для человека, который запросто носит на запястье сто пятьдесят тысяч?

— Завидую. У меня никогда не было миллиона. И, наверное, не будет!

— Ну, не будьте столь пессимистичны! — улыбается Курц.— Иногда большие деньги сваливаются совершенно неожиданно!

— Со мной такого не случалось,— скромно говорю я.— А самолет у вас есть?

— Маленький — «Фалькон». Его содержание — сплошные убытки. Зато недавно я очень выгодно вложил деньги,— Курц пригубил свой стакан.— Купил замок Кронбург...

Я закашлялся — виски попал не в то горло.

— Что с вами?

— Ни... Ничего, просто поперхнулся. Тот, который с привидениями?

Мой собеседник сделал неопределенный жест.

— Когда речь идет о перспективных инвестициях, на такие мелочи не обращают внимания. К тому же с хозяевами призраки прекрасно уживаются... Сколько таких замков в Англии и Шотландии!

Поразительно, но похоже, сам факт существования привидений Курц не подвергает сомнению!

— Когда я закончу ремонт, то приглашу вас в гости...

— Как интересно,— я изобразил на лице живейший интерес.— Никогда не был в настоящем жилом замке!

Двойные дозы спиртного бесследно растворились в бездне наших желудков, не произведя никакого эффекта. Как будто в слонов выстрелили мелкой дробью. Мы одновременно поставили широкие, с толстым дном стаканы на черный пластик, испещренный влажными кругами и полукружьями.

— Повторим? — предлагаю я, хотя ответ самоочевиден.

Курц кивает и смотрит на часы. Нет, не на часы: на мерило тщеславия, принятое в кругах богачей за символ преуспевания и успеха в жизни.

— Я там тоже практически не бываю. Поручил все дела своему другу: он руководит ремонтом, закупает материалы, нанимает и контролирует рабочих... Кстати, он сейчас должен подъехать...

Курц извлекает из кармана телефон. Конечно, это «Верту» в платиновом корпусе. Толстый палец с трудом нажимает узенькие кнопки. Короткий обмен фразами.

— Через десять минут я вас познакомлю... Он вам понравится: очень симпатичный, образованный человек. К тому же известный ученый — биохимик.

— С удовольствием познакомлюсь,— улыбаюсь я.— Люблю интересных людей!

Активно работающий разведчик должен постоянно расширять круг своих контактов — это самый верный способ выйти на перспективные знакомства. Истина, которую преподают на первом курсе разведшколы, многократно подтверждалась жизнью. И сейчас я в очередной раз убедился в ее справедливости.

Друг Курца оказался пунктуальным и действительно прибыл через десять минут. Высокий, широкоплечий, смуглое лицо, щегольские усики, бородка-эспаньолка... Восточный красавчик, связанный с Иреной и Кронбургом!

— Герр Аль-Фулани,— представил его Курц. И уточнил: — Мой друг Назиф бин Ахмед Аль-Фулани. Арабский принц. Профессор Кембриджа и Сорбонны.

Потом повернулся ко мне.

— А это герр Игорь Сергеев. Главный конструктор Российского космического концерна.

В больших карих глазах Назифа бин Ахмеда Аль-Фулани вспыхивает огонек интереса. Будто реагируя на мое имя, в его мозгу зажглась криптоновая лампочка.

Здороваться с незнакомым человеком за руку на Востоке не принято. Поэтому мы только поклонились друг другу, при этом Назиф бин Ахмед поднес к лицу соединенные ладони.

— Не главный конструктор, а главный инженер,— скромно уточняю я.

— Не важно. Главное, что главный! — каламбурит восточный красавец и любезно предлагает:

— У нас сложные имена. Можете называть меня просто Назиф.

— Что означает «чистый»,— киваю я.— Прекрасное имя!

Вспышка интереса повторяется. Новый знакомый окидывает меня явно оценивающим взглядом. Курц удивленно чешет затылок.

— Вы знаете арабский?

— Только несколько слов. Приходилось работать на Востоке...

На самом деле я знаю гораздо больше. И то, что «бин Ахмед» означает — сын Ахмеда. И то, что Курц назвал усеченный вариант имени — в полном указывается еще и имя деда...

Некоторое время мы болтаем на нейтральные темы, обычные для первых минут знакомства. Стаканы незаметно пустеют. Курц снова подзывает официанта, и мы повторяем заказ. Аль-Фулани отказывается от спиртного и патриотично просит арабский кофе.

— Обязательно с кардамоном! — уточняет он.

Официант чуть ли не щелкает каблуками и, четко развернувшись, уходит.

— Мой друг Назиф удивительно разносторонняя личность,— продолжает беседу Курц.— Ему покоряется не только точная наука, но и возвышенная поэзия!

— Неужели?! — как можно более искренне удивляюсь я.

— Да, он прекрасный поэт! Назиф, прочти нам про девственниц в гареме! — в голосе господина Курца звучит натуральная заинтересованность. Он вполне мог бы работать пиар-директором крупного издательства. Или, на худой конец, литературным агентом.

— Нет,— качает головой арабский принц.— Лирическое настроение у меня появляется только в присутствии красивых женщин. Лучше послушайте другое!

Он действительно начинает читать: резко, напористо, отбивая ритм взмахами крепкой ладони — будто рассекал воздух кривой и острой арабской саблей. Это соответствовало содержанию: в гортанных фразах я разбирал топот и ржанье коней, звон мечей, крики раненых... Потом шум кровавой битвы с неверными сменился звуками пышного пира: шелест фонтанных струй, тонкая восточная мелодия домбры, легкая поступь полуобнаженных танцовщиц, многозначительное бульканье кальяна, враг... Но что там может делать враг? По идее ему нет места на победном торжестве! Наверное, я не уловил смысла потому, что плохо знаю язык. Все-таки, я не арабист...

Вряд ли Аль-Фулани уловил мои сомнения, вряд ли он даже заподозрил, что я хоть что-то понял. Скорей, он просто хотел похвастаться ключевой, ударной строфой, поэтому, как бы отвечая на незаданный вопрос, и перевел последнюю фразу:

И укрощенный враг смиренно
Раскуривает мой кальян!

— Молодец! — Курц громко захлопал в ладоши, и я присоединился, хотя не разделял его восторга — напротив: был озадачен.

Что хотел сказать Назиф бин Ахмед Аль-Фулани своими стихотворными аллегориями? Ведь если лирическое настроение у него появляется в присутствии женщин, то боевой настрой должны вызывать враги! А кто здесь подходит на роль врага? Вряд ли его старинный друг и приятель Курц! Значит, в таком незавидном качестве выступает труженик космической науки Игорь Сергеев, это его ждет укрощение и приведение к смирению... Печально. Тем более что раскуривать кальян я не умею и уже вряд ли научусь...

За столом наступила тишина. Мы с Курцем продолжаем пить виски, Назиф, как и подобает правоверному мусульманину, смакует арабский кофе и внимательно осматривается по сторонам.

— Красное с черным — очень стильно,— внезапно обращается он к своему другу.— Может, сделаем в замке такую спальню? Черные стены, черный пол, потолок, красная мебель, красные светильники, красная кровать...

— Тогда на нее придется положить черную женщину,— усмехается Курц.

И поясняет:

— Назиф никогда не расслабляется, он всегда думает о делах. Даже в недостроенном замке занимается научными исследованиями...

Как же, знаю... С мышами и девицами определенного сорта...

— Кстати о женщинах,— Курц осушает стакан.— Я давно не вижу Ирену.

Назиф кивает.

— Я тоже. Она говорила, что собирается неделю отдохнуть в Швейцарии.

Вдобавок ко всему, он еще и профессиональный лжец! Ни один мускул на лице не дрогнул, и голос звучит вполне естественно...

— Не хотите поехать в оперу? — столь же естественным тоном спрашивает Назиф бин Ахмед Аль-Фулани.— У меня заказана ложа.

— С удовольствием,— кивает Курц.— Это гораздо лучше, чем весь вечер пить виски. Боюсь, я уже настроился на эту волну...

— А вы? — учтиво осведомляется Назиф, повернувшись ко мне.

— К сожалению, у меня важная встреча в посольстве,— говорю я.

На самом деле это не так. Просто я не люблю оперу. И на сегодня у меня нет вопросов ни к Курцу, ни к Назифу. Хотя интуиция подсказывает, что у Курца есть вопросы ко мне.

Так и оказалось. Араб вежливо распрощался и ушел, убедившись, что наша встреча была случайной и я не проявил к нему ни малейшего интереса. Курц задержался.

— Возвращаясь к вопросу о миллионе,— неожиданно начал он.

— О чем?!

— О том миллионе, которого у вас никогда не было, и который может внезапно появиться.

— Интересно! Каким образом?

— Вы ведь имеете отношение к проработке контракта? И пользуетесь уважением у герра Альтуса и русских начальников... Я был бы крайне признателен, если бы вы помогли снизить мои расходы. Половину сэкономленных денег я с удовольствием переведу на ваш счет. Для начала это будет меньшая сумма, но при продолжении сотрудничества миллион вполне реален!

Какой негодяй! Он хочет дать взятку неподкупному Дмитрию Полянскому! Впрочем, нет — взятка предназначена чиновнику «Росавиакосмоса» Игорю Сергееву, а это совсем другое дело... И очень хороший признак: значит, герр Курц не догадывается о моей истинной миссии!

— Вы переоцениваете мои возможности,— вежливо улыбаюсь я.— Но если такой вариант появится, я вам сообщу.

Мы тепло прощаемся. Курц со своим арабским другом отправляются в оперу, а я — в посольство. Мне предстоит много работы, и имя ей — Назиф бин Ахмед Аль-Фулани! Надо тщательно проверить — действительно ли лощеный развратник так талантлив, как представляет его доверчивый австриец с «Патек Филиппом» на запястье...

* * *

Утро. Снег все еще идет, но появились дворники с широкими лопатами и маленькие машинки со скребком впереди и вертящейся стальной щеткой сзади. Площадь перед собором расчищена, очередная экскурсия завороженно рассматривает вделанные в стену круг и две металлические полоски. Это контрольные образцы: эталонный размер средневековой булки хлеба и меры длины. Здесь покупатели могли проверить, полномерны ли их покупки: приложил буханку к эталону или примерил кусок ткани к полоске — и все ясно! Если обнаруживался обман, виновного торговца сажали в мешок и публично окунали в Дунай. Это был позорный конец профессиональной карьеры, к тому же зимой существовала возможность замерзнуть... Поэтому мошенничали редко и только летом. А сейчас нахлобучивают граждан круглый год! И я иду в полицию за справедливостью. Правда, не с жалобой на торговцев...

Вчера в резидентуру поступили результаты экспресс-генетической экспертизы. Женский волос, обнаруженный на одежде Торшина, идентичен волосу Ирены Касторски. Вот сука! Затратив не меньше часа, я составил подробную логическую схему: волос Ирены — рассказ Ифрита о красивой женщине, сопровождавшей Торшина,— похищенный документ в руках Ирены... Эта цепочка фактов легла в основу заявления в полицию с выводом: Ирена Касторски причастна к похищению документов и отравлению русского дипломата!

В другом документе логическая цепочка была расширена: я добавил странный подход Уоллеса на приеме в посольстве и помощь Ирены американцам в музее. Вывод: Ирена связана с американцами, значит, за хищением ракетной документации, отравлением одного нашего коллеги и, вероятно, похищением другого стоит резидентура ЦРУ, на основании чего мы повторно запрашиваем разрешения на акцию «Л».

Первый документ я несу с собой, второй еще ночью шифротелеграммой ушел в Центр.

Гуго Вернер встретил меня так же приветливо, хотя кофе на этот раз не предложил.

— Видел вас на пресс-конференции,— сразу сообщил он.— Рад, что сотрудничество между нашими странами развивается. К сожалению, у меня никаких новостей для вас нет...

— Зато у меня есть новости,— на стол легло заявление, подписанное неравнодушным человеком с активной жизненной позицией — Игорем Сергеевым.

— Что это?

Я выдержал паузу, рассматривая идеально ровный пробор в блестящих волосах и ожидая, пока инспектор прочтет убористо напечатанный текст. Наконец он отложил бумагу и провел ладонью по щеке, будто проверял — не отросла ли щетина. Щека была безупречно гладкой, но инспектор все равно выглядел озадаченным.

— Думаю, это повод для официального расследования,— подтолкнул я полицейского.— Теперь вы можете допросить Ифрита, а после того, как он опознает фрау Касторски, ее можно арестовать и выявить тех, кто за ней стоит...

Инспектор удивленно поднял брови.

— Вот как?

— Факт опознания плюс мои показания это позволяют, не так ли?

— Так... Однако, вы хорошо разбираетесь в подобных вещах! — Вернер внимательно рассматривает меня, я выдерживаю его взгляд.— Я имею в виду — хорошо для частного детектива... А для чиновника космического агентства — просто отлично!

— Никогда не был частным детективом,— отмахнулся я.— А вот начальником полярной станции «Росавиакосмоса» приходилось. И приходилось по должности вести дознание, когда один сотрудник на охоте подстрелил другого. Тогда-то я и выучил эти премудрости...

— Понимаю, понимаю...

По взгляду Гуго Вернера видно, что он действительно начинает кое о чем догадываться. Ну что ж, догадки к делу не пришьешь. Поэтому нам они не помешают, а его активность наверняка стимулируют.

— И еще одно... На днях возле ресторана «Золотой обруч» я потерял бумажник... Наверное, выпал, когда я садился в машину. Там стояли две девушки, которые могли это видеть. По-моему, они проститутки...

Гуго Вернер напряженно слушает. Его отношение ко мне определенно изменилось.

— У вас должны быть альбомы с фотографиями таких дам. Можно мне их посмотреть?

Инспектор задумался. Еще десять минут назад он бы мне отказал. Сейчас — нет. Он поворачивается к компьютеру, находит нужный файл и даже уступает свое место.

— Так вам будет удобней.

И, отойдя к окну, добавляет:

— Контингент этих барышень быстро обновляется, поэтому здесь не все. Найдете своих, только если повезет...

— Ясное дело. Но обычно мне везет. Тьфу-тьфу-тьфу!

Мы с Гуго Вернером хорошо понимаем друг друга. Можно сказать, с полуслова. И в офисное кресло инспектора австрийской полиции я вписался вполне органично. Впрочем, мне приходилось сиживать даже на каменном троне вождя людоедского племени в Борсхане. Бесспорно, здесь гораздо удобней. К тому же на мониторе мелькают симпатичные лица представительниц древнейшей профессии. Считается, что по древности с ней конкурируют журналистика и разведка. Но я думаю: все три занятия переплетены настолько тесно, что определить приоритет тут совершенно невозможно.

Блондинки, брюнетки, шатенки, рыжие, белые, черные, мулатки, азиатки... Преобладают все же девушки славянского вида. Портреты, поясные снимки, фото во весь рост... Многие выглядят очень скромно — хоть в монастырь отдавай или в школу благородных девиц! Наконец появляется знакомое лицо. Да, точно, это одна из ночных подружек неутомимого мачо Назифа Аль-Фулани! Быстро запоминаю установочные данные красотки и продолжаю поиск. Но ее напарницу найти не могу.

Гуго Вернер стоит ко мне спиной и вроде бы от нечего делать смотрит на улицу. На самом деле, он внимательно наблюдает за моим отражением в стекле.

— Нашел! — восклицаю я.— У вас найдется листок бумаги?

— Конечно,— как всегда любезно отвечает инспектор Вернер.

Под его внимательным взглядом я переписываю информацию на двух подружек, обычно работающих в паре. Не знаю, имел ли с ними амурные дела любвеобильный Назиф, но я их вижу впервые. Это ложный след для Вернера. Зачем? Не знаю. На всякий случай.

Мы прощаемся. Инспектор на миг задерживает мою руку.

— Должен вам напомнить, господин Сергеев, что на территории Австрийской республики запрещены расследования, проводимые неуполномоченными лицами. Тем более — иностранцами...

Инспектор очень серьезен, даже суров.

— Нарушение этого закона карается большим штрафом и даже тюремным заключением. Надеюсь, коллега, у нас не будет недоразумений!

Гуго Вернер внимательно следит за моей реакцией. И настороженно ждет ответа. Что ж, пожалуйста! Я расплываюсь в широкой идиотской улыбке.

— Ой, вы тоже инженер космических технологий?! Какое совпадение! Я очень рад, коллега!

— До свидания,— сухо говорит полицейский и отпускает мою руку.

Похоже, отношения между нами начинают портиться. Ума не приложу — отчего?

* * *

В посольстве меня ждут новости. Во-первых, Центр дал санкцию на проведение операции «Л». Во-вторых, инструкции по ее проведению адресовал мне лично. В-третьих, возложил на меня руководство акцией.

Первое решение было ожидаемым с вероятностью пятьдесят процентов. Вероятность второго и третьего приближалась к нулю, потому что они невозможны при живом резиденте... Такие решения могут быть приняты, только если хозяин местной разведточки убит: застрелен, отравлен или сожжен из огнемета коварным противником. Поэтому они прогремели громом с ясного неба, взбудоражили всю резидентуру и породили массу слухов, которые, впрочем, не отличались разнообразием: старого резидента снимают, а Сергеева ставят на его место!

Пока я еще шел по коридорам, со мной здоровались в два раза чаще обычного, Ивлев на ходу доложил текущую оперативную обстановку, секретарша Лидия Михайловна улыбнулась самой лучезарной улыбкой, а Фальшин, выдавая под расписку зашифрованные моим личным кодом инструкции, мрачно буркнул:

— Между прочим, Вена не самое лучшее и спокойное место в мире... Только со стороны здесь сытно, богато и весело. Знаете поговорку: в чужих руках одна штука всегда толще...

— Конечно, знаю, Николай Петрович. Но при чем здесь та самая штука? Что вы имеете в виду?

Он ничего не ответил, только глянул зверем и заперся в своем кабинете. Потом вызвал Ивлева и орал так, что было слышно даже сквозь двойную дверь: «Вы даже план составить толком не умеете — вот вам результат! Думаете, это мне недоверие? Это вам недоверие! Всему нашему коллективу недоверие!»

Я тем временем расшифровал полученный документ.

«Сов. секретно. Тов. Сергееву. Центр возлагает на вас руководство операцией „Л“. Для ее успешного проведения вам придается группа нелегальной разведки. Контакт с ее руководителем должен произойтизавтра в 13 часов в Альпийском зале ресторана «Августин», первый столик от входа справа, у окна. Пароль: „Это поздний завтрак или ранний обед?“ Отзыв: „Нет, это русские привычки“. Для сведения информируем, что передача нелегальной группы в ваше подчинение произведена по инициативе руководителя группы».

Последнюю фразу я перечитал четыре раза. С одной стороны, она кое-что проясняла: придание мне основных сил предстоящей операции автоматически влекло и назначение меня ее командиром. С кадровыми перестановками Центра это не имело ничего общего: все решила инициатива таинственного руководителя нелегальной группы. Но почему, черт побери, он выбрал меня?! И почему в отзыве упоминаются русские привычки? Это совершенно нетипично!

Глава 5

Нелегальная сеть

Холодно. Пока я кружил по городу: пешая прогулка — такси — автобус — пеший переход — трамвай — метро — пеший переход,— успел изрядно продрогнуть. Без десяти час прогулочным шагом подхожу к месту встречи.

Ресторану «Августин» больше ста лет. Сводчатый коридор ведет к черной дубовой, обитой железом двери, в каменном полу — зарешеченный люк, через который виден муляж сидящего за столом человека с гусиным пером в руке.

По легенде, это незадачливый посетитель, у которого не хватило денег. Должника посадили в подвал, но он не унывал, а написал веселую песенку: «Ах, мой милый Августин, Августин, Августин...» — которой и расплатился за обед. Песня с успехом полетела по Европе, якобы обогатив и хозяина ресторана, и автора.

В реальной жизни такая идиллия вряд ли возможна: творцы обычно всегда оказываются внакладе. Скорей всего, обогатился только ресторатор. Я склоняюсь над люком и бросаю монетку, целясь в стоящую на столе шляпу. Не попал — мой евро добавился к сотням засыпавших стол желтых и серебристых кружков.

Без трех минут час. Я еще немного полюбовался на богатого поэта-песенника и вошел внутрь. Заведение только открылось, и наплыва посетителей не наблюдается: в Европе так рано не едят. Что ж, тем легче будет узнать моего контактера.

В Альпийском зале развешаны гобелены с видами живописных горных перевалов и оленьи головы с развесистыми рогами.Сказать, что здесь немноголюдно, все равно что ничего не сказать: в зале находится один-единственный человек. Он сидит за первым столом справа, у окна, и увлеченно читает меню. Падающий с улицы свет не позволяет сразу рассмотреть его, но что-то в облике интуитивно кажется знакомым.

— Что это — поздний завтрак или ранний обед? — спрашиваю я, садясь напротив, причем между первыми и последними словами парольной фразы тон мой меняется, ибо я понимаю то, чего не мог понять со вчерашнего дня. ПОЧЕМУ ОН ВЫБРАЛ МЕНЯ. И странноватый отзыв безошибочно становится на место, как вщелкнутый в обойму патрон.

— Нет, это русские привычки,— отвечает Курт Дивервассер, с улыбкой поднимая голову.— Вопреки теории, случайности и совпадения в жизни все же встречаются. Я много раз в этом убеждался!

* * *

— В моем распоряжении пять человек, и они справятся с задачей,— глаза Курта Дивервассера напоминают бело-синий скальный лед высокогорных районов Кавказского хребта, в котором так трудно пробивать скважины для зарядов взрывчатки.

— Трое имеют большой опыт боевых операций, у двоих... Словом, они тоже бывали в переделках...

— Криминал? — в подобных ситуациях я стараюсь избегать морализаторства, но «Керк Дуглас» уловил неодобрение в голосе.

— Мы пятнадцать лет не получали заданий, и тринадцать — жалованья! Чтобы люди не разбежались, надо было их чем-то занимать... Тем, что дает заработок. Что бы вы предложили? — с таким лицом настоящий Спартак, выставив широкий меч, атаковал противника.

Но мы-то союзники, и я плавно ухожу с линии атаки, уворачиваясь от острой холодной стали:

— Вы молодец, Курт, что сумели сохранить группу. Искренне восхищен вами! А это ваше вознаграждение...

Я незаметно кладу на подоконник заклеенный конверт, мой сотрапезник мгновенно его убирает. По лицу вижу, что на секунду он включил механизм оценки: то ли рентген, то ли аналитические весы. В конверте пачка купюр по пятьсот евро. Пятьдесят тысяч. В Москве скоробогачики из «новых русских» за вечер могут спустить столько в ночном клубе. Но для рациональной и бережливой Европы это хорошая сумма. Очень хорошая.

Дивервассер расслабился. Он ест медальоны из оленины под белое вино. Я не успел проголодаться, а потому заказал копченого лосося со спаржей и кружку «Пауланера». Великолепный лосось — свежий, сохранивший сочность и запах вишневых углей. В зале по-прежнему никого, только высокий полный официант появляется время от времени, контролируя ход нашей трапезы.

— Где вы думаете их держать? — я отхлебнул пива.

— В загородном доме дальнего знакомого. Он практически заброшен и стоит на отшибе. Идеальное место.

«Спартак» вновь вынул из кармана скомканную бумагу с несложной схемой: ресторан, две фигурки на выходе, чуть в стороне микроавтобус и легковой автомобиль, четыре фигурки с боков от двух, между ними сплошные стрелки, потом пунктирные линии к микроавтобусу... Теперь он рисует извилистую линию от машин к краю листа и изображает в конечной точке маршрута небольшой домик. Конечно, с художественной точки зрения слабовато, но по части информативности и наглядности — вполне сносно.

— Ясно,— киваю я.

Курт вновь сминает рисунок и прячет бумажный комок в карман.

— Сожгу в туалете,— поясняет он, хотя я ни о чем не спрашиваю.— Здесь нельзя: о подозрительном поведении обязательно сообщат в полицию...

— Как вы меня идентифицировали? — спрашиваю я.

Это не имеет практического значения, но я всегда предпочитаю иметь полную картину происшедшего, не только в основных, но и второстепенных деталях. О чем бы ни шла речь.

Курт Дивервассер дожевал очередной кусочек мяса, глотнул вина и промокнул губы салфеткой.

— Очень просто: вы привлекли мое внимание. Когда Центр вышел на связь, я сообщил о случайном контакте с русским, дал описание внешности. Потом они прислали фото. Естественно, я решил иметь дело со знакомым...

Действительно просто.

Какое-то время мы ели молча. Все практические вопросы были обговорены, а пустые разговоры среди серьезных людей не приветствуются. Но после еды можно и поболтать — это такой же элемент дижистива, как кофе, коньяк и сигара. На этот раз мы пили граппу.

— И все же, наши правила безопасности вернее ваших,— сказал я после третьей рюмки.— В них заложен принцип: «Лучше перебдеть, чем недобдеть...» Это великий принцип, он никогда не подводит!

— Что такое «перебдеть»? Я не понимаю,— суровое лицо Курта слегка порозовело, морщины разгладились.

— Лучше перегнуть, чем недогнуть. Лучше перестраховаться. Лучше проявить излишнюю подозрительность! Лучше перебрать, чем недобрать! У нас не брали после плена на секретную работу, и вообще на государственную службу не брали! Помните наш разговор?

— Ну и что?

— А у вас такого принципа нет. И что в итоге? Вас завербовали, когда вы были в российском плену, а потом приняли в австрийскую политическую полицию! Разве это дальновидно?

Дивервассер развел руками.

— Меня бы не завербовали, если бы не этот батальон. Ну, тот, который я засыпал лавиной! Я всегда боялся, что это откроется и меня расстреляют... Потому и дал согласие. К тому же, без этого меня бы не выпустили обратно... Так что дело не в принципах, а в людях!

— Согласен. Люди — это главное. Кстати, я бы хотел посмотреть на ваших людей...

Руководитель нелегальной сети кивнул.

— Я это предвидел.

Он глядит в окно. Промозгло-холодные фасады старинных домов, заснеженный асфальт, хлопья снега, планирующие в вальсе с низкого темного неба...

— Настоящая русская зима, вам не кажется? Как картина...

Я не отвечаю. Это лирика. Сейчас она неуместна.

Мое настроение передается Дивервассеру. Либо он читает мысли, либо чувствует настрой биоволн. Во всяком случае, от возвышенной поэзии он мгновенно переходит к суровой прозе.

— Два парня у витрины магазина. Парень за рулем «фольксвагена». Четвертый — вон тот, в синей куртке. Пятого не видно — он в машине, на заднем сиденье...

Ледяной, бездушный, механический голос. Голос из далекого прошлого. Из войны. Таким тоном наблюдатель называет снайперу координаты целей.

У меня опустились руки. Но не от тона. Самому молодому «парню» не меньше сорока. Тому, кто за рулем,— за пятьдесят. Правда, у него лицо бывалого человека. Очень бывалого. Прямо говоря — головореза. И все же... Надеюсь, герр Дивервассер не шутит...

Я перевожу взгляд на своего сотрапезника. Нет, он явно не склонен к шуткам.

— Сами понимаете, люди стареют, а притока новых сил нет,— поясняет он, продолжая читать мысли.— Но когда-то считалось, что у меня одна из самых боеспособных групп в Европе. С тех пор мало что изменилось. Кое-что, конечно, изменилось, но не радикально. Я, например, и сегодня перебью выстрелом сигарету у вас во рту...

Ну что ж, в конце концов, мы партнеры и должны доверять друг другу. Тем более что особого выбора у меня нет. Да и не особого — тоже.

— Хорошо, что я не курю сигарет, только сигары. Сигара толще, и в нее легче попасть...

* * *

— Может быть, лучше вы? — спрашивает Ивлев, задерживая палец над телефонной клавиатурой. Он заметно нервничает.

— Это будет подозрительно: ведь мы едва знакомы...

— Набирай, не тяни резину! — приказывает Фальшин.

Когда я объяснил, что руководителем акции «Л» стал не по инициативе Центра, а в силу привходящих обстоятельств, и это никак не связано с предстоящими кадровыми перемещениями, резидент заметно приободрился. В помещениях резидентуры телефонов нет, поэтому мы втроем сидим в официальном кабинете атташе посольства: для правдоподобия Ивлев должен звонить именно со своего аппарата. Но он застыл, как соляная статуя.

— Звони, чего ты ждешь! — рявкает полковник, и палец Ивлева падает вниз, метко ударяя в клавишу, как атакующий из поднебесья орел бьет убегающего зайца. Клавиша издает жалобный писк. За ней пищат другие.

— Пип, пип, пип, пип, пип, пип...

Клавиатура пропищала номер Марка Уоллеса. Ивлев нажимает клавишу громкой связи, и длинные гудки наполняют кабинет. Время растягивается, становится плотным и противным, как остывающая жевательная резинка. Не обнаруживаемый с другого конца линии магнитофон старательно записывает каждый звук.

— Би-и-и-п... Би-и-и-п... Би-и-и-п...

— Хелло,— Уоллес берет трубку на четвертом гудке. Голос у него добродушен и приветлив, как у доброго дядюшки. Чтобы не спугнуть возможного «инициативника [1]» .

— Привет, Марк! Как жизнь? Это Виктор Ивлев...

Капитан немного напряжен, и я показываю, чтобы он улыбнулся — это расслабляет. Но он не понимает моих гримас.

— О-о-о! — добрый дядюшка в восторге, будто ему позвонил любимый племянник — круглый отличник и лучший бейсболист школы.

— Скёлько льет, скёлько зьим! — последнюю фразу он говорит по-русски и сам приходит от этого в еще больший восторг. От оглушительного смеха динамик начинает резонировать.

Ивлев улыбается, и тон его становится естественней.

— Я помню, вы обещали показать нам чудесный ресторанчик... Игорь Сергеев собирается уезжать, поэтому сейчас самое время...

— Конечно же, я помню, Виктор! Я всегда помню, что я говорю, а тем более обещаю,— Уоллес переходит на деловой тон.— Давайте завтра. Чтёбьи не наклядьивать в длинньий ящьик... Я правильно говорю по-русски, дружище?

— Не совсем. Не накладывать, а откладывать. И не в длинный, а в долгий.

— Чтёбьи не отклядьивать в дьёлгий ящьик,— послушно повторяет Уоллес.— Так?

---

[1] «Инициативник» — человек, предлагающий свои услуги иностранной разведке. *(Проф. сленг).*

— Почти так. Только слишком мягкое произношение,— Ивлев усмехается.— Вы что, готовитесь работать в России?

— Пока нет. Если вы не уговорите меня за обедом. Мы будем вчетвером: я приду с Алланом Маккоем. Не возражаете?

Мы все трое многозначительно переглядываемся. Маккой — установленный участник операции против нашей резидентуры, и Уоллес берет его неспроста. Значит, он тоже не считает нашу встречу обычным обедом. Впрочем, было бы странным, если бы считал.

— Конечно, нет! Маккой отличный парень,— радуется Ивлев, причем довольно искренне.— В какое время?

— Думаю, в пять будет нормально?— Без заминки отвечает Уоллес.

Ивлев переводит вопросительный взгляд с меня на Фальшина и обратно. Полковник сосредоточенно смотрит на телефон и не замечает вопроса. Я киваю. Конечно, нормально. Обед займет не меньше двух часов, а в семь уже темно.

— Отлично! Мы будем ждать в машине возле посольства.

— Тогда до встречи. Господину Сергееву привет!

Магнитофон записывает короткие гудки. Ивлев, с трубкой в руке, обессиленно вытирает вспотевший лоб. Фальшин довольно улыбается. Я протягиваю руку и выключаю громкую связь, потом магнитофон. Ивлев выходит из прострации и кладет трубку.

Боевая операция началась.

* * *

Аналитический отдел Центра не зря ест свой хлеб. Всего за сутки они составили подробную справку на моего арабского друга.

«Назиф бин Ахмед бин Салех Аль-Фулани, уроженец Иордании, сорок пять лет, не женат, в 1984 году с отличием окончил Кембриджский университет, где и был оста-

влен для преподавательской работы. В 1986 получил звание магистра, в 1989 — доктора естествознания. Сфера интересов — биохимия и фармакология. Автор пятидесяти научных трудов...»

Я просматриваю список публикаций доктора естествознания. Как и следовало ожидать — всякая ерунда про каких-то мух-дрозофил, какие-то медицинские препараты... Лет десять назад он не на шутку увлекся мышами: «Особенности фармакологического воздействия на организм белых мышей», «Особенности фармакологического воздействия на организм серых мышей», «Различия белых и серых мышей на генном уровне», «Мутационные процессы у белых и серых мышей»...

Да... Как характеризует диссертации всяких умников не жалующий науку Иван: «Влияние менструаций и поллюций на солнечные затмения»... Что ж, похоже!

Ничего не поняв в трудах Назифа, читаю «объективку» дальше:

«...Участник ряда международных конференций и симпозиумов, кавалер медали международного общества фармакологов, почетный профессор Сорбоннского университета...»

Оказывается, лощеный красавчик успешен не только в любовных похождениях... Вон какие серьезные показатели! Как говорят интеллигентные люди: «Это тебе не пуп царапать!» Папа Ахмед и дедушка Салех могут гордиться продолжателем рода! Хотя как раз в этом направлении он-то и не преуспел: трахает всех подряд вместо того, чтобы воспроизводить законных наследников... Что ж, идеальных людей не бывает.

«...Живет преимущественно в Европе: Великобритания, Франция, последние три года — в Австрии. Научную деятельность прекратил, во всяком случае — ее видимую часть: уже пять лет не публикуется, в конференциях не участвует...»

Странно, Назиф! Почему же ты отошел от науки? Опубликовал последнюю статью: «Параллели расовых отличий в ДНК белых и серых мышей» — и замолчал! Странно... Чем же ты увлекся?

«...Активно сотрудничает с организациями, пропагандирующими ислам, финансирует некоторые из них. Два года назад французская разведка случайно зафиксировала в Дубае его контакт с Абу Мусабом аз-Заркави — главарем „Аль-Каиды“ в Ираке...»

Ай-ай-ай, Назиф, нехорошо! Вроде такой приличный человек... Что бы сказали на это Ахмед и Салех? Наверное, огорчились бы... Или возгордились еще больше: Восток, как известно,— дело тонкое, а извивы души здесь столь же извилисты, непредсказуемы и малопонятны, как следы гюрзы на песчаном бархане... И горе змеелову, перепутавшему причудливые петли ухода и возвращения!

«Включен в картотеку Интерпола как связь одного из руководителей „Аль-Каиды“, однако дальнейшая отработка этой линии никаких результатов не дала. В настоящее время переведен в категорию 3 „В“...»

Ну да, конечно: контакт такого уровня не спишешь на случайность, теперь сын Ахмеда будет до конца жизни относиться к потенциально подозреваемым в причастности к террористическому подполью. Другое дело, что сделать ему в гуманной Европе ничего нельзя, разве что соли на хвост насыпать... Надо ждать, пока он захватит самолет или взорвет небоскреб... Гуманность и права человека — прежде всего! Правда, этот прекрасный лозунг оборачивается, почему-то, против честных и порядочных людей, исправно работая на интересы всевозможных негодяев и отпетых злодеев.

Раздался звонок мобильного телефона, и я отложил справку-объективку.

— Господин Сергеев, это инспектор Вернер,— послышался в трубке знакомый голос.— Ваш свидетель Ифрит исчез...

— Как исчез?! — более глупый вопрос невозможно задать при всем желании. Но и ни один умный в такой ситуации в голову не приходит.

— После встречи с вами он не вышел на работу,— терпеливо разъяснил полицейский.— На съемной квартире он тоже не появляется. Почти все его вещи пропали. Вот так он исчез. Не знаете, где он может быть?

— Но откуда? Я видел его один раз!

— И этого оказалось достаточно...

— Что значит «достаточно»? Достаточно для чего?

— И подозреваемая вами Ирена Касторски исчезла. Ее нет ни дома, ни на работе. Никто из знакомых не знает, куда она пропала. А вы, случайно, не знаете? Или не случайно?

— Герр Вернер, я вас не понимаю,— сказал я как можно более строгим тоном.— Что вы имеете в виду?

— Ровно ничего,— голос у Гуго Вернера почти бархатный. Как «бархатный» напильник.— Вы же встречались с ней накануне? В музее?

— Ну... Не знаю, накануне чего, но в музее мы действительно встречались.

— Извините, господин Сергеев, но... Факты таковы: после встречи с вами эти люди исчезли, и их местонахождение неизвестно!

Ни фига себе выводы! Эдак он скоро захочет надеть на меня наручники!

— Герр Вернер, вы наверняка знаете латинскую пословицу: «После этого — не значит вследствие этого...»

— Конечно, знаю, коллега! Ее преподают в курсе полицейского права. Но жизнь показывает, что в большинстве случаев она неверна. Как правило, тот, кто последним видел пропавшего человека, тот и причастен к его исчезновению!

— Но это я, черт возьми, обратился к вам с заявлением! Без него вы бы понятия не имели — пропали они или нет!

— Это верно,— после паузы согласился Вернер. И аккуратно отработал назад: — Я же вас ни в чем не обвиняю. Просто сообщил некоторые факты.

— Спасибо. Вы очень любезны.

— И не забудьте, что я вам говорил насчет незаконных расследований!

С учетом того, что мы задумали, его предостережение попало в самую точку. Но я ответил без малейшей заминки:

— Конечно, герр инспектор!

* * *

«Кюхельмайстер» означает «Мастер кухни». Это место не для еды — для пиров! Кованые решетки, полированные ступки на дубовых полках. Из темного дубового потолка остро светят ослепительно-белые галогеновые светильники. Вместо люстр здесь тяжелые колеса от древних телег с встроенными по кругу лампочками. На стене фонтан: каменные скульптуры пришедших к роднику женщин, из львиной головы в кувшин одной из них бьет тонкая струйка воды. Посередине зала огромное, отполированное за десятилетия работы перепончатое колесо от водяной мельницы. Чуть в стороне — живописная телега с закусками. Обильные винные погреба, в которые можно спуститься и полюбоваться сотнями запыленных бутылок с драгоценным содержимым.

— Ну, как, нравится? — Марк Уоллес лучится гордостью, как будто он хозяин ресторана и интерьер — полностью его заслуга. С ним Аллан Маккой — здоровенный малоразговорчивый парень с гранитным лицом и квадратным подбородком.

— Очень здорово! — вполне искренне говорю я. Виктор Ивлев согласно кивает. Он скован и напряжен. Я надеюсь, что это пройдет.

Мы занимаем круглый стол у настенного фонтана, причем я сажусь так, чтобы видеть весь зал и вход, Ивлев плюхается рядом, американцам ничего не остается, как сесть к залу спиной. Такая позиция тактически невыгодна, хотя сегодня ничего не решает.

«Искусство хорошо поесть и выпить — путь к настоящему счастью»,— гласит эпиграф к меню. Вот оно как, оказывается! А нас всю жизнь учили, что счастье в труде...

Вымуштрованный официант подает аперитив — по рюмке фруктовой водки — и почтительно застывает с блокнотом наготове в ожидании заказа.

Непривычный к высокой кухне Ивлев откладывает солидную кожаную книжицу, полностью доверяясь моему вкусу. Точно так же поступает и Маккой — американцы вообще теряются, не обнаружив в меню гамбургеров, молочных коктейлей и кока-колы. Мы с Уоллесом, как искушенные гурмэ, делаем заказ.

Здесь прекрасный выбор: карпаччо из говядины, копченый угорь, свежайшие австрийские устрицы огромного размера, запеченная утка... Карпаччо и угорь настоятельно требуют водки, причем не местных сладковатых и слабых обстлеров или шнапсов, а именно «русской» водки, которая может быть произведена где угодно: хоть в Польше, хоть в Америке, но, оправдывая название, обязана представлять чистый и натуральный сорокаградусный продукт. И такая водка нашлась: «Столичная» отечественного производителя вполне достойно представила знаменитую марку. Мы чокаемся.

— Надеюсь, наша водка не оскорбляет ваших патриотических чувств, Марк? — спрашиваю я, когда поднят первый тост за великую дружбу.

— Совершенно! — Американец широко улыбается. На нем строгий, не очень дорогой, но вполне приличный костюм, сорочка с воротником на пуговицах и неброский галстук.— Это как раз тот компромисс, на который я готов идти с удовольствием!

— Прозит! — узкие высокие стопки со звоном сходятся над центром круглого стола. Все смотрят в глаза друг другу — как и положено, когда пьешь за дружбу.

Ледяная водка прекрасно оттеняет вкус копченого угря и горячим шариком скатывается в желудок. На улице, как дополнение тоста за дружбу, ждут пять боевиков Альпийского стрелка. Американцы выйдут первыми и исчезнут по пути к посольству. Мы посидим здесь подольше, закрепляя свое алиби. Таков основной сюжет сегодняшнего вечера, предусмотренный планом операции «Л». Американцы о нем, естественно, не подозревают.

— По-моему, у Виктора плохое настроение,— замечает Уоллес.

Да, мой напарник явно не в своей тарелке. Ему еще не приходилось участвовать в «острых» акциях.

— У Аллана тоже,— замечаю я.

Действительно, Маккой мрачно, без всякого интереса, ковыряется в тарелке. Как будто знает, что через несколько минут ему придется стрелять в нас с близкого расстояния, когда мозги разлетаются во все стороны. Что ж, в «острых» акциях случается всякое, а изменения сценария и перемена ролей — самое обычное дело.

— О нет, у него просто такое лицо...

К устрицам подали номерную бутылку полусухого «Соннберга» из винограда Зерфандлер двухтысячного года.

— Как думаете, Виктор, это ангел или демон?

Марк Уоллес показывает мне этикетку. Обнаженная девушка стоит на колене, одной рукой она держит бутылку, виноградную гроздь и бокал. Второй ерошит волосы молодому человеку с крылышками, который, пристроившись сзади, галантно держит ее за промежность.

— Знаете, Марк, мы привыкли судить не по внешнему виду, а по поступкам. Этот парень дело творит явно не ангельское, поэтому крылышки меня не обманут. Конечно, это демон...

Марк смеется. У него гладко выбритые, до синевы, щеки. Вообще он очень аккуратен — это бросается в глаза.

— Узнаю марксистский подход! Но ведь это уже не господствующая идеология?

— Отказаться от идеологии легче, чем поменять голову,— отвечаю я.— Никогда не думал, что в Австрии могут быть такие прекрасные устрицы...

— Современные технологии выращивания унифицированы. Они применяются везде, поэтому традиционные преимущества норманских устриц перед всеми остальными ушли в прошлое. Канадские, американские, голландские, ирландские — ерунда: все из одного инкубатора, все одинаковы по вкусу! Только дикие японские немного отличаются... А голову и привычки поменять действительно невозможно — тут вы правы...

Марк Уоллес подцепил вилочкой толстое, чуть подрагивающее тело моллюска, забросил в рот и, вытянув губы трубочкой, привычно выпил содержимое раковины. Отхлебнул золотистого вина, удовлетворенно кивнул и промокнул губы белоснежной салфеткой. Изысканная еда доставляет ему явное удовольствие. Наверняка он терпеть не может гамбургеры, чем вызывает глухую неприязнь коллег.

— Поэтому профессионалы старой закалки — вроде нас с вами, едят и пьют как ни в чем не бывало. И, смею заметить, хотя сужу по себе, получают удовольствие. А у молодых желудки сжимает нервный спазм, и они, преодолевая рвотные позывы, имитируют трапезу. Не так ли, Виктор?

Черт! Что он имеет в виду?!

— Что? — переспрашивает Ивлев. Он ошарашен, и не знает, что сказать.

— Просто нет аппетита...

Очень слабый ответ! Но сейчас осуждать его трудно: я тоже не знаю, как себя вести. Поэтому делаю вид, что полностью занят едой и пропустил последнюю фразу мимо ушей.

— А ты, Аллан, почему киснешь? — Марк принялся за очередную устрицу.— Я же сказал: все будет в порядке...

Он выдавил в раковину ломтик лимона, капнул луково-уксусным соусом, слегка поперчил, откусил кусочек намазанного маслом черного тоста, съел дрожащий кусочек нежной плоти, запил вином, на миг закрыл глаза, наслаждаясь вкусовой гаммой.

— Мы друзья, а не враги. Произошло недоразумение, которое прямо сейчас разъяснится. И мы с удовлетворением продолжим ужин. А если нервы наших молодых друзей так быстро не восстановятся, то мы с удовольствием полакомимся их блюдами. Не так ли, Дмитрий?

Сердце на миг остановилось, по спине пробежал холодок. **Он назвал мое настоящее имя!**

Я оглянулся.

— К кому вы обращаетесь, Марк? Дмитрий — это официант? Разве он русский?

Марк Уоллес доел своих устриц и плотоядно посмотрел на тарелку Маккоя.

— Ты не против, Аллан?

Американец покачал головой. Гранит его лица оплыл и покрылся трещинами.

— У меня тоже нет аппетита...

Честно говоря, и я с трудом проглотил последнюю устрицу. Поезд, в котором мы ехали, сошел с ясных рельсов утвержденного плана и теперь мчится в неизвестном направлении. Похоже, Уоллесу известно об операции «Л». Но откуда?! Этого не может быть!

Уоллес внимательно осмотрел всю компанию.

— Давайте сделаем перерыв и продегустируем настойки. Я все объясню, и мы вновь вернемся за стол. Так будет лучше.

Я кивнул.

— Принимается. Не знаю, о чем вы говорите, Марк, но я заинтригован. Если не возражаете, мы вначале зайдем в одно место.

Туалет напоминает музей. Филиал Эрмитажа или Лувра. Мраморная статуя голой женщины у входа, мраморные стены и пол, обилие зеркал, дубовый потолок.

Над писсуаром — скульптурная голова греческого героя, изо рта течет голубая дезинфицирующая жидкость, попадая именно туда, куда надо. Приятные запахи, тихая музыка. Идиллию нарушает мой напарник.

Ивлев бросается в кабинку, его рвет. Бгы-ы-ы... Гры-ы-ы... Страх — вот как это называется. Плохо, капитан, двойка! Над согнутой спиной Виктора — подсвеченная изнутри голова Медузы Горгоны. Мягкий свет струится из глазниц и открытого рта, волосы стоят дыбом, образуя пугающий ореол.

Из внутреннего кармана я извлекаю маленький черный пенальчик. Точно такой есть у рычащего над унитазом капитана Ивлева. Внутри игла на резиновой рукоятке — для удобства удержания. Острие иглы смазано препаратом «LX». Легкий укол — и человек теряет волю, ему можно приказать что угодно. Например: прыгни из окна! Или: выходи из ресторана и иди налево, к машине! Все будет исполнено в точности. И хотя действует «LX» всего семь-восемь минут, этого обычно оказывается вполне достаточно.

Я с сомнением смотрю на спецсредство. Вряд ли Ивлев в состоянии уколоть Маккоя, у него дрожат руки и скорей он поцарапает сам себя... Да и вообще, при том обороте, который принимает дело, пускать в ход «LX» вряд ли целесообразно. Похоже, операция «Л» проваливается.... Если они все знают, то неизвестно чем обернется дело. Может быть, это нас выведут через черный ход и запихают в машину... Маккой — здоровенный лоб, видно, он крепкий орешек...

Дверь распахивается, и в филиал Эрмитажа врывается Алан Маккой. Настолько стремительно, что я не успеваю принять боевую стойку. Но он забегает в свободную кабинку и перегибается пополам. Гр-р-р... Ры-ы-ы...

Да-а-а... Вот дела! Молодежь из «поколения пепси» слабее старой гвардии, и эта закономерность интернациональна...

Сунув пенальчик в карман, я принимаюсь рассматривать висящие на стенах черно-белые фотографии томных красавиц начала двадцатого века. Девушки не затянуты по моде того времени в длинные платья с тугими корсетами — они обнажены! Некоторые по пояс — бесстыдно демонстрируя голые груди, некоторые позируют во весь рост — в чулочках, с зонтиком, с тросточкой... У всех скромно затемнены лобки. Никаких современных распахнутых ракурсов — по сегодняшним меркам снимки вполне невинны... Но контраст голого тела со старинной ретушью, целомудренными взглядами моделей и прическами «ретро» создает ауру крутой порнографии! И те, кто размещал здесь эти фотки, именно на такой эффект и рассчитывали!

Ивлев отблевался первым. Хорошо, что он практически не ел здешних деликатесов, а избавился от заурядного посольского завтрака. Хотя для него это никакого значения не имеет — только для эстетики и справедливости. Он бледен и растрепан. Стараясь не смотреть на меня, подходит к раковине. Фотоэлемент включает воду, из крана бьет тугая, подсвеченная красным светом и напоминающая лазерный луч струя.

Виктор умывается. Красные брызги летят в стороны, избавляясь от багровой окраски и превращаясь в обычные капли воды. Потом ту же процедуру проделывает Маккой. Затем втроем, как лучшие друзья, мы возвращаемся в дегустационный зал.

На одном из кожаных диванов сидит Марк Уоллес. Он, как всегда, улыбается.

— Как вам девчонки на фотографиях? Правда, забавно? А в женском туалете прямо из раковины торчит здоровенный медный фаллос, причем очень тщательно выполненный: каждая складочка, каждая морщинка!

— А что вы делали в женском туалете?!

— Подружка завела показать,— смеется Уоллес. Как удается такому весельчаку выполнять мало связанные с весельем обязанности резидента крупнейшей разведслужбы мира, остается для меня большой загадкой.— Не беспокойтесь, кроме нас там никого не было!

— Что ж, тогда я спокоен за вашу нравственность!

Маккой смотрит на меня и криво улыбается.

Вокруг начищенные до блеска медные самогонные аппараты и множество бутылей, бутылок и бутылочек со шнапсом, настоянном на ягодах и фруктах: смородине, клубнике, груше, яблоках, сливах...

— Что вам налить, Дмитрий? — Уоллес встает, берет с антикварного резного столика чистую рюмку и гладит рукой огромную колбу с розовым содержимым и краником внизу.— Рекомендую шнапс на клубнике. Мне он нравится больше всего остального...

— Не возражаю. Но почему вы называете меня Дмитрием? Произошло какое-то недоразумение...

— Да, это так,— американский резидент протягивает мне рюмку. Я внимательно следил за его руками и уверен, что он ничего не подмешал в напиток.— Выпьем за то, чтобы оно рассеялось.

Уоллес перестает улыбаться. Сейчас он похож на бульдога, но отнюдь не добродушного. Черты лица жестко закаменели, глаза превратились в зрачки пистолетных стволов. Это истинный облик американского резидента.

— Итак, чертежи вашей ракеты похитили арабы. Но реализовать космические технологии оказались, естественно, не в состоянии — это не их конек. И тогда они за три миллиона долларов предложили материалы нашему правительству. Вам ведь известно про проект «Марс»?

— Известно,— не чувствуя вкуса, я отхлебнул из рюмки. Откровенность Уоллеса поражала до глубины души.

— Подлинность документов поручили проверить мне, и я выбрал самый простой и быстрый способ... Человек, выступающий посредником, а он работал на арабов и совсем немного на нас...

Ай да Ирена! Ну и сука... Впрочем, еще великий теоретик и практик шпионажа Орест Пинто отмечал, что женщины в разведке деградируют гораздо сильнее, чем мужчины. Потому что сопутствующие шпионажу ложь, предательство и беспорядочный секс для женской натуры более губительны.

— ...показал документы вам, а мой молодой друг Аллан, надежно замаскировавшись, наблюдал за процессом со стороны.

Маккой опять криво улыбнулся.

Я бы на твоем месте, братец, не скалился! Вспомни лучше, как подглядывал из средневекового панциря и, тяжело дыша, занимался мастурбацией! Хотя нет, руки под доспех никак не втиснешь... Тогда вспомни, как блевал, не выдержав напряжения от предстоящей опасности! Вспомнил? Вот то-то!

Сейчас он выглядел гораздо бодрее, чем несколько минут назад в туалете. И Ивлев ожил, бледность с лица исчезла, он заинтересованно слушал. Видно, ребята поняли, что обстановка разряжается и нам не придется драться друг с другом.

— Но вы охарактеризовали документ как подделку, и мы, конечно, отказались от сделки,— продолжал Уоллес, гипнотизируя меня взглядом.

— Правда, в тот момент мы действительно считали вас главным инженером «Росавиакосмоса», которому нет смысла блефовать.

— Так оно и есть,— с самым добродетельным видом, на который был способен, кивнул я.

— Через день мы установили вашу принадлежность к российской разведке...

Я изобразил на лице недоумение.

— Что позволяет трактовать ваше заявление совершенно иным образом. Но мы не изменили своего мнения...

— Ничего не могу понять,— я развел руками и посмотрел на Ивлева, как бы в поисках поддержки. Тот тоже изобразил полнейшее непонимание.

Уоллес устало кивнул.

— Во-первых, потому, что эти три миллиона, скорей всего, пойдут на террористическую деятельность, которая в первую очередь обернется против моей страны. А во-вторых...

Он тоже глотнул настойки.

— Во-вторых, извините, очень сомнительно, что ваши чертежи могут обогатить нашу науку, и вряд ли они стоят этих денег. Ну да это неважно. А важно то, что все действия, направленные против ваших людей, не имеют к нам никакого отношения. Это дело рук арабов!

Уоллес откинулся на мягкую спинку дивана, черты его лица разгладились, зрачки пистолетных стволов спрятались. Он улыбнулся.

— Так как вам шнапс на клубнике?

Передо мной вновь сидел добродушный бульдог.

Я еще раз приложился к рюмке, на этот раз в полной мере ощутив ягодный вкус. Маккой и Ивлев тоже проявили интерес к напитку и даже чокнулись друг с другом.

— Похоже на настойку, которую мой отец настаивал на водке. Но зачем арабам похищать то, чем они заведомо не могут воспользоваться?

— По ошибке: они охотились за портфелем профессора Синельникова с формулами бинарного газа оксавегал. В кадастре ООН газ проходит как вещество мирного промышленного назначения. Но арабы открыли его военные возможности. То есть это продукт двойного назначения, о чем пока никто в мире не знает.

— И чья же это ошибка? — спросил я, хотя уже все понял.

Уоллес выпятил нижнюю губу, будто хотел выпить сок из устричной раковины.

— Того человека, который перепутал Синельникова и Извекова. Хотя общего у них было мало — только одинаковые портфели. Это серьезная ошибка. А кража поддельных документов — какими бы ни были они на самом деле, но денег за них не заплатили, значит поддельные,— это вторая ошибка. Я думаю, что за две ошибки этот человек серьезно наказан...

Уоллес прикрыл глаза. Наступила тишина. Ивлев и Маккой открывали краники огромных бутылей, наклоняли бутыли поменьше, переворачивали бутылки обычных размеров и ставили на резной столик все новые настойки. Вопреки российской и американской традициям, мы придерживались французских правил дегустации: пригубляя, пробовали содержимое каждой рюмки, остатки сливали в большой винный бокал, так что в конце концов наполнили его почти доверху. Уоллес оказался прав — клубничная настойка была самой лучшей. В остальных не чувствовалось аромата, зато явно ощущался какой-то деревянный привкус.

Все это время я напряженно думал: прокручивал ситуацию так и этак, фильтровал слова, анализировал смысл сказанного, проверял логику, и сопоставлял с тем, что мне было известно... В конце концов пришел к выводу, что Марк Уоллес сделал жест доброй воли, и ему можно верить.

— Итак? — добродушный бульдог открыл глаза. На его лице застыло выражение ожидания.

— Вы были правы: шнапс на клубнике — лучший.

— Я не об этом,— опытный разведчик впервые проявил нетерпение.— Вы поняли, что мы не имеем отношения к вашим проблемам?

— Пожалуй...

— Тогда отзовите ваших людей.

Поразительно! Он действительно все знал. Или догадывался.

Я замешкался. В разведке никогда ничего не признают, даже очевидные вещи. Но и никогда не откровенничают, а Уоллес нарушил это правило. И отплатить ему можно было только ответной откровенностью.

Я достал телефон, набрал номер.

— Все отменяется.

— Уверены? — несколько удивленно переспросил Альпийский стрелок.

— Да. Отбой.

— Понял. Мы нужны?

— Нет. Уезжайте.

Уоллес удовлетворенно кивнул. И вытащил свой аппарат.

— Отбой, Джейк. Да, правильно. Уезжайте.

Мы переглянулись и засмеялись. Наши молодые коллеги засмеялись тоже. Все испытывали необыкновенное облегчение.

— По-моему, пора вернуться к столу и продолжить ужин,— сказал Уоллес, вставая.— Нет возражений?

— Прекрасная идея! — я тоже поднялся.

— А мы на минутку задержимся,— сказал Ивлев и, подмигнув Маккою, поднял почти полный бокал с остатками нашей дегустации.— По-моему, неправильно оставлять столько шнапса...

— Очень неправильно! — согласился американец. И, обращаясь ко мне, добавил: — Надеюсь, наши планы насчет устриц, которыми пренебрегли наши молодые коллеги, не изменились?

— Конечно, нет! — кивнул я.— А насчет десерта и дижистива — появилась масса новых!

Мы провели в «Кюхельмайстере» еще два часа. Ужин удался на славу.

Глава 6

Не рой другому яму

— Да это просто чушь! Невероятная чушь! Гад Уоллес развел вас, как детей!

Лицо полковника Фальшина налилось кровью, отчего растрепанные седые волосы, по контрасту, казались еще белее. Он пригладил их растопыренной пятерней. Большого порядка на голове это не навело.

— С каких пор он такой добрый? И почему? Это что, дружественная разведслужба? Нет, это главный противник! Или вы забыли об этом?! Так почему же вы ему поверили?!

Мы сидели напротив резидента, и получалось, что орал он на нас обоих. Но потом он опомнился и последнюю фразу адресовал своему подчиненному, назначая именно его ответственным за провал операции «Л».

Ивлев сделал единственно возможное в данной ситуации — покаянно опустил голову. «Я начальник — ты дурак»,— эта формула, к сожалению, широко внедрилась в головах дураков разного уровня, зачастую заменяя способность логически мыслить и принимать обоснованные решения. Но хорошо, что здесь присутствовал справедливый и объективный представитель Центра, способный разложить все по полочкам!

Я солидно откашлялся. Фальшин прервался на полуслове, будто подавился. Тогда я заговорил — веско, значительно, прихлопывая ладонью по столу после каждой фразы.

— Дело не в субъективной оценке Уоллеса. Дело не в том, поверили мы ему или нет. Дело в объективной ситуации. Уоллес знал про акцию «Л» и подстраховался силовым прикрытием. При таких обстоятельствах у меня был только один выход — отменить операцию. Или вы бы предложили вступить в боестолкновение в центре Вены?

Полковник еще раз причесался пятерней и, глядя в стол, закряхтел. Предложить такое не мог ни один начальствующий дурак — только сумасшедший. Но сумасшедших пока еще начальниками не назначают.

— К тому же Уоллес вполне мог сдать нас венской полиции. Вместе со спецсредством «LX»! Даже у Виктора с его дипломатическим иммунитетом могли быть неприятности, а меня просто-напросто упекли бы в тюрьму! Но он ведь этого не сделал! Разве это не показатель доброго отношения?

Фальшин продолжал чесать волосы и кряхтеть.

— А вот как произошла утечка информации — это большой вопрос! — Я буравил взглядом седую растрепанную макушку.— Очень неприятный вопрос. Надеюсь, вы проведете по этому факту результативное расследование.

— Я проведу расследование,— Фальшин поднял голову.

Теперь он был бледен. Как бы от перепада давления его не хватил удар!

— В резидентуре об акции «Л» знали трое: я, капитан Ивлев и вы,— продолжил резидент.— Больше того, я являлся ее инициатором, и я был непосредственно заинтересован в ее успехе! Разве не так? Разве это не очевидные факты?

Я кивнул.

— Так. Очевидные.

Было совершенно ясно, куда он клонит.

«В этой темной истории резидент вне подозрений»,— вот что имел в виду мечтатель товарищ Фальшин.

— Таким образом, остаются двое наших и люди из нелегальной сети. Всех мы проверим, самым тщательным образом!

«Двойка, товарищ Фальшин!» — мысленно поставил я оценку полковнику.

В разведке нет прямых линий, очевидных фактов и однозначных решений! Чтобы отвести от себя подозрения, предатель может не только провалить операцию, в которой кровно заинтересован! Он может толкнуть под колеса поезда собственную жену, трахнуть сестру и отравить брата — такие случаи описаны в истории...

— Вы на правильном пути, товарищ полковник! — от всей души сказал я, глядя Фальшину в глаза.— Уверен, что источник утечки будет найден в самое ближайшее время!

Резидент смягчился. Его лицо стало приобретать нормальный цвет. Ивлев с подозрением посмотрел в мою сторону. Кажется, он заподозрил, что его собираются сделать козлом отпущения.

Раздался звонок внутреннего телефона, полковник энергично сорвал трубку.

— Фальшин. Да. Понял. Сейчас подойдет.

И, многозначительно посмотрев на меня, сообщил:

— По городскому звонит какая-то женщина. Спрашивает герра Сергеева!

Странно! Не выказывая удивления, я встал.

— Спасибо, товарищ полковник. Мы ведь закончили совещание?

Резидент кивнул. По-прежнему многозначительно.

Через минуту я взял трубку городской линии. Мне никто не мог здесь звонить. Тем более женщина. Но, тем не менее, она звонила.

— Здравствуйте, Игорь! — послышался звонкий голос.— С утра ищу вас и не могу найти! Не хотите ли встретиться?

— Смотря с кем,— совершенно спокойным тоном ответил я.

— О-о-о, вы меня очень быстро забыли,— женщина засмеялась.— Это Ирена!

На миг я потерял дар речи. Тысячи мыслей со скоростью света понеслись по цепочкам мозговых нейронов. На их пути щелкали логические реле, включались фильтры лжи, активировались датчики неестественности, выстраивались барьеры вопросов, накручивались счетчики подозрений...

— Ирена! Здравствуйте! Какая приятная неожиданность!

...Почему она появилась именно сейчас — после контакта с Уоллесом и отмены операции «Л»?

— Я пытался вас найти, но безуспешно...

...Или после встречи с Аль-Фулани?

— Мне сказали, что вы уехали...

...Или после моего заявления в венскую полицию? Значит, Гуго предатель? Или кто-то из его коллег, скорей всего, высокопоставленных...

— Я действительно уезжала ненадолго, у меня заболела мама...

Дзинь! На фильтре лжи зажглась красная лампочка. Никакой мамы у госпожи Ковальски нет. Ее вырастили отец — рабочий Гданьской судоверфи, и мачеха — официантка ресторана.

— Надеюсь, она поправилась? — Я контролировал свой голос и мог гордиться: в нем звучали искреннее участие и забота.

— Да, ей гораздо лучше...

...Или после сегодняшнего разговора с Фальшиным? Он только что закончился, но это ничего не значит: результат легко спрогнозировать и принять упреждающие меры. Например, позвонить и предупредить, во сколько я освобожусь... Если так, то, значит, резидент переметнулся на другую сторону!

— Я вернулась и сразу же принялась вас искать...

Дзинь! — подал сигнал датчик неестественности. Дзянь! — в унисон с ним звякнуло логическое реле. Не такая уж между нами горячая любовь, чтобы, только вернувшись в город, сбиваться с ног в поисках скромного Игоря Сергеева. И потом, я не скрываюсь и с утра нахожусь в посольстве.

— Я очень польщен, дорогая Ирена! А где вы меня искали?

— О, я три раза звонила в гостиницу...

Снова сработал фильтр лжи: я не рассказывал своей единственной за последние дни, но все же, согласимся, мимолетной любви о том, где остановился. Может, я и старомоден, но, на мой взгляд, это уж слишком интимная информация!

— Хорошо, что догадалась позвонить в посольство! Я так рада, что вас нашла!

Опять неестественно и нелогично. Если только предположить, что она влюбилась, как пионерка в вожатого... Конечно, тут нет ничего удивительного: Игорь Сергеев умен, обходителен, красив, к тому же хороший любовник. Но мой профессионально отравленный подозрениями мозг почему-то начисто отмел столь романтическую версию и выдвинул совершенно иную: «Берегись, этой суке от тебя что-то нужно!» Что ж, надо с сожалением признать, что, несмотря на свою откровенную низменность и прямолинейную приземленность, она имеет право на существование. Более того, как это ни противно, она даже более правдоподобна.

— А уж я как рад! Когда мы с вами увидимся? — восторженно выкрикнул я, надеясь ввести в заблуждение ее фильтры лжи и датчики неестественности.

Хотя это было лишним: и она, и я понимали, что слова и интонации, на самом деле, ничего не значат. Так, дымовая завеса, камуфляж. Наш телефонный диалог был спектаклем для двоих. И она, и я знали: суть разговора и его цель совершенно иные, чем мог бы заключить непосвященный слушатель. Хотя конечную цель каждый из нас представлял не так, как собеседник. Совершенно не так. Можно сказать — противоположно!

— Давайте завтра с утра! — радостно предложила сгорающая от любви Джульетта.— Я зайду прямо в гостиницу, около одиннадцати!

— Отлично! Буду ждать с нетерпением,— страстно ответил пылкий Ромео.— Не знаю, как дотерплю до завтра!

Но встреча состоялась гораздо раньше, чем была запланирована.

* * *

Я написал подробный рапорт о звонке пани Касторски, и Фальшин выделил мне прикрытие: капитан Ивлев с лейтенантом Андреевым должны взять гостиницу под наблюдение с девяти утра.

Потом я, как подобает законопослушному гражданину, позвонил Гуго Вернеру и сообщил, что подозреваемая Касторски вернулась в Вену.

Инспектор отнесся к новости довольно прохладно. Дескать, пани Касторски не подозреваемая и не обвиняемая, поэтому в экстренных мерах нет необходимости. Ее вызовут на допрос в обычном порядке — повесткой или телефонограммой, а дальнейшее дознание будет проводиться в соответствии с уголовно-процессуальным законодательством Австрийской республики. Спасибо за звонок, герр Сергеев!

Что ж, пожалуйста, герр Вернер!

Когда я вышел из посольства, начинало смеркаться. Пушистые снежинки водили плотные хороводы вокруг ярких уличных фонарей, оседали на плечах и непокрытых головах прохожих. Легкий морозец приятно пощипывал лицо, чистый свежий воздух бодрил, до краев наполняя легкие. Улицы уже были расчищены, большие сугробы у края проезжей части дожидались, пока их вывезут за город.

— Здравствуй, Игорь! — раздалось за спиной, и я резко обернулся, уже зная, кого увижу.

В длинной приталенной шубке, изящных сапожках, без головного убора и с распущенными волосами Ирена выглядела очень эффектно. Она приветливо улыбалась. Но сейчас я увидел ее по-другому: бесполый убийца — волчий оскал, хищно прищуренный взгляд, в рукаве спрятан длинный обоюдоострый клинок.

Я быстро осмотрелся, но никого подозрительного не заметил. Похоже, Ирена была одна. Но на что она рассчитывает? Наверное, на то же, на что рассчитывала и с Извековым, и с Торшиным, и с Малаховым! И ее расчеты оправдались... Но разве можно столько раз повторять одну и ту же схему?

— Здравствуй, Ирена! Не ожидал так быстро встретиться! Мы же, кажется, договорились на завтра?

Она рассмеялась и взяла меня под руку.

— Я не выдержала! Тем более, неожиданно удалось освободиться. Прогуляемся?

— С удовольствием! Погода чудесная...

Именно в такую чудесную погоду отправились навстречу неприятностям три моих предшественника. И исходной точкой их путешествия тоже являлось наше посольство. Но вот какого хрена они пренебрегли осторожностью, нарушили инструкции и поперлись неизвестно куда?

— И такая красивая спутница. Мне просто повезло!

Похоже, что их расчетливо выманили и увели, как уводят со двора даже опытных и свирепых сторожевых псов, подставляя им течную суку. С длинными светлыми волосами... На Торшине нашли такой волос, и теперь я точно знаю, кому он принадлежит. Извеков действительно ничего не помнил, но при опросе с детектором лжи дал положительную реакцию на вопрос о женщине — красивой блондинке. Да и Малахова, скорей всего, поймали на ту же наживку: в его психологических тестах белый цвет волос входит в число сексуальных предпочтений. «Джентльмены предпочитают блондинок»,— етить их мать!

Ирена заливисто смеется.

— Игорь, вы просто мастер говорить комплименты! Я таю от восторга!

Снежок приятно хрустит под ногами. Шаг — хрусть, шаг — хрусть, шаг — хрусть... Сколько шагов мы прошли? Сколько шагов мне осталось? И как **это** будет? Точнее, как **это** задумано? Потому что в таких делах, как похищение человека,— хотя это тяжкое международное преступление на специальном сленге абстрактно называется «съемка» или «негласный физический захват объекта»,— все стопроцентно рассчитать нельзя. Запланированный и полученный результаты почти никогда полностью не совпадают. Наличие у «объекта» оружия, прикрытия или боевых навыков, вмешательство прохожих или полиции могут сделать этот люфт достаточно большим.

В свое время в курсе оперативной тактики я изучал «съемку», несколько раз мне приходилось проводить ее в реальной жизни. Число сценариев этой акции довольно ограничено, а на практике чаще всего применяются всего два. Мгновенно затолкать «объект» во внезапно подъехавшую машину или незаметно лишить его сознания и увезти в санитарном фургоне.

— Не комплименты, Ирен,— чистую правду,— убежденно говорю я, незаметно оглядываясь и оценивая обстановку.

Мы идем по Кертнерштрассе — ярко освещенной пешеходной улице, машина вплотную не приблизится, к тому же кругом полно народу... И тем не менее, именно отсюда пропал Малахов! Скорей всего, кто-то должен уколоть меня иглой с наркотиком, тут же появится «скорая помощь», носилки... Хотя никого подозрительного вокруг я не вижу. Если, конечно, не считать Ирены. А не считать ее было бы верхом глупости!

— Позвольте вашу прекрасную ручку...

Я заглядываю ей в глаза — и готов отшатнуться: зрачки как ледышки, плавающие в коктейле из страха, настороженности и лжи. Да, она не профессионалка — обычная авантюрная дамочка, волею обстоятельств вовлеченная в мясорубку изощренной и опасной работы, требующей длительной специальной подготовки. Отсюда ошибки, отсюда повторы...

Я страстно улыбаюсь. Потом снимаю тонкую кожаную перчатку, подношу изящную кисть к губам, перебираю пальчики, прижимая каждый к губам. Мягкая кожа, запах духов с едва заметным оттенком лайки — и все. Иголки с препаратом «LX» нет.

— Теперь вторую...

Повторяю процедуру с тем же успехом. Пальцы у Ирены действительно красивые, но уже обозначилось увеличение суставов — через десять лет вряд ли кто-то захочет целовать ей руки. Если, конечно, она проживет столько. Но это меня мало интересует.

— Ах, Игорь, какой ты галантный кавалер! — шепчет она.

— Так не пойти ли нам ко мне в гостиницу? — без ложной стыдливости предлагаю я.

— Конечно,— не стала ломаться Ирена.— Я сгораю от нетерпения!

И без всякой связи с предыдущим предлагает:

— Давай выпьем глинтвейна, я что-то озябла...

Мы как раз подошли к ларьку, откуда аппетитно пахнет жареными каштанами и печеным картофелем.

— Конечно, с удовольствием,— охотно соглашаюсь я, лихорадочно размышляя: мы миновали уже четыре таких ларька, почему она выбрала именно этот? Случайно? Да, конечно...

Ответ пришел в голову еще раньше, чем я заметил хлопочущего у раскаленной жаровни молодого араба, похожего в отсветах огня на Мефистофеля: именно здесь выпили свою порцию глинтвейна Извеков, Торшин и Малахов! Стаканчик с душистым и горячим вином заменяет зловещую иглу с каплей «LX» на острие!

Я даю Мефистофелю десять евро, тот отсчитывает сдачу. Его безразличный взгляд перебегает с меня на Ирену и мгновенно приобретает осмысленность и заинтересованность. Может быть, ему просто понравилась красавица-блондинка. А может, мне это вообще показалось. Самовнушение — вот как называются такие штуки. Время растягивается — это ускорилось мое восприятие действительности. Так замедляется изображение на экране при ускоренной съемке.

Смуглой лапой Мефистофель медленно нажимает помпу большого термоса, в картонный стаканчик толчками льется дымящаяся красноватая жидкость. Струя неровная, закрученная, капли разбрызгиваются в стороны, но почти все попадают в стакан.

Ирена рассматривает меня в упор и улыбается. Сейчас она выглядит более расслабленной, чем всего несколько минут назад. Она знает, что дело идет к концу, и испытывает облегчение. Ее соучастник протягивает наполненный стаканчик. Несколько красных капель все же брызнули на его руку: две сохраняют выпуклость, а две растеклись короткими ленточками. Как кровь.

Белая рука с пока еще красивыми пальцами тянется навстречу смуглой. Но я опережаю ее и первым ощущаю горячий картон. Продавец повторяет процедуру. Те же движения, та же помпа, тот же термос. Только стакан другой. Значит, все дело в стакане! Второй, судя по всему, предназначен для меня. Словно сквозь вату, доносится настойчивый голос Ирены. Наверное она говорит что-то типа: «Дай мне скорей глотнуть этого замечательного глинтвейна, я вся дрожу и не могу ждать ни минуты! Ну, дай же, дай!»

И действительно, по правилам приличия, я должен передать стакан даме. Только мне плевать на приличия. И плевать, что она говорит,— сейчас это не имеет ровно никакого значения. Я подношу стакан ко рту, делаю крохотный глоток. Араб несколько растерянно протягивает второй стакан, я принимаю и его и вполне естественным жестом передаю Ирене. Сейчас все и выяснится. Ибо то, что она сейчас сделает,— вот это и есть то единственное, что сейчас имеет значение. Колоссальное значение!

— Ой! — Стаканчик выпадает из неловких рук белокурой красавицы, падает на снег, окрашивая его красным — словно лужицей крови, выплеснувшейся из пулевой раны.

Что и требовалось доказать! Я делаю глоток побольше и показываю арабу на четыре оставшиеся на прилавке монеты:

— Повторите еще стаканчик для моей дамы!

В конце концов, мы все же выпили глинтвейна, при этом я получил больше удовольствия, чем рассчитывал, зато Ирена — гораздо меньше. Что ж, не всегда выходит так, как планируешь!

Мы двигаемся дальше, сзади скрежещет железо: араб-Мефистофель почему-то спешно закрывает свой ларек. Наверное, глинтвейн закончился. А мои неприятности, уверен, только начинаются...

* * *

— Вам не кажется все это странным, герр Сергеев? — черные, чуть прищуренные глаза полицейского строго изучают честное, но немного растерянное лицо сотрудника «Росавиакосмоса».

— Конечно, кажется! — я пожимаю плечами.— И вам покажется, если вы распорядитесь взять пробы вот с этого пятна. Где-то здесь валяется и стаканчик, из которого я должен был выпить. А в урне найдется второй — из которого пила Ире... пани Касторски. Думаю, и в киоске обнаружится немало странностей. И все они подтверждают то, о чем я вам говорил уже несколько раз, герр инспектор!

Молниеносно развернувшись, он подошел к полицейскому микроавтобусу-лаборатории, коротко отдал приказы.

Все-таки австрийцы работают четко, не придерешься. «Скорая помощь» приехала через пять минут, полиция — через семь. Гуго Вернер прибыл через четверть часа после того, как я назвал его имя патрульному наряду. Длинноногий, быстрый, в короткой кожаной куртке, он напоминал поджарую ищейку — в хорошем смысле слова. Сразу видно, что это не кабинетный чиновник, а сыщик, привычно чувствующий себя на улице и уверенно ориентирующийся на месте происшествия. Сейчас он наблюдает, как коренастый патрульный сержант вскрывает дверь ларька, и одновременно руководит экспертами.

Молодой паренек в штатском соскреб в пробирку красный снег, вставил пробку, пометил вещественное доказательство маркером и спрятал в чемоданчик. Потом, следуя жесту криминаль-инспектора, отыскал закатившийся под ларек картонный стаканчик, подцепил пинцетом и уложил в пакет, на котором тоже поставил номер и спрятал. Потом так же методично перешел к огромной решетчатой урне и принялся столь же аккуратно изымать, упаковывать и нумеровать лежащие сверху стаканчики... Вернер подошел и что-то сказал: очевидно, чтобы обращал внимание на следы помады. Потом вернулся к коренастому сержанту и помог отжать дверь.

«Скорая помощь» аккуратно пробралась сквозь толпу и скрылась в конце бульвара. Зеваки стали расходиться, оживленно обсуждая происшедшее.

— Женщине стало плохо,— информировали очевидцы тех, кто подошел позже.— Молодая, красивая, и вдруг потеряла сознание...

— Прямо упала?!

— Да, вот здесь, возле скамейки. Видно, сесть хотела...

Люди везде одинаковы. Такие же разговоры в похожей ситуации можно услышать и в Москве, и в Париже, и в Лондоне... Если бы составленный неизвестными злодеями коварный план удался, это бы меня увезла «скорая помощь», только подставная, а не настоящая, и не в больницу, а неизвестно куда...И это обо мне бы судачили добропорядочные венцы и отдыхающие иностранцы. Но в больницу везли Ирену. Не рой другому яму... Хотя непонятно: как ей все же досталась моя порция отравы?

Толпа любопытных рассеялась. Эксперты производили осмотр внутри ларька.

— Вам придется проехать со мной в комиссариат, герр Сергеев,— сухо сказал инспектор Вернер.

* * *

— Итак, вы считаете, что вас хотели временно вывести из строя и похитить? А госпожа Касторски по ошибке выпила вашу порцию отравы?

Мы снова сидим в кабинете криминаль-инспектора. Усы его воинственно встопорщены. На этот раз он не только не угощает меня кофе, но и вместо дружеской беседы ведет довольно строгий допрос, хотя пока еще без методов «третьей степени». Думаю, до них дело не дойдет: я уже сообщил в посольство, где нахожусь. При необходимости тут мигом окажется и консул, и самые квалифицированные венские адвокаты. Полицейский это прекрасно понимает.

— Не совсем так, герр Вернер. Ту порцию глинтвейна, которая предназначалась мне, я предложил Ирене, но она уронила стакан. Однако каким-то образом препарат оказался и в следующем стакане, который я купил ей после этого. Вы же взяли образцы — наверняка и в моем, и в ее стакане обнаружатся следы мексола...

Инспектор бросает на меня быстрый взгляд.

— Мексола? Гм... Почему именно мексола?

— Потому что именно мексолом был отравлен наш сотрудник Торшин! — говорю я и вовремя прикусываю язык, чтобы не добавить, что это наиболее эффективный психотропный препарат, который в настоящее время находится на вооружении многих спецслужб. Все же столь специфические знания явно не входят в компетенцию специалиста «Росавиакосмоса»!

Инспектор Вернер испытующе смотрит мне в глаза, будто пытается загипнотизировать.

— В вашем глинтвейне действительно содержался мексол, герр Сергеев. А вот в стаканчике госпожи Касторски его следов не найдено...

Он мастерски выдерживал паузу. По тону можно понять, что там найдено что-то другое. Но я не задавал вопросов и продолжал внимательно слушать.

— В стакане Ирены Касторски обнаружены следы лизина...

— Что?!

Инспектор ткнул указательным пальцем в стол, будто ставя точку.

— И в ее крови тоже найден лизин!

— Значит...

Я осекаюсь. Лизин тоже используется спецслужбами, но в иных целях — это смертельный яд!

Вернер подскакивает на своем стуле.

— Вы правы, коллега, вы хорошо знаете, что такое лизин! Ирена Касторски скончалась по пути в больницу! Кстати, на ее теле обнаружены следы от избиения хлыстом...

— Мне очень жаль,— говорю я и как ни странно, вполне искренне.

Не надо было Ирене лезть в эту клоаку. Били ее, несомненно, за ошибку с портфелем. А отравили за то, что не смогла опоить меня. Люди, которые за ней стоят, не терпят ошибок.

— А вот откуда **вы** знаете про мексол и лизин? — обличающим тоном продолжает Гуго Вернер.— И почему **вы** все время оказываетесь в центре криминальных событий?

Снова пауза. Она затягивается. Мы молча смотрим друг на друга. Неужели он ждет оправданий? Не имея ни одного факта, а только догадки — пусть не беспочвенные, и подозрения — пусть обоснованные?

— Вы конспиративно передвигаетесь по городу,— продолжает наступать криминаль-инспектор,— уходите из кафе через служебный ход... Очень странно для чиновника...

Вот даже как! Этот парень знает обо мне гораздо больше, чем я подозревал!

— И? — спрашиваю я.— В смысле, что из этого следует?

Гуго Вернер замолкает. Беспочвенные подозрения — это одно, а беспочвенные обвинения — другое.

— Разве я нарушал австрийские законы? — Игорь Сергеев переходит в контратаку.— Я своевременно сообщил о причастности госпожи Касторски к враждебной деятельности против нашего посольства. Сегодня я сообщил вам о ее появлении...

Гуго Вернер опустил голову к бумагам, демонстрируя свой безупречный пробор.

— Благодаря вашему невмешательству я чуть не стал жертвой покушения! А Касторски — стала! И если бы я не вызвал полицию, то никто бы не узнал, отчего она погибла! Вы знаете, что лизин распадается за шесть часов, а вскрытие производят не раньше, чем через двенадцать!

Слово «халатность» произнесено не было, но оно вполне ощутимо витало в воздухе. Поэтому полицейский уже не реагировал на то, что я фактически раскрыл свои карты.

— То, что я делаю, направлено не во вред Австрийской республике, а на ее благо! — Игорь Сергеев завершает свое пламенное выступление.— И все это полностью охватывается рамками соглашений между нашими правительствами!

Получилось немного высокопарно, но убедительно. И двусмысленно. Что вытекает из соглашений Правительства России и Австрии? Запуск совместного спутника? Или мое расследование посягательств на сотрудников посольства? Понимайте как хотите, дорогой коллега Вернер. Можете уточнить у федерального канцлера герра Вольфганга Шюсселя. Если, конечно, у вас есть такая возможность.

— Извините, я устал. Если у вас больше нет ко мне вопросов, я бы хотел отдохнуть. Если есть, я приглашу консула и адвоката.

— Прошу прощения, что утомил,— довольно миролюбиво говорит криминаль-инспектор.— Все вопросы заданы, ответы получены, осталось подписать протокол. Благодарю за гражданскую активность и выполнение долга свидетеля.

А он не такой плохой, как может показаться!

Но и я не такой глупый, чтобы верить в его миролюбие.

Глава 7

Альпийский стрелок

— Они мне стали сниться в последние годы. Все четыреста человек. Весь батальон. Солдаты совсем молодые, офицеры немного постарше... Я вижу их лица, и мне кажется, что это не плод воображения — именно такими они и были в действительности. Бледный, астеничный капитан с рыжими усами, почти как у вас... Лейтенант — альбинос, щеки в веснушках, красные глаза... Небритый майор — узкое, смертельно усталое лицо, впалые щеки. Горбоносый нерусский солдатик из горских народов... Если поднять в архиве личные дела, я узнаю всех по фотографиям. Удивительно! Ведь я не мог их рассмотреть: они были далеко внизу — крохотные фигурки в маскировочных халатах... Одно движение вот этой руки — и их не стало!

Герр Дивервассер поднял правую ладонь с глубокой линией судьбы и длинной линией жизни. Сухие пальцы чуть согнуты и напряжены — как будто он собирался разрубить кирпич.

Мы сидим в ресторанчике «Императорский павильон», расположенном в замке Шенбрунн. Кто-то из австрийских монархов любил, гуляя по парку, выпить рюмочку-другую под легкую закуску,— для этой благородной цели и был возведен павильон. Вполне царский — высокий круглый зал восемнадцатого века, дубовые панели с золоченой отделкой, венецианские зеркала, выразительная фреска на куполе, громадная хрустальная люстра на длинном подвесе. Сейчас в заснеженном парке ни одной живой души, если, конечно, иметь в виду человеческие души: вокруг зоопарк — иногда взрыкивает лев, воют волки, в окно видно, как в просторном стеклянном вольере неспешно прогуливается жираф. Но человеческих особей в обозримом радиусе нет.

— Вы видели когда-нибудь сход лавины? Миллионы тон снега, льда, камней, осколков скал — адское варево, выплеснутое из огромной кастрюли зимней преисподней! Вся эта чудовищная масса сжимает воздух и гонит впереди с огромной скоростью... Дикий гул наполняет окрестности. Ударная волна срывает с людей одежду и убивает их раньше, чем настигает лавина... А потом наступает мертвая тишина, только по инерции звенит в ушах. И рыхлое снежное поле с черными каменными надгробьями...

Я смотрю на желто-пятнистого жирафа. Пустынный камуфляж не годится на белом фоне. Ему бы поменять маскировочный костюм «Пустыня» на более подходящий «Снег», но природа не предоставила длинношеему красавцу такой возможности.

— Зато лавина хоронит их навсегда: хоть десять человек, хоть сорок, хоть четыреста...

Честно говоря, эти воспоминания о драматических событиях шестидесятилетней давности меня изрядно напрягают, тем более что давно пора переходить к делам сегодняшнего дня... К тому же перед нами остывают сосиски, а в пивных кружках медленно опадает роскошная плотная пена. Я хочу есть и пить, но приступать к трапезе одному невежливо. Доверительные отношения между людьми во многом зависят как от умения откровенно говорить, так и от способности внимательно слушать. И мы оба это хорошо знаем.

— Одним движением руки я отправил на тот свет четыреста человек! Временами задумываюсь: сколько жертв на счету самых кровавых убийц всех времен и народов? У вас в России маньяк убил больше пятидесяти, в Бразилии — двести... Получается, я побил все рекорды? И про меня можно писать в Книге рекордов Гиннеса?

Я не знаю, что ответить, поэтому подкатываю глаза и делаю неопределенный жест руками. Его можно истолковать и как сочувствие, и как несогласие.

Герр Дивервассер провел ладонями по лицу, будто умылся насухую. Сегодня от его обычной спокойной невозмутимости не осталось и следа, он явно взволнован. И глаза воспалены, как при бессонице.

— Но они начали обходить нас с двух сторон, брать в клещи... Конечно, господствующая высота дает преимущества, но при большом численном превосходстве противника отнюдь не решающее. К тому же у них были минометы, и они вполне могли обрушить лавину на нас! Тогда я бы лежал мумией в вечной мерзлоте, а веснушчатый альбинос рассказывал где-нибудь в Курске за кружкой пива о том бое... Что лучше?

— Смотря для кого. Для альбиноса лучше пить пиво, тут даже думать нечего! — Конечно, такой ответ вряд ли мог успокоить мятущуюся душу, но он на сто процентов соответствовал действительности.

Дивервассер печально кивнул.

— Да, боюсь, что варианта, который бы устраивал обе стороны, в природе не существует. Но что мне делать с ночными кошмарами? Я пытался их материализовать, чтобы отделить от себя, но вышло еще хуже...

Он сунул руку во внутренний карман пиджака и бросил на стол с десяток рисованых портретов, которые рассыпались веером, как отыгранная колода.

Вот они, ночные кошмары старого альпийского стрелка. Капитан с узкими усиками, веснушчатый лейтенант, болезненно худой майор с трехдневной щетиной, грузин или осетин с орлиным носом, другие лица, явно изготовленные по методу словесной реконструкции...

Я вздыхаю. Что ж, иногда приходится быть и психотерапевтом.

— Никогда не надо оживлять фантомы прошлых грехов,— мягко, но убедительно говорю я.— Сегодня же сожгите эти рисунки, а пепел развейте по ветру, представляя, что дурные сны уносятся вместе с ним. И не зацикливайтесь на тягостных воспоминаниях. У вас элементарная депрессия, и рецепты борьбы с ней известны. Надо переключить внимание на другой объект, заняться чем-то другим. Тем более у нас есть много дел!

— Да, да, вы правы! — Дивервассер берет прямоугольные листки и комкает двумя руками, будто лепит снежок. Бросает неровный бумажный шар в пепельницу. Он шелестит, расширяясь, снежок становится больше похожим на кочан капусты. Из глубины выглядывает чей-то глаз. Глаз убитого много лет назад человека. Я отвожу взгляд в сторону.

— Меня интересует арабское подполье в Вене,— говорю я и будто невзначай берусь за свою кружку.— Резидентуры, нелегальные общества и экстремистские организации, ячейки мировой террористической паутины... Вы располагаете такими данными?

— В известной степени. Ведь признаюсь вам честно: я не порвал связей со своей организацией. Просто перешел на негласное сотрудничество: стал резидентом... На меня замкнуто десять агентов, я принимаю у них информацию, фильтрую, анализирую, составляю итоговые справки и передаю своим...

Лицо Дивервассера на глазах меняется: черты разглаживаются, исчезает озабоченность, в глазах появляется блеск. Он явно приходит в форму. Текущие дела всегда вытесняют напряжение и тревогу.

— Арабы очень замкнуты в силу национальных обычаев и жизненного уклада, а когда к этому добавляется конспирация, подобраться к ним практически невозможно. Иногда проскакивает обрывочная информация, но по большей части ее не удается проверить...

Резидент австрийской контрразведки, наконец, принимается за свою сосиску, отпивает пиво. Теперь и я могу последовать его примеру.

— Пару лет назад я принял сообщение о том, что в Вене действует террористическая организация, которая готовит уничтожение всей центральной Европы,— задумчиво говорит Дивервассер.— Причем с помощью необычного химического оружия: оно действует избирательно — только на представителей европейской расы. Согласитесь, такое ведь трудно придумать? Препарат, вредный исключительно для белых людей! Но подтверждающих фактов не имелось, я оценил достоверность информации как пятьдесят на пятьдесят, и передал своему начальству. Насколько я знаю, реализовать эти данные не удалось.

— Вот как? Интересно...

Наверное, по мне этого не заметно: когда человек с аппетитом ест и жадно пьет пиво, можно сделать вывод лишь о том, что он проголодался и у него пересохло в горле. Но то, что рассказал альпийский стрелок, действительно очень интересно: с этой информацией можно связать нечто чрезвычайно важное, надо только сосредоточиться и вспомнить — что именно...

В конце обеда, уже перед тем как попрощаться, говорю:

— Объявите готовность номер один для своей группы. Думаю, она нам скоро понадобится.

Дивервассер кивает. Лицо его, как обычно, не выражает никаких эмоций.

* * *

В разведке главное не наблюдение, не подслушивание, не переодевания, а уж тем более не драки и перестрелки, как в фильмах про Джеймса Бонда — самого хренового и карикатурного разведчика всех времен и народов. Главное — тактический и стратегический анализ. И сделанные на его основе правильные выводы.

Просидев за столом два часа и в очередной раз перелопатив материалы досье «Неизвестный враг», я нашел ключ ко всей этой истории!

«Параллели расовых отличий в ДНК белых и серых мышей»,— так называлась последняя опубликованная в общедоступной печати статья восточного красавчика, доктора естествознания, поэта, а по совместительству контактера террористических организаций Назифа бин Ахмеда бин Салеха Аль-Фулани. Она подвела итог длительному изучению белых и серых тварей и дала идею химического оружия избирательного расового воздействия. А потому на этом все публикации прекратились. Наступил период тайных экспериментов. Они и сейчас продолжаются в Кронбурге: вот зачем туда десятками и сотнями завозят подопытных грызунов! Только насколько близко талантливый биохимик и фармаколог Назиф Аль-Фулани приблизился к своей цели? Это очень важный вопрос!

Я встал из-за стола и возбужденно прошелся взад-вперед по кабинету резидентуры.

Сейчас ясно одно: Ирена Касторски — только марионетка, управлял ею именно Аль-Фулани! И убрали ее по его приказу! И все нити тянутся к этому разностороннему сыну Ахмеда и внуку Салеха! Он и есть неизвестный враг! И подбираться надо именно к нему.

С учетом утечек из резидентуры, на помощь коллег рассчитывать не приходится... На содействие австрийских властей тоже — что я предъявлю уважаемому Гуго Вернеру, кроме своих умозаключений? Рассчитывать можно только на себя. Как бывает очень часто...

Захожу к Фальшину, сдаю ему досье, расписываюсь в журнале, прощаюсь...

— Что-нибудь вырисовывается? — озабоченно спрашивает резидент. В последние дни он какой-то нервный, всклокоченный. То ли потому, что надо докладывать в Центр результаты, а результатов все нет, то ли по какой другой причине, о которой мне не хочется и думать...

— Да нет, ничего.

— Может, нужна помощь? Ивлев в полном вашем распоряжении.

Не надо мне помогать, я прошу только, чтобы мне не мешали.

— Да нет. Пойду в гостиницу и лягу спать. Чем он мне поможет?

Уже в коридоре меня догоняет Ивлев.

— Я могу быть вам полезен?

Конечно, Витя! Если через тебя не уйдет информация к моим врагам.

— Спасибо, дружище! — говорю я вслух.— Еле стою на ногах, хочу спать. До завтра.

* * *

В «Золотом обруче» дымно, шумно и накурено. Приглушенный красноватый свет. Я заказываю «Джеймсон» со льдом. Непривычно громко для Европы играет музыка, да и публика довольно специфическая: в основном, откровенно одетые юные дамы, за несколькими столиками потягивают коктейли умудренные опытом зрелые мужчины. Судя по всему, сюда приходят вовсе не за изысками кухни, а за радостями человеческого общения. Интимного и натурального человеческого общения, судя по отсутствию трансвеститов, гомосексуалистов и лесбиянок.

Две девушки сидят на высоких круглых стульях за стойкой бара. Место они выбрали неспроста: у одной юбка едва прикрывает лобок, у другой — разрез до бедра, высокие стулья позволяют показать ноги во всей красе. Красы, правда, могло быть побольше... Но предельная откровенность всегда оттесняет эстетику на второй план — на первый выходят инстинкты. Седой джентльмен подходит к ним и угощает шампанским. Похоже, на сегодняшний вечер они устроили свою судьбу.

Три подружки за ближайшим столиком оживленно болтают, пьют апельсиновый сок и курят легкие сигареты, старательно изображая полное удовлетворение жизнью и абсолютную независимость от противоположного пола. Поскольку эту имитацию никто не пытается опровергнуть, их кукольные личики имеют довольно кислое выражение.

Вот еще три подружки, вот сразу четыре, вот две... А вот и те, кто мне нужен!

Беру стакан и направляюсь к двум милым дамам, дизайнерам по интерьерам замка Кронбург.

— Добрый вечер, леди! Позволите присесть и угостить вас выпивкой?

Приятная шатенка старательно демонстрирует хорошие манеры и царственно делает разрешающий жест. Это она зарегистрирована в официальной картотеке венской полиции. Гладко зачесанная брюнетка приветливо улыбается и кивает. Они рады мужскому вниманию и умеют его поощрять. Впрочем, держатся они на удивление безупречно.

Присаживаюсь, улыбаюсь в ответ.

— Что будете пить?

— Коньяк,— привычно заказывает шатенка.

Я знаю, что ее зовут Мария, хотя представляется она Евой.

— Коньяк,— повторяет подружка, которая отрекомендовалась Анной.

Называюсь Гансом из Дюссельдорфа, подзываю официанта и делаю заказ.

Полчаса мы пьем и болтаем. Став на привычный путь, девушки заметно оживляются. Еще коньяк. Еще... Спиртное делает свое дело. Девушки быстро раскрепостились, отбросили приличные манеры и превратились в девиц. Анна вульгарно смеется, Ева-Мария рассказывает циничный анекдот. Я приглашаю их к себе в гостиницу, обе охотно соглашаются, но предупреждают, что это будет стоить мне двести евро. Хорошо, что они не знают о судьбе женщины, которой я вчера сделал аналогичное приглашение и которая тоже ответила согласием.

Через сорок минут мы продолжаем веселье у меня в номере. По дороге я купил бутылку довольно мягкого испанского коньяка «Герцог Альба», пакет фруктов и упаковку презервативов. Возможно, последний факт безупречного Дмитрия Полянского не красит, но, увы, выведывать секреты без полного погружения в разрабатываемую среду практически невозможно. Не случайно агенты криминальной полиции вынуждены время от времени совершать преступления.

Девушки точно следуют привычному сценарию: когда коньяк был выпит наполовину, они сбросили одежду, оставшись в белье и колготках. Когда бутылка опустела на две трети, лифчики тоже полетели в сторону. Груди у них оказались симпатичными, но не пуская дело на самотек, они принялись тереться друг о друга сосками и целоваться взасос, искоса наблюдая за моей реакцией.

— Ну, Ганс, за дело — сказала Ева-Мария, облизываясь.— Только не забудь резинки!

Что ж, за дело, так за дело... Я вздыхаю. Секс ради любой цели, выходящей за пределы самого секса, будь то деньги, слава, информация,— занятие довольно противное. Пожалуй, я зря отказался от помощи Ивлева. Сейчас бы он пригодился...

Надо сказать, что свое ремесло девушки знали. Того, что они вытворяли, я не видел даже в порнофильмах. Полная слаженность, которой могли бы позавидовать мастерицы синхронного плавания, виртуозное владение обычно не развитыми мышцами, изощренное использование самых неожиданных комбинаций из естественных отверстий своих тел, неподдельный энтузиазм... Свой гонорар они отработали полностью, до последнего евроцента. Надо сказать, что и я показал себя с положительной стороны — настолько, что даже был удостоен похвалы:

— Ганс, да ты, оказывается, не извращенец и не импотент, а настоящий мужик! — тяжело дыша, проговорила Анна.— Правда, Мария?

— Правда,— Ева-Мария многозначительно толкнула ее босой ногой, чтобы не путалась в именах. От обеих пахло разгоряченными телами и терпким дезодорантом.

Я возгордился. Записать бы эти слова в мою служебную характеристику для очередной аттестации — как бы они оживили и обогатили привычный набор канцелярско-бюрократических штампов: «Идейно выдержан, делу Партии и Родины предан, табельным оружием владеет уверенно...»

Но сейчас не время думать о собственной карьере, главное — дело. Разливаю по стаканам остатки коньяка, чокаюсь с профессионалками платного секса. Они устало раскинулись поперек кровати на смятых и мокрых от пота и иных жидкостей простынях. Бр-р-р! Надо будет немедленно заменить белье! Хотя нечего строить из себя целку — сейчас здесь не две, а три проститутки!

— Хочу завтра осмотреть замок на горе,— буднично сообщаю я.— Думаю, будет интересно!

Девицы переглядываются и хохочут.

— Еще как интересно! Там призраки живут! Карлик и волк. Слышал эту легенду?

Пожимаю плечами.

— Меня легенды не интересуют. А исторический бизнес — да! Экскурсии и все такое прочее... Кто там вообще-то живет, кроме призраков?

Анна отхлебывает коньяк.

— Один араб, Назиф. Красивый мужик, веселый, щедрый. Только с тараканами в башке...

— Сейчас у всех тараканы,— вторит ей подруга.— Он хоть не щиплет пинцетом и сигарами не прижигает...

— А чего он такого делает? — стараясь не проявлять заинтересованности, спрашиваю я.

— Да, в общем, и ничего особенного,— говорит Анна.— Там у него гость живет, он нас к нему много раз привозил. Платил хорошо, но условие такое: никаких резинок, никаких противозачаточных пилюль. А если забеременеем, то должны Назифу сообщить, а он нам выплатит премию! Странно, конечно, но не особенно...

— Бывает и хуже,— со знанием дела подтвердила Ева-Мария.

— А что за гость? — безразлично спрашиваю я, хотя в мозгу уже на полную мощность работает аналитический компьютер.— Может, он импотент? Или педик?

— Да нет... Здоровый мужик, симпатичный, кудрявый такой.

Я отхожу к своей одежде, достаю из пиджака фотографию.

— Этот?

Девушки бросают только один взгляд.

— Он!

— Точно, наш красавчик!

Они переглядываются и цинично смеются.

— Откуда у тебя его фотка?

Я тоже смеюсь в ответ и начинаю одеваться.

— Да это мой приятель! Поехал договориться насчет экскурсий, а сам прикалывается с девчонками.

— Ты что, уже выдохся? — спрашивает Ева-Мария. А вторая серия?

— На сегодня все, красотки. А завтра я обязательно заберу вас вечерком...

Девицы привычно собирают свои вещи.

— Ну, завтра так завтра. Любой каприз за ваши деньги!

Мария расправляет на руке дымчатые колготки, Анна натягивает узенькие трусики. Они уже не обращают на меня внимания: деловито переговариваются о чем-то своем, поправляют макияж, хихикают.

Неужели между нами не вспыхнула вечная любовь? Похоже, что так: эпизод отработан, и обе устремлены в будущее. Вышедший на очередной станции пассажир неинтересен для бывших попутчиков: мгновенно забываются доверительные разговоры по душам, совместные чаепития, общие взгляды на важнейшие проблемы современности... Пожалуй, если я завтра зайду в «Золотой круг», они меня не узнают и придется знакомиться заново. Как несправедливо все же устроена жизнь... Но ничего не поделаешь: раз мы живем в несправедливом мире и другого нет — надо к нему приспосабливаться!

Я без сожаления отвернулся от оплаченных женских прелестей.

— Побыстрей, красавицы! У меня еще серьезное дело...

* * *

На этот раз небо было затянуто тучами, и замок Кронбург казался просто черной бесформенной громадой, закрывающей живописную россыпь огней раскинувшегося внизу города.

Машины были оставлены в стороне, на пустой стоянке закрытого ресторана, где я несколько дней через силу объедался фирменными шницелями. Потом семь теней бесшумно пересекли пустырь и двинулись вдоль высокой стены к воротам. Дивервассер быстро шел впереди, и я в очередной раз подивился его энергии. Неужели ему восемьдесят лет? Не может быть! Но и меньше никак не получается... Человек-загадка! Надо сказать, что слов на ветер он не бросает: группа была собрана за час, бойцы настроены весьма решительно: двое привычно держат наизготовку пистолеты с привинченными глушителями, у остальных — короткие дубинки.

Ворота по-прежнему плотно не закрывались, и несколько теней, как призраки рода Альгенбергов, уверенно проскользнули через темную щель во двор своей фамильной резиденции. Альпийский стрелок остался снаружи, придерживая пальцем вставленный в ухо наушник. Еще один человек в напряженной позе застыл рядом, словно стайер перед стартом.

Минуты текли томительно и, как всегда в подобных случаях, казались часами. Я ждал обычных для таких ситуаций звуков: возни, ударов, сдавленных криков, хлопков, с которыми в ресторанах открывают шампанское, а на боевых операциях — человеческие тела. И, конечно же, звуков падения этих самых тел. Но ничего подобного слышно не было: стояла полная тишина. Только вдруг откуда-то из-под земли раздался волчий вой — как будто все призраки замка материализовались одновременно. Кстати, что там за ерунда с волком и карликом? Ладно, скоро все выяснится...

Наушник Дивервассера что-то пробормотал.

— Вперед, путь свободен! — Командир группы резко махнул рукой и, сунув руку под пальто, первым скользнул в ворота.

По каменным плитам мы пересекли двор. У ведущих в башню гранитных ступеней стоял боец. Он показал дубинкой за лестницу.

— Охранники. У них было оружие...

Командир направил в темный угол узкий луч ручки-фонаря. Арабы, двое. Выглядели они не очень бодро: разбитые головы, скованные за спиной руки, заклеенные рты.

— Где-то здесь еще четверо, в подвале волк,— добавил боец.

— Волк?! — переспросил Альпийский стрелок.

— Так они сказали. Наши проверяют башню и правое крыло...

— Надо осмотреть весь замок! — говорю я, устав быть пассивным наблюдателем.— Пойдем, осмотрим левое крыло!

В просторном высоком холле на полу лежит еще один араб-охранник, упакованный так же, как и его коллеги. И столь же мало способный к активным действиям. Похоже, что люди Дивервассера хорошо знают свое дело.

Я иду первым и первым оказываюсь в каминном зале. По размерам он, конечно, уступает рыцарскому залу Хоффбурга: все-таки там жили короли, а здесь — только графы. Но выставка оружия и доспехов впечатляет...

Горящее в камине полено отбрасывает красноватые блики на средневековую сталь. Выстроившиеся вдоль стены рыцари опираются на огромные мечи и холодно смотрят сквозь смотровые щели шлемов. Альпийский стрелок отстал, и я оказался один перед этим железным строем. Ситуация повторяется. Надеюсь, сейчас никто не прячется в стальном панцире...

— Что ты здесь ищешь, неверный?! — раздался сзади громовой голос, от которого у меня мороз пошел по коже, и волосы встали дыбом.

Я резко обернулся и остолбенел. Из темного бокового прохода выдвигалась огромная фигура в черном. Багровые отсветы раскрашивали бледное, как у призрака, лицо, но черт было не разобрать: в провалах глазниц отражалось колышущееся пламя, черные тени впалых щек маскировали внешность,— казалось, что это череп восставшего из фамильного склепа графа Альгенберга.

— Если ты ищешь смерти, считай, что уже нашел! — снова прогремел страшный голос.

Но это явно не был голос графа Альгенберга. Более того, он показался мне знакомым.

Фигура приближалась, и чем ближе к камину, тем очевиднее становилось, что это не скелет мертвеца, и не великан, а просто высокий человек в черном трико, свободно накинутом на плечи черном плаще и черных сапогах. Тени отступили, и огонь прорисовал знакомые черты: мне грозил смертью старый знакомый — Назиф Аль-Фулани!

И явно не собирался ограничиться угрозами — подойдя к ближайшему рыцарю, он с лязгом и скрежетом вырвал двуручный меч, которым легко развалить человека на две половины!

Надвигающаяся опасность вывела меня из оцепенения. Бросаюсь в ряд железных воинов, дергаю матовое тяжелое железо рыцарских перчаток, с трудом развожу их в стороны, вцепляюсь в обтянутую кожаным шнуром длинную рукоятку, рывком выдергиваю спадон.

Высокий зал средневекового замка, грубые стены из необработанного камня, огромный, ярко пылающий камин, шеренга доспехов и два врага, стоящие друг против друга с огромными, в человеческий рост, мечами в руках... Откуда-то доносится зловещий вой волка. Но даже без этого воя сцена не может иметь ничего общего с реальностью. Это театр сюрреализма, Кафка! Или один из глупых фильмов про Джеймса Бонда! Но что делаю я в этом фильме?!

Противник бросается на меня, взмахивая длинной полосой красноватой стали. Рывком выбрасываю навстречу свой меч — он тяжел, как рельса, чтобы управляться им, нужны мощная спина, могучие плечи и бицепсы, развитые предплечья, цепкие крепкие кисти. Тяжеленные клинки, высекая искры, сталкиваются в воздухе, жесткий удар «сушит» ладони, долгий звон растревоженного камертона поднимается к высокому сводчатому потолку, а обессиленные мечи с лязгом утыкаются в каменные плиты пола.

Аль-Фулани снова вздымает свой спадон, холодная сталь описывает полукруг, в конце которого умная холодная голова космического инженера Игоря Сергеева должна слететь с плеч и откатиться в дальний угол, забрызгав каменный пол горячей и благородной кровью. Но и на этот раз вместо не слишком толстой шеи, умещающейся в воротник сорок первого размера, в конце полукруга оказывается кованая сталь семнадцатого века. Снова столкновение клинков, искры, отшибающий ладони удар, камертонный звон, лязг...

Делаю попытку атаковать: всем телом раскручиваю почти двухметровый меч, как метатель молота раскручивает свой снаряд перед броском, вытягиваюсь вперед, целясь в середину черного туловища, но вместо мягкой плоти попадаю во вражеский клинок, и все повторяется: удар, искры, звон...

Мне хочется погрузить отбитые ладони в холодную воду. Сил больше не осталось. Если бы в одном из доспехов, как в прошлый раз, сидел Аллан Маккой, да еще с пистолетом, да еще если бы он хотел мне помочь... Где же Курт Дивервассер? Где его головорезы? Или Витя Ивлев, или Гуго Вернер, или кто угодно, способный склонить весы удачи в мою пользу... Где все?!

— Так это ты?! — наконец узнал меня доктор естествознания.

Странно, но это узнавание никак не смягчило его душу и не изменило первоначальных гнусных намерений. Двуручный меч вновь описал полукруг. А ведь мы почти подружились, он даже звал меня в оперу... Вот и верь после этого людям! Отскакиваю назад, острие пролетает в тридцати сантиметрах от моего подбородка. Шух! — лицо обдает воздухом. Теперь меч не утыкается в пол, а продолжает свое движение, завершает полный круг и идет на второй!

— Зачем пришел, русский шпион? — спрашивает Аль-Фулани, наступая. Сейчас он напоминает вертолет с вращающимся пропеллером. Острая лопасть с легким свистом рассекает воздух, приближаясь к моей шее.

— За своим другом? Ты опоздал!

Ах ты, сука! Я тоже пытаюсь раскрутить меч, и неожиданно мне это удается. Центробежная сила удерживает спадон в воздухе — оказывается, крутить его гораздо легче, чем наносить удары. Только как использовать это грозное оружие? Двуручные мечи не предназначены для фехтовальных схваток: ими ломали копья ощетинившейся «фаланги», разрушали ровный строй наступающих шеренг, оттесняли врага от упавшего с коня сюзерена... Сейчас мы безыскусно сходимся, окруженные летящими клинками. На определенном расстоянии мы просто зарубим друг друга...

— Пух! Дзинь! — что-то с силой ударяет в оставшегося без меча рыцаря.

— Ложись! — кричит кто-то сзади.— Пух! Пух!

Аль-Фулани вздрагивает, меч улетает в сторону и звонко бьется о стену, а сам он медленно опрокидывается на спину. Переводя дух, опускаю руки. Мой спадон, проскрежетав острием по каменным плитам, останавливается. Подбежавший Дивервассер наводит трубку глушителя на поверженного поэта. Как минимум одна пуля попала ему в грудь, в очередной раз подтвердив преимущество огнестрельного оружия над холодным. Недаром в свое время неблагородные аркебузы в руках беспородных горожан уничтожили рыцарство как класс, вместе с его традициями, сословной кичливостью и многолетней фехтовальной выучкой.

Лицо Аль-Фулани настолько бледно, что даже отблески каминного пламени не придают ему жизни.

— Вы все умрете! — приподняв голову, говорит он.— Сейчас Иоганн откроет газ...

Это последние слова гениального химика. Голова со стуком падает на исцарапанный камень.

— Что так долго? — Я вытираю потное лицо. Руки дрожат от напряжения, верхняя часть спины одеревенела.

— Там было еще трое, они ранили моего человека,— отвечает Альпийский стрелок.— И потом этот волк...

— Что за волк, в конце концов?

— Обычный большой волк. Я его застрелил.

— Теперь надо найти этого Иоганна... У него какой-то газ...

Дивервассер прячет свой пистолет под пальто.

— Его не надо искать, он сам сдался. Это карлик. А газ действительно есть — в лаборатории. Пойдем, сам увидишь.

* * *

Просторная лаборатория хорошо оборудована: термостаты, насосы, холодильники, прозрачный стол с весами и спиртовками, сотни баночек и реторт с химикалиями, колбочки, пробирки, компьютер, шкафчики из стекла и нержавеющей стали, мелкоячеистые вольеры, в которых суетятся мыши, мощная вытяжка...

— Хозяин приказал открыть этот вентиль,— поясняет человек, ростом не больше метра, указывая на большой черный баллон,— в таких у нас держат углекислый газ. На боку красной краской нарисованы череп и кости.

— Но я не захотел делать ничего такого...

— Это тебя и спасло! — мрачно говорит Дивервассер.— Ладно, веди нас дальше!

Карлик имеет мирный вид и совсем не похож на Косого Иоганна. У него лицо взрослого мужчины, мужские руки, ноги и походка, только туловище короткое, будто все детство просидел в тесной клетке. Его зовут Иржи, он венгр, одно время работал в цирке, потом Аль-Фулани нанял его охранять замок, заставил называться Иоганном и время от времени показываться на башне с выкупленным в зоопарке волком.

Волк лежит на площадке башни — здоровенный зверь с длинным распушенным хвостом и печальной мордой. Иржи гладит его по голове.

— Серик безобидный, напрасно его убили... Он такой же, как я. Мы только должны были изображать злых и страшных...

Дивервассер раздраженно морщится.

— Откуда я знал, злой он или нет! Хорошо, что ты сам вышел и вел себя спокойно, а то лежал бы рядом!

Иржи вздыхает.

— Мне очень жаль Серика. Мы с ним дружили...

Здесь же, на холодном каменном полу, лежат два застреленных араба, но они не вызывают у карлика никаких эмоций. Он даже не обращает на них внимания. Зато я обратил внимание: один оказался тем самым похожим на Мефистофеля ларечником, который продавал нам с Иреной глинтвейн!

— А где русский, которого держат в плену? — с замиранием сердца спрашиваю я. Неужели Малахова и правда прикончили?

— Почему в плену? — недоумевает карлик.— Это гость хозяина. Он у себя в комнате.

— Гость?!

Иржи кивает.

— Конечно. Я сам каждый день ходил для него на рынок за лучшими продуктами, повар готовил все, что он хотел. Правда, на завтра хозяин велел продукты не покупать...

Карлик обескураженно разводит руками.

— Почему? — строго спрашивает Дивервассер.— Он что, собирался уезжать?

— Не знаю... Хотя...

Иржи явно растерян. Дивервассер грозно наклоняется над маленьким человечком.

— Что?! Говори немедленно! — Альпийский стрелок явно имеет большой опыт жестких допросов.

— Я ничего не знаю, правда... Но в подвале под круглой башней охрана зачем-то выкопала яму...

Мы проходим в конец длинного коридора. Большим ключом Иржи отпирает маленькую толстую дверь. Замок громко щелкает.

Небольшая, без окна, комната обставлена дорогой мягкой мебелью, в углу плазменная панель и DVD-проигрыватель. На столе ваза с фруктами и наполовину пустая бутылка коньяка. На широком диване богатырским сном спит растрепанный человек. Тот самый, в поисках которого якобы сбивается с ног вся венская полиция. Бесцеремонно трясу его за плечо.

— Что так рано, Иоганн? — Малахов открывает один глаз, потом второй, потом зажмуривает оба, потом, вскочив, кидается мне на шею. Хотя он никогда не видел даже моей фотокарточки, но безошибочно определяет главного спасителя.

— Как вы меня нашли?

Я указываю Дивервассеру на дверь, и он выводит всех в коридор. Мы остаемся одни.

— Лучше скажи, как ты здесь оказался?

— Глупость вышла,— он тяжело вздыхает.— Понимаете, по косвенным признакам, и в пропаже документов, и в отравлении Торшина была замешана эта, как ее...

Ирена! Я стал ее разрабатывать, прогуливались по городу, пили глинтвейн, ели печеную картошку, потом сели в машину, и я отключился. Очнулся уже здесь, с каким-то арабом, Назиф зовут... Говорит: «Ты мой гость, проси что хочешь!» И действительно — кормил хорошо, давал хорошую выпивку, веселых девчонок привозил... Не могу понять — для чего: может, вел видеозапись, чтобы скомпрометировать? Но зачем такие сложности?

— Что ты плетешь, майор? Кого ты разрабатывал? Где план этой разработки? Где рапорт на встречу с Ирен Касторски? Ты где работаешь? В музыкальной школе?

Малахов опускает голову, с минуту молчит.

— Да ясное дело, если честно, на «сладкую ловушку» попался... Она пригласила к себе «на чай» — ну, думаю, схожу, посмотрим, что получится... Я на нее, честно говоря, и не думал... Но обращался со мной этот араб хорошо, как с гостем!

— Не хочу разочаровывать, Назиф ставил тут эксперименты. На белых, серых мышах и на тебе, коллега...

— Какие эксперименты?!

— Потом узнаешь.

— А где он сейчас?

— На том свете. Вместе с Иреной.

— Вот как... Жаль... Честно, как с другом обращался, как с гостем...

Вместо ответа я хлопаю его по плечу.

— Пойдем лучше, посмотрим, куда тебя должны были переложить сегодня с этого мягкого дивана... Как друга и как гостя!

Иржи ведет нас под круглую башню. Подвал уходит глубоко под землю — один ярус, второй, третий. Здесь вместо каменных плит на полу обычный грунт. В углу выкопана яма, характерной формы. Остро пахнет сырой землей.

— Неужели... — в голосе майора — неподдельный ужас.

— А что тут странного? Бесплатных пирожных не бывает. Этому нас учили с первого курса.

— Да ясно, что я кругом в говне,— Малахов с горечью взмахивает рукой.— Не повезло...

Как раз повезло, если живой остался! А из Службы, конечно, уволят. Зато останутся напоследок воспоминания о щедром гостеприимстве Назифа Аль-Фулани, ученого, философа, поэта и террориста.

— Кстати, Назиф заставлял раскуривать ему кальян? — внезапно спрашиваю я.

Майор резко вскидывает голову, таращит удивленные глаза.

— Откуда вы знаете?

* * *

День выдался ясный и солнечный, снег искрился, яркие лучи играли на полированных бортах похоронного «мерседеса», шипованные покрышки которого оставляли четкие следы на припорошенных пустынных аллеях.

Смерть подводит черту существованию отдельного человека, но одновременно раздергивает занавес над подмостками, где разыгрывался спектакль его жизни, впуская свет в самые пыльные и темные закоулки. Контрразведчики старшего поколения помнят, как в советские времена скандально сошлись на страницах «Вечерней Москвы» два объявления: Моссовет выражал соболезнование по поводу скоропостижной кончины председателя Клуба интернациональной дружбы, а Управление КГБ скорбело о безвременной смерти сотрудника — подполковника, того же самого! Аполитичная старуха с косой выдала государственную тайну, о которой, впрочем, идеологические противники трубили на всех углах,— что дружбой с иностранцами у нас руководят «органы»!

На похоронах часто вскрываются интересные факты из жизни покойного и окружающих его людей. Неизвестные связи, законспирированные знакомства, тщательно скрываемые чувства — все тайное становится явным на последнем театрализованном представлении. Поэтому криминальные полиции всего мира снимают на пленку проводы в мир иной знаменитых гангстеров, а спецслужбы контролируют отпевания своих штатных сотрудников или агентов.

Но я пришел на аккуратное венское кладбище без какой-либо специальной цели: просто проститься с Ирен Касторски. Хотя это «просто» могло дать пищу для размышления заинтересованным лицам. Например, Марку Уоллесу — резиденту американской разведки, который тоже «просто так» явился на траурную церемонию. При других обстоятельствах сюда бы, несомненно, пришли и Назиф Аль-Фулани, и влиятельный предприниматель господин Курц, и еще многие известные и респектабельные джентльмены.

Однако сейчас круг присутствующих довольно узок. Коллеги несчастной Ирены — чопорные мужчины в строгих удлиненных пальто и официального вида женщины, несколько подружек в дорогих шубах и черных вуалетках — вот, пожалуй, и все... Чуть в стороне стоит полицейский инспектор Гуго Вернер, любезно поклонившийся мне издалека. Строго говоря, делать ему здесь особенно и нечего: по официальной версии пани Касторски умерла от острой сердечно-сосудистой недостаточности. Организатор и исполнитель коварного отравления погибли, уголовное дело в связи с этим прекращено. Репутация Ирены Касторски, в отличие от ее тела, никак не пострадала.

После завершения церемонии все неторопливо движутся назад, к воротам.

Уоллес подходит, берет меня под локоть.

— Женщины не должны заниматься такой работой,— говорит он.— Здесь слишком дорого приходится платить за ошибки.

— Совершенно с вами согласен, Марк,— киваю я.

— Когда уезжаете? — интересуется американец.

— Завтра.

— Слышали, что произошло в замке Кронбург? — понизив голос, говорит Уоллес.— Там было гнездо арабских террористов...

— Да неужели? — ужасаюсь я.

— К сожалению... Они работали над химическим оружием, которое избирательно действует только на белую расу...

— Неужели такое возможно?

— Они думали, что да. Но когда эксперты исследовали этот чудо-газ, то оказалось, что никакой избирательности они не добились. Белые мыши дохли у них действительно чаще серых, но это объяснялось не кодами ДНК, а меньшей жизнестойкостью. Да и параллели между видом мышей и человеческой расой — сплошная ерунда. Наверное, из-за этого они перессорились и перестреляли друг друга...

— Очень интересно, Марк!

Уоллес важно кивает.

— Но галлюциногены у них получались неплохие. Они тайно испытывали их на туристах, посещавших замок...

— Откуда вы все это знаете?!

Уоллес пожимает плечами.

— Из газет.

— Странно. Я ничего подобного не читал.

— Это будет в вечерних газетах,— уточняет американец.— А кое-что — в завтрашних. Или послезавтрашних.

— Вы очень рациональный человек, Марк! Все знаете из завтрашних газет и терпеливо ждете, пока они выйдут из печати,— я освобождаю свой локоть.— А о фехтовании на спадонах вам в газетах читать не приходилось? Или о том, как приходится рисковать своей шкурой?

— Принимаю упрек, Дмитрий,— Уоллес понижает голос.— Мы действительно прагматичная нация. Нам не хватает русского авантюризма. Но, честно говоря, я вами горжусь.

— Это радует. Тогда дружите с нами!

Уоллес разводит руками.

— Мне бы тоже этого хотелось. Но господин Фальшин почему-то люто меня ненавидит. Не могу понять — почему. Ведь нам сейчас нечего делить. Напротив, надо вместе бороться против мирового терроризма. За что ему меня ненавидеть? В этом такой накал, такая экспрессия, как будто здесь скрыто что-то личное!

— Не обращайте внимания, Марк. Со временем все образуется.

Мы выходим из высоких кованых ворот на стоянку машин.

— Вас подвезти? — любезно спрашивает Уоллес.

— Спасибо. У меня есть машина.

Мы пожимаем друг другу руки и расходимся. В «фор-де-фокусе» меня ждет Ивлев.

— В гостиницу? — спрашивает капитан.

— Пожалуй. Все дела сделаны, рапорта написаны, с Фальшиным я попрощался. Сегодня можно отдохнуть.

— Может, выпьем пива на прощание?

— С удовольствием.

— Уоллес все знал про Аль-Фулани,— зло говорю я.— И даже пальцем не шевельнул. Вот гусь!

«Форд» резво бежит по припорошенной снежком дороге, вокруг пляшут пушистые снежинки. Белые мухи. Я вспоминаю свой первый день в Вене. Собор Святого Штефана, черные и белые мухи на фоне резного фасада, бал в посольстве, красавица Ирена в черном, смело декольтированном платье...

— Хотя... Нет, давай все-таки в посольство. Похоже, есть еще одно дело.

Ивлев искоса бросает на меня внимательный взгляд, но вопросов не задает.

Я задумчиво смотрю в окно. Снова пошел пушистый снежок. Действительно, Фальшин люто ненавидит Уоллеса. Он постоянно ругал его последними словами, и в этом действительно имелся личный оттенок — в конкурирующей резидентуре он видит причину скорого карьерного заката. Но откуда это все знает американский резидент?! Ругал-то он его всегда у себя в кабинете, в узком кругу...

— Послушай, Виктор, у тебя есть детектор «клопов»?

— Детектор кого?

— «Клопов», «жучков», «закладок»... Короче, радиопередающих устройств!

— Конечно, есть!

В кабинет к Фальшину мы входим вместе. Резидент уже не ожидал меня увидеть. Он удивлен и немного встревожен.

— Где вы держите свой смокинг, товарищ полковник? — с порога спрашиваю я.— Тот, в котором вы были на балу, помните? В котором так замечательно танцевали с красивой женщиной...

— Да здесь и висит...

Полковник проводит пятерней по седой шевелюре, отдергивает легкую занавеску, прикрывающую нишу с вешалкой.

— Вот он!

Смокинг действительно здесь. Немного помятый, но дело не в этом.

Киваю Виктору, он включает свой детектор, и на торце пластмассовой коробочки загорается красная лампочка. Лицо Фальшина наливается кровью.

— Что... Что вы хотите сказать?! Это провокация!

Через минуту из плечевого шва правого рукава смокинга я вынимаю булавку с круглой головкой. Микрофон-передатчик. Вот и источник «утечек»! Наверняка где-то в зале приемов установлен ретранслятор. Или на улице рядом с посольством.

Подношу чувствительную штучку к губам. Это лишнее — у нее прекрасная чувствительность. И то, что я хочу сделать,— тоже лишнее, хотя красивый завершающий штрих придает законченность любому делу.

— До свидания, Марк! Помяните сегодня Ирену...

Шатаясь, как пьяный, Фальшин идет к своему месту и обессиленно падает в кресло.

* * *

Дома настоящая русская зима: минус двадцать, ветер, снежные заносы, пробки на Тверской... В Ясенево все заметено снегом: сугробы в человеческий рост, белые шапки на деревьях. Но дорожки расчищены, в здании Центра тепло и уютно, друзья и коллеги жмут мне руки, угощают чаем, сообщают последние аппаратные новости. Так, еще до встречи с руководством я узнал, что полковник Фальшин отозван в Москву, уже подписан приказ об отстранении его от должности и отправке на пенсию. Как и следовало ожидать, пенсионерами стали Торшин с Малаховым, да и Извеков отправлен на гражданскую пенсию.

Замначальника отдела Западной Европы полковник Яскевич, интеллигентный человек в узких прямоугольных очках, в очередной раз угощает меня чаем. Пятая чашка. Ну, ничего, как говаривала моя бабушка: «Чай пить — не дрова рубить...» И не спадоном махать.

— Так ты что, правда, на двуручных мечах дрался? — удивленно спрашивает Яскевич.

— Пришлось.

Чай ароматный и горячий, я осторожно дую, чтобы не булькнуло.

— И как?

— Обошлось.

— Ну ладно, это тебе зачтется. Я приказал подготовить приказ на поощрение. Если Иванников согласится — представим к государственной награде!

Прямоугольные стекла торжественно блеснули.

У Ивана я уже был. Он отечески пожурил за «ковбойщину с мечами», сдержанно похвалил и пообещал премию в размере двух окладов.

— Спасибо. Очень большую роль в операции сыграли Курт Дивервассер и его группа, прошу поощрить их особо.

Яскевич кивает.

— Да, это агент старой закалки. Такие работают очень добросовестно.

— А сколько ему лет? — не выдерживаю я.

— Прилично. Шестьдесят четыре...

— Как шестьдесят четыре?! Он же воевал на Кавказе в бригаде «Эдельвейс», был у нас в плену, женился на русской, жил в Саратове...

Яскевич удивленно разводит руками.

— Что вы, Дмитрий? Откуда вы все это взяли?

Я удивлен не меньше.

— Как откуда? Он сам мне рассказывал много раз. Как обрушил лавину на наш батальон, как его допрашивал капитан из СМЕРШа, как ему снятся наши бойцы...

— Это какая-то ошибка! — качает головой Яскевич.— В конце войны Курту Дивервассеру было три года. И он никогда не был на Кавказе. И, конечно, не уничтожал русский батальон!

Я почувствовал себя полным дураком.

— Как «не уничтожал»? Да его и завербовали в плену потому, что мучали угрызения совести из-за этого батальона!

Яскевич пристально смотрит мне в глаза.

— Завербовали его в семьдесят седьмом году в Вене. Он тогда работал по русской линии в политической полиции. Скорей всего, у него включилась ложная память. Как механизм самооправдания. Такое бывает у некоторых агентов. Но я не знал, что и Дивервассер... Он всегда был крепким орешком!

* * *

Несколько лет спустя я оказался в Вене проездом и провел там три дня без всякого задания, наслаждаясь бездеятельностью и покоем, как обычный праздный турист. Спал допоздна в гостинице, сидел в уютных ресторанчиках, бродил по чистым улицам. Однажды ноги сами принесли к старинному четырехэтажному дому недалеко от центра. В просторном холле сидела за стойкой немолодая консьержка с забранными в пучок седыми волосами.

— Я ищу своего знакомого, герра Дивервассера, раньше он жил в шестой квартире...

Женщина скорбно поджала губы.

— К сожалению, вынуждена вас огорчить: господин Дивервассер умер.

— Умер?!

Она кивнула.

— Да. Он застрелился. Видите ли, в годы войны он взорвал русский батальон и переживал всю жизнь. Его квартира была вся усыпана портретами погибших, очевидно, в конце концов он не смог этого вынести...

— Спасибо...

Я вышел через стеклянную дверь и побрел, куда глаза глядят.

Известно: чем глубже агент переживает свое предательство, тем сильнее подсознательный механизм самооправдания. Но оказывается, ложная память может взять верх над истинной...

Цвели каштаны, играли скрипки в маленьких уютных кафе, в парке Праттер на ажурных резных скамеечках сидели влюбленные и аккуратные пенсионеры. Ароматы кофе по-венски, настоящего — не только по способу, а и по месту приготовления, перемешивались с тонкими мелодиями Вольфганга Амадея Моцарта. Пахло стариной и современностью, респектабельностью, сытостью и благополучием. Непосвященные никогда не почувствуют в этом одорологическом коктейле тлетворного запаха шпионажа.

И в этом их счастье.

Вена—Ростов н/Д
2007 год

ЖАРКОЕ РОЖДЕСТВО В ДУБАЕ

Первый раз я встречал Рождество в жаркой зиме пустыни Аравийского полуострова. Собственно, пустыня была закатана в асфальт, застроена не повторяющими друг друга кондиционируемыми небоскребами с вертолетными площадками и бассейнами на крышах, засажена миллионами деревьев и классических английских газонов, причем к каждому деревцу и травинке подводилась орошающая трубка. Так что назвать ее пустыней в полном смысле слова было нельзя.

К тому же я прибыл сюда не развлекаться и отдыхать, а активизировать законсервированного семь лет назад агента, поэтому считать, что я встречаю здесь Рождество, можно было с очень большой натяжкой. И жары особой тоже не было: двадцать пять—двадцать семь, разве если сравнивать с московскими морозами... А вот зима была — это абсолютно бесспорный факт.

Такие коктейли из правды, лжи, догадок, домыслов и преувеличений привыкли пить в нашем ведомстве, причем соотношение ингредиентов в моей первой фразе гораздо более благоприятно, чем в большинстве отчетов.

Активизация — дело отнюдь не столь будничное и безопасное, как кажется на первый взгляд. И все об этом знают. Психология агента темна, как ночь в пустыне, и неустойчива, как поставленный острием на палец нож. Его постоянно мучают сомнения, угрызения совести и страх перед разоблачением. Личность раздваивается, половинки упрекают друг друга, спорят, а иногда начинают жить своей жизнью, тогда бедолаге прямая дорога в дурдом с диагнозом «шизофрения». Поэтому оператор, как недвусмысленно называют в наших кругах курирующего офицера, выполняет функции психотерапевта: постоянно успокаивает своего подопечного, находит для него кучу оправданий и изображает лучшего друга, прекрасно понимающего все сложности его души.

Но после консервации агент остается наедине с самим собой, его проблемы обостряются и могут довести до крайностей. Самоубийства, например. Или добровольной явки с повинной в местную контрразведку. Или переоценке ценностей, при которой бывший друг превращается в коварного врага, виновного во всех твоих бедах. Поэтому, появляясь после длительного перерыва на глаза бывшего помощника, всегда рискуешь — угодить в тюрьму, получить нож под ребро или, в лучшем случае, нарваться на взгляд, полный презрения, ненависти и боли.

Когда Иван сказал мне: «Слетай на недельку в лето, развейся, заодно выкупаешься в Заливе — сказка, а не командировка, я тебе даже завидую»,— он врал. Потому что, если бы все действительно обстояло таким образом, он бы сам и отправился сюда или послал своего любимого зятя Петруху. Но он знал печальную статистику активизаций. И надеялся, что я ее не знаю. Впрочем, скорей всего, ему на мои знания, незнания и все другие проблемы было наплевать.

Вдобавок ко всему, работать предстояло с чужим агентом. Его куратором был Олег Павловский. Это он провел вербовку и поддерживал с ним связь долгих шесть лет, он передавал ему деньги Центра, а сверх того, вроде бы от себя, делал дорогие подарки в День рождения, и даже, как тонко чувствующий влюбленный,— в годовщину первой, будто бы случайной встречи. Он вникал в его дела и брался улаживать его проблемы, он искренне интересовался здоровьем жены, матери и детей передавал им приветы и милые сувениры. Олег вел с ним длинные душеспасительные беседы, исповедовал и помогал облегчить душу, внушал убежденность в правильности и высокой моральности избранного пути.

Как хороший профессионал, он искренне дружил с ведомым, и, судя по официальным отчетам, тот отвечал ему взаимностью.

Это чрезвычайно важно, потому что добрые чувства и теплые воспоминания могут сгладить психологические сложности в момент активизации и исключить эксцессы. Но ко мне все это не относилось. Я видел агента только один раз, и то издали, когда прикрывал Олега на их встрече с передачей секретных материалов. А он меня и вовсе никогда не видел. Естественно, и никакого расположения ко мне не испытывал. Я был сбоку припека. По всем правилам, на активизацию должен был выходить Павловский. Но он, к сожалению, не мог этого сделать, потому что привык мочиться стоя, а не сидя на корточках, как женщина.

По прямой широкой улице с легким шелестом проносятся блестящие дорогие машины. Дешевых, старых, поцарапанных и ржавых здесь просто нет. Яркое солнце отражается в зеркальных боках небоскребов. Прохожих на улице немного. Большая часть в европейской одежде, хотя немало и в местной.

Три молодые девушки с открытыми лицами, но полностью закутанными фигурами заходят в уличное кафе. Лицо, ступни ног и кисти рук не возбраняется показывать посторонним мужчинам. Все остальное тело — это аурат: запретные, срамные места. Чтобы надежней скрыть самый страшный аурат, все дамы обязаны носить длинные кружевные панталоны...

Девчонки весело пересмеиваются, так же, как их сверстницы где-нибудь в Москве или Тиходонске. Так, да не так... У одной абая распахнулась, открывая сапоги, короткую юбку и голые белые ноги между ними — меня как током ударило! Хотя короткими юбками нас не удивишь, по контрасту, невинный кусочек обнаженного тела производит необычно сильное впечатление! К тому же просто голые ноги — это одно, а аурат — совсем другое... Девчонки садятся за столик, будут болтать, пить кофе, может быть, курить кальян. Здесь тоже существует новая формация! А вот старая... На углу стоит женщина — вся в черном, из узкой щели платка выглядывают невыразительные глаза, из открытых тапочек вытарчивают босые ступни. Такие пальцы были у нашего сантехника дяди Пети.

Поспешно перевожу взгляд на апельсиновую «ламборджини», делаю глоток безоблачного голубого неба, ласкаю глаз безупречными костюмами в витрине «Уомо Босса» и постепенно сбиваю оскомину.

Я иду в «Этисалат» — местный концерн сотовой связи, благо от «Метрополитен пэлас» до него рукой подать. На мне легкий, песочного цвета костюм, светлая шведка с расстегнутым воротом и дырчатые туфли из тонкой кожи. Неброско, солидно и элегантно. Именно так и должен одеваться респектабельный русский бизнесмен, прибывший на предстоящий торговый фестиваль. Солидный человек не швыряет деньги на ветер, а тратит их рачительно и разумно, поэтому он первым делом приобретает местную сим-карту, позволяющую в пять раз снизить стоимость разговоров по мобильнику. Таким образом, мой визит в высотное здание с огромным шаром на крыше вполне мотивирован.

А по случайному стечению обстоятельств, именно в «Этисалате» работает человек, который в документах Центра проходит под псевдонимом Анри. Раньше он служил на военно-морской базе в Эль-Фуджэйра и занимался шифрованной радиосвязью между берегом и кораблями, именно тогда Павловский его и завербовал. Конечно, интересовали нашу Службу не столько торпедные катера и малочисленные тральщики Эмиратов, сколько авианосцы, крейсеры и подводные ракетоносцы базирующейся в Заливе группировки американского флота. Но потом Анри ушел в отставку и, как у нас говорят, «утратил разведвозможности», а потому необходимость в его услугах отпала.

Теперь что-то изменилось, и директор торговой фирмы «Столичные огни» Игорь Андреевич Горин идет заключать контракт с местным оператором мобильной связи.

Правда, обеспечивающая работа, которую должны были выполнить коллеги из местной резидентуры, проделана, как всегда, хреново. Совсем молодой паренек по имени Миша — вряд ли он успел получить звездочку старшего лейтенанта — сообщил только то, что Анри входит в число служащих «Этисалата». Выяснить, кем и в каком подразделении работает наш агент, Миша не смог. Как он туманно объяснил — «не представилось возможным».

Конечно, если не отрывать задницу от стула и выходить из посольства только на пляж, в торговый центр и на золотой рынок, то и возможности будут представляться соответствующие: поплавать в Заливе, поглазеть на женщин в купальниках да затариться кольцами, цепочками и браслетами по полной программе. Приятно, полезно, и риска никакого. Но если спросить: «А причем тут разведка?» — то рискуешь нарваться на непонимающий взгляд честных глаз: «Какая разведка? Ах да... Не представилось возможным!»

Новая формация... Поколение «пепси».

Но я-то представитель старой школы и потому, затратив десять минут, с помощью стоящего в холле отеля компьютера и трех монет по пять дирхам такую возможность получил. «Этисалат» — enter, «структура» — enter, «персонал»— enter, и на мониторе появился список фамилий. Отхлебнув из банки холодной колы, нашел нужную: Ахмед Табба — enter, вот и его должность — старший менеджер по работе с VIP-клиентами!

Чуть в стороне, на подиуме, степенно пьют кофе четыре местных жителя в белоснежной, тщательно отглаженной одежде. Араб арабу рознь. Я где-то прочел замечательную фразу: эмиратские арабы отличаются от своих египетских собратьев так же, как английские лорды от румынских цыган. Так оно и есть.

В помещении «Этисалата» кондиционированная прохлада, простор, чистота, солидные интерьеры и вышколенные служащие. Обзавестись сим-картой — дело пяти минут. Нужны ксерокопии паспорта и визы, сто восемьдесят дирхам, что чуть больше пятидесяти долларов, более милых и привычных сердцам моих соотечественников,— и звони по щедрому эмиратскому тарифу, сколько душе угодно и делу необходимо!

Но господин Горин усложняет задачу: сотрудники его фирмы намерены работать в Дубае довольно долго и интенсивно, круглые сутки им придется связываться со всем миром и друг с другом, а потому они хотят образовать корпоративную сеть и получить дополнительные скидки. Молодой араб в белой шведке с бейджиком на кармане мгновенье раздумывает, потом звонит по внутреннему телефону и передает русского бизнесмена мгновенно появившемуся коллеге — почти близнецу, только чуть постарше и одетому в европейский костюм. Судя по карточке на лацкане, его зовут Махмуд. Тот проводит требовательного посетителя в другой зал, предлагает обязательный чай или кофе и начинает излагать правила заключения корпоративного договора. Однако оказывается, что перспективный клиент хочет на первом этапе получить кредит под залог имущества фирмы, точнее, той его части, которая привезена на торговый фестиваль.

Никаких проблем не возникает: клерк откладывает заготовленный бланк и начинает заполнять карточку оценки имущества. Кредит надо погасить в течение месяца, но Горин просит полтора-два. Махмуд перестает писать, бросает короткий испытующий взгляд, но все же кивает. Тогда вводная усложняется: «Столичные огни» намерены осуществлять платежи из России, а местные финансисты с русскими банками не работают.

Фантазия иссякает, если Махмуд опять кивнет, то я не знаю, что еще придумать. Разве что предложить расплачиваться рублями...

Но менеджер, к счастью, достиг потолка компетентности, он отодвигает карточку и начинает звонить начальству. Потом приглашает следовать за ним и приводит меня в просторную комнату, где за столами восседают три человека. Понимая, что близок к цели, я мгновенно сканирую взглядом их лица. Если кто-то думает, что я ищу аккуратный пробор, усики-стрелочки или орден Почетного легиона в петлице, то он ошибается. Прозвище, а точнее, оперативный псевдоним агента, или просто «псевдо», не должно отражать никаких подлинных индивидуальных признаков. Анри может быть седым стариком, негром или даже женщиной. Прикрывая встречу с Павловским, я его не рассмотрел. Поэтому я просто вспоминаю фотографию из личного дела. Симпатичное худощавое лицо, тонкий орлиный нос, ухоженные тонкие усики...

Все трое — арабы, облаченные в национальную одежду: белые рясы и стянутые толстыми черными шнурками платки на головах. На самом деле это не рясы и не платки, а кондуру и гафии. У двоих гафии белые, у одного — в мелкую розовую клеточку. Странно. Такой узор носят жители Саудовской Аравии.

Махмуд ведет меня именно к «саудиту», тот показывает на гнутый, с дырчатыми сиденьем и спинкой стул, с профессиональной приветливостью улыбается. Это явно не Анри. У него одутловатое лицо, мешки под глазами, густые черные усы почти закрывают рот, в них заметны многочисленные седые прожилки. И бейджик с надписью «Ахмед Табба»!

Меня бросило в жар. Подстава! А Махмуд и двое за соседними столами — местные контрразведчики, ловящие «на живца»!

Мелькнула паническая мысль: сбросить уликовые материалы! Но ее догнала следующая: ничего запретного и противозаконного при мне нет. А потом пришло отрезвление: никто в ОАЭ не знал о моем прибытии, а следовательно, никто не мог к нему готовиться! Значит, Анри просто здорово изменился, ведь снимок для личного дела сделан тринадцать лет назад, в те годы и я выглядел совсем по-другому. Да и нервишки были покрепче... Я взял себя в руки, подышал низом живота, перевел дух.

— Чем могу помочь?

Ахмед Табба привычно улыбался клиенту.

Игорь Андреевич Горин улыбнулся в ответ и в очередной раз начал излагать запутанную историю своих намерений. Корпоративная сеть, скидки, кредит под залог имущества, которое еще не привезено...

Менеджер «Этисалата» уже понял, что овчинка не стоит выделки, и утратил интерес к посетителю. Хотя по восточному обыкновению он продолжал кивать и улыбаться, но улыбка завяла, потеряв искреннюю лучезарность, а глаза остекленели и, хотя не закрылись, обратились внутрь себя, будто задернулись матовые полупрозрачные шторки, чтобы никто не мешал всякими глупостями дремать уставшему мозгу. Чиновник ждал, пока скупой клиент закончит, чтобы обтекаемо произнести нейтральную и необидную фразу, что-нибудь типа: «Позвоните, пожалуйста, завтра — я должен проконсультироваться с боссом».

Разговор идет на английском — персонал солидных фирм владеет им довольно прилично, гораздо лучше русских туристов и бизнесменов. Господин Горин составляет приятное исключение — он совершенно свободно говорит по-английски. А сидящий в его оболочке Дмитрий Полянский знает еще девятнадцать языков, правда, в разной степени: некоторые в совершенстве, некоторые лишь настолько, чтобы уметь объясниться. Арабский, к сожалению, во второй категории. Дело усугубляется тем, что в нем более двадцати разновидностей, а фраза «могу объясняться» в личном деле Полянского относится к диалекту «шоа», распространенному в Нигерии и существенно отличающемуся от диалектов Аравийского полуострова.

Поэтому директор фирмы «Столичные огни» нудно и монотонно жует свою невразумительную жвачку на английском. А Полянский дожидается удобного момента и надеется, что он наступит раньше, чем жвачка иссякнет. К счастью, так и произошло.

Махмуд вышел, один из арабов пошел следом, второй увлеченно говорил по телефону.

— Однажды мой соотечественник уже заключал с вами подобный контракт,— вставил я в бессмысленный словесный поток ключевую фразу. И добавил: — Его звали Константин...

Под таким именем Анри знал бедного Олега Павловского.

— Но это было давно, я понимаю, что обстоятельства могли измениться...

Как профессиональный вивисектор, я впился взглядом в лицо собеседника.

Потребовалось несколько секунд, чтобы смысл сказанного пробился сквозь пелену безразличного равнодушия. Ахмед Табба вынырнул из глубин самого себя. С таким обреченным отчаянием выныривает на поверхность выдернутая тралом глубоководная рыба.

Мышцы лица окаменели от напряжения, шторки на глазах мгновенно раздернулись. В глубине зрачков страх бился с надеждой на простое совпадение слов и имен. Мало ли на свете Константинов... Брось, Анри, не строй иллюзий — ты достаточно долго занимался шпионажем, чтобы уяснить: в этом деле не бывает ни случайностей, ни совпадений!

— Но вы можете быть уверенными в нашей платежеспособности, наша фирма располагает значительным имуществом, уже сейчас мы завезли компьютеров и средств связи на пятьдесят тысяч долларов, а в ближайшие дни активы утроятся,— я продолжал впустую сотрясать воздух, укрепляя зыбкую надежду агента. Для того, чтобы разбить ее вдребезги, окончательно и бесповоротно.

— К тому же,— я сделал паузу.— **В пустыне путника приветливо встречают у каждого оазиса.**

Это был пароль. Наступил момент истины. Ахмед Табба мог вызвать полицию, мог послать меня на три буквы или на все четыре стороны света, а мог превратиться в Анри.

Ситуация моделировалась в Центре по всем правилам теории игр, проигрывалась на компьютере с учетом известных нам факторов, и получалось, что шансы на успех составляют от шестидесяти до семидесяти процентов. Показывая компьютерную распечатку, Иван хлопал меня по плечу и оглушителвно хохотал: «Ну вот, Маша, а ты боялась!»

Но здесь, «на холоде», как называется поле боя нелегального разведчика, даже если оно находится в жаре аравийской пустыни, тридцать—сорок процентов на неудачу воспринимаются совсем не так оптимистично, как в Москве. Особенно принимая во внимание роль неизвестных факторов, которых за семь лет могло накопиться немало. Если же учесть, что задница Ивана осталась на родине в комфортабельном кабинете, а моя находится в полной юрисдикции эмиратских властей, то ясно, кому из нас процент вероятного провала кажется мизерным, а кому —неоправданно большим.

Правда, предъявить обвинение мне практически невозможно. К тому же, если я через час не позвоню в посольство, то русского бизнесмена Горина начнут искать соотечественники. А они знают, откуда начинать поиски. Но... Силовое задержание, тюрьма, допросы, «детектор лжи», а возможно, и «сыворотка правды» — все это не способствует укреплению здоровья и нервной системы. К тому же неизвестно, как развернутся Миша и его посольские коллеги. Вдруг им «не представится возможным» сделать что-нибудь для моего освобождения!

Ахмед Табба сидел неподвижно, словно каменное изваяние. Только капли пота катились из-под клетчатого платка, нарушая представление о твердом сухом камне. Да выпученные глаза лихорадочно блестели, что у статуй, как правило, не наблюдается. Он явно не знал, что делать. Естественная реакция агента меня обрадовала: значит, местная контрразведка не входит в число неизвестных Центру факторов, определяющих поведение Анри.

Второй араб продолжал говорить по телефону. Я чуть понизил голос.

— Очевидно, мне надо представить дополнительные документы. А не поужинать ли нам сегодня в «Гранд Хайятте»? Там все и обсудим...

Менеджер качнул головой и промокнул потный лоб платком из тончайшего батиста.

— Завтра в два верблюжьи бега. Советую посетить, туристам это всегда интересно.

Окаменелость лица прошла, глаза приняли обычное выражение, пот перестал заливать глаза. Передо мной сидел активизированный Анри.

* * *

Засыпанные снегом серые скалы, россыпи валунов, заснеженные ели в огоньках рождественских гирлянд, подвесная канатная дорога с креслами на три человека... Народ поднимается в гору, а потом сверху несутся лыжники, из ледового желоба вылетают сани, по желобу поменьше скатываются дети на ярких пластиковых матрацах... Я бывал на Чегете, в австрийском Интерлакене и в швейцарском Андерматте — все очень похоже. Изображаю глуповато-удивленную улыбку, мотивированно осматриваюсь по сторонам...

Но «хвоста», сопровождавшего меня от самого «Этисалата», не вижу. Неужели он остался у входа? Самое умное — именно так и поступить. Но преследователь не вел себя особенно умно: довольно грубо шел по пятам, когда я взял такси, он почти открыто вскочил в следующее и ехал следом, даже не пытаясь выдержать дистанцию приличия...

Низкое молочное небо с темной пенкой облаков, кажется, беременно снегопадом, хотя снега и так много: ярко раскрашенный гусеничный «Карпентер» старательно ровняет взлохмаченную лыжню. На неожиданно близком горизонте тускло просматривается неизвестно какой горный хребет. Минус два градуса, зябко поеживаясь, непривычные к морозцу люди заходят в ярко освещенную кофейню. Чуть ниже — здание из грубого камня и деревянных брусьев, похожее на альпийскую гостиницу, только в ней никто не живет... Это странность, причем одна из многих. Лыжники все в одинаковой, явно взятой напрокат одежде: черно-желтых куртках и однотипных ботинках. Очень много смуглых лиц, у некоторых из-под курток выглядывают белые кондуру, кое у кого на головах гафии...

Такого не увидишь ни в Альпах, ни в Приэльбрусье, и можно было бы потеряться в догадках: откуда на горнолыжный курорт высадился арабский десант? Но другие странности придают картине и вовсе сюрреалистический вид... С низкого неба светят не звезды, а ряды квадратных светильников; на горизонте, там, где мутное молочное небо смыкается с горной грядой, висят мощные блоки кондиционеров, хищно оскалившиеся четырнадцатью зарешеченными кругами вентиляторов. Кафка, да и только!

Крашеное небо, нарисованные горы и облака, искусственный снег, подъемники, лыжи и санки — все это находится в огромной, косо торчащей на семьдесят метров вверх трубе, за стальной обшивкой которой температура воздуха доходит до тридцати градусов... Я сказал таксисту первое, что пришло на ум: «В самое интересное место города!» И он привез в «Sky Dubai» — единственный в мире горнолыжный комплекс, рукотворно созданный в пустыне.

Неспешно иду к подъемнику, ловко запрыгиваю на раскачивающееся сиденье, улыбаюсь арабским мальчишкам, бросившим в меня снежок, оборачиваюсь, чтобы помахать им рукой... И вижу своего преследователя! По привычке отражать внешние данные объекта в псевдониме я даю ему прозвище — Амбал.

Сложением он не похож на араба: высокий, широкоплечий и весит не меньше ста килограммов. Впрочем, это не имеет большого значения... Куда важнее другое: на что этот тип настроен, умеет ли он драться, способен ли терпеть боль и причинять ее другим, а главное — приходилось ли ему убивать? Именно эти качества составляют суть уверенности в своих силах, именно они отличают профессионала от дилетанта и определяют исход как психологического противостояния, так и прямой физической схватки! Ну и, конечно, очень важно, какое задание он получил...

Лицо Амбала отражает жесткую решительность и внутреннюю опасность, но то, что он садится на следующее кресло подъемника, окончательно выдает дилетанта. Ну, возьми и пропусти одно для приличия! Ни один агент наружного наблюдения не действует так беспомощно и непрофессионально. К тому же наблюдатели никогда не работают в одиночку. И не заходят туда, откуда нет другого выхода,— куда проще подождать у входа! Кто же это?!

Сиденье слегка раскачивается, постепенно успокаиваясь. Я еду один, Амбал тоже. Сзади и впереди нас — вообще пустые кресла. Похоже, что наверху народу не густо. Может, потому, что уже конец дня, а может, оттого, что сюда, в основном, приходят любители экзотики, а не лыжники...Откуда возьмется в пустыне увлечение горнолыжным спортом? Если Амбал знает это, и если у него задача сломать мне шею, то оценка его действий как беспомощных и дилетантских меняется — тогда это демонстративное преследование обреченной жертвы, призванное подавить ее волю к сопротивлению... Правда, он не знает, что проделать со мной и то, и другое не так-то просто! Как не знает и того, что по планированию оперативных комбинаций у меня всегда была твердая «пятерка»: и в учебе, и в реальной жизни. И сейчас у меня уже созрел вполне приемлемый план...

На верхней площадке искусственность снежного мира становится очевидной. Наверное, оттого, что вблизи грубая имитация горной гряды не способна никого обмануть, а ящики кондиционеров нависают прямо над головой, да и вместо раскинувшегося во все стороны высокогорного простора откровенно открывается только сплющенный овал закамуфлированной трубы.

В трех сотнях метров внизу гораздо многолюдней. Европейская пара готовится к спуску, два араба с любопытством наблюдают, как молодой человек помогает девушке надеть лыжи. Для них в диковинку не только снег и подъемники, но и то, как мужчина прилюдно трогает женщину за ноги. Бедолаги — у них с этими делами строго...

Лыж тут много — целая стойка. Спрыгнув с подъемника, я быстро подхожу к стойке, беру первые попавшиеся, привычно застегиваю крепления прямо на летних туфлях. Так недолго и ноги переломать! Но другого выхода нет...

Я подхожу к краю спуска и перед тем, как устремиться вниз, быстро оглядываюсь. Амбал неловко соскочил с подъемника и застыл, как парализованный, не сводя с меня остекленевшего взгляда. Он явно не ожидал такого оборота событий. Ну что ж, адью!

Искусственный снег хрустит под лыжами, свистит в ушах (или в воображении) кондиционированный воздух пустыни, мелькают пустые кресла подьемника: одни быстро движутся навстречу, другие медленно спускаются вниз, и я легко их обгоняю...

Несколько мгновений, и спуск заканчивается, я торможу, вздымая облако снежной пыли, отстегиваю крепления, сбрасываю прокатную куртку и быстро иду к выходу. По пути оглядываюсь, смотрю наверх, но Амбала нигде не видно. Холодный воздух заползает под летний костюм, кожа покрывается пупырышками, впрочем, ненадолго: по контрасту на улице кажется гораздо жарче, чем раньше. У выхода такси стоят в огромной очереди за людьми. Все машины одной модели — «тойоты-камри». Я не знаю, куда ехать и потому вновь говорю первое, что приходит в голову:

— Магазин «Тойота»!

Водитель-индус в национальном тюрбане кивает и трогает с места. Я напряженно смотрю в заднее стекло. Но «хвоста» нет. Амбал был один. Он не мог принимать быстрых решений и не умел кататься на лыжах. Но кто он вообще такой, черт побери?! Ногам прохладно. Я опускаю взгляд. В летние туфли набился снег.

* * *

Внешне Тиходонский ипподром и Дубайский над-аль шира похожи гораздо больше, чем обозначающие их слова.

Еще вольным подростком, когда мои поступки определялись не холодной логикой и строгой целесообразностью разведзаданий, а совершенно нерациональными наклонностями, пристрастиями и интересами, я с друзьями тайком от родителей ходил на скачки. В субботу скаковой день короче — с двух до пяти, в воскресенье забегов больше, и зрелище длилось с двенадцати до шести. Развлечений тогда было мало, личный автомобиль считался редкостью. Плотные толпы однообразно одетых граждан пешком шли от трамвайной остановки мимо тюрьмы, к огромному зеленому овалу в старой части города, протискивались сквозь узкие калиточки в сером бетонном заборе и попадали в мир запрещенного в те годы азарта и осуждаемого запаха не вполне трудовых денег.

Возбужденно шумящие трибуны, аромат жирных шашлыков и кислый запах разбавленного пива, вечные бесплодные поиски «знатоков» из конюшни с якобы стопроцентно верной «наколкой», жадное бурление у касс тотализатора: «Пять на „тройку" в ординаре», «Шесть „два-пять" в двойном...»

Это все прелюдия к главному: удар колокола, взмах стартового флажка, и вот уже, высоко вскидывая ноги, несутся по мягкой, как пух, земле породистые донские скакуны, с тонкими, как у шикарных женщин, лодыжками...

Над-аль шира — ипподром для верблюжьих бегов: такой же огромный овал, только в пустыне, обсажен он не тополями и акациями, а пальмами. По внешнему кругу, вытянув длинные шеи и хищно оскалившись, мчатся неузнаваемые стремительные животные, которых у нас привыкли называть степенными кораблями пустыни.

Сейчас от их важной и плавной степенности не осталось и следа: стартовая скорость неведомых горбатых зверей — шестьдесят километров в час, трассовая — тридцать, это легко проверить по стрелке спидометра внедорожника «мицубиси паджеро», который, вздымая облака легкого песка на поворотах, несется параллельно верблюдам. Анри азартно припал к рулевому колесу.

Сегодня он в европейском наряде: белой сорочке с едва подвернутыми рукавами, светлых брюках и кожаных сандалиях на босу ногу. На носу — зеркальные каплевидные очки. Рубашка расстегнута и открывает грудь без малейших признаков растительности. Только в России и на Кавказе волосатость самца homo sapiens рассматривается как символ мужественности и показатель высокой потенции. Над безволосым Иваном в школе все подтрунивали, особенно веселился Тенгиз Кавзадзе, сплошняком заросший иссиня-черной густой шерстью, как снежный человек. В арабском мире все волосы на теле тщательно выбривают, здесь бы смеялись над Тенгизом. Да и на родине приоритеты изменились: лишенный волос Иван теперь генерал и большой начальник, а «снежный человек» Тенгиз ушел на пенсию майором. Причем именно Иван и отправил его в отставку. Кому над кем смеяться?

Интересно, почему Анри оделся столь вызывающе для араба? Насаждаемый журналом «Вог» раскованный стиль подчеркнутой небрежности в этих краях не приветствуется, а он вон даже манжеты не застегнул и грудь на всеобщее обозрение выставил... Чтобы меньше привлекать внимание в толпе, наполовину состоящей из туристов? Но таких жертв от него никто не требовал, да и обстановкой они не вызываются. А люди обычно не делают без необходимости того, что им неприятно. Может, он чувствует себя европейцем? Но тогда нет целостной личности, у него должны быть внутренние противоречия, проблемы, тогда нельзя точно прогнозировать его поведение, а значит, нельзя полностью доверять... Хотя на раздвоение личности в данном случае не похоже... Странно. Изучая агента, я впервые не могу объяснить его мотивацию. Но мы еще слишком мало знакомы...

«Мицубиси паджеро» мчится вперед, ритм мотора входит в резонанс с ритмом скачки. Тонированные стекла ослабляют яркие солнечные лучи, мощный кондиционер насыщает салон прохладой, силы инерции то бросают меня на туго натянутый ремень, то прижимают к кожаному сиденью.

Справа и слева несутся автомобили других болельщиков: темпераментные арабы предпочитают следить за гонкой вблизи, а не с трибун. Такой азарт не бывает бескорыстным, и я понимаю, что отсутствие официального тотализатора компенсируется наличием подпольного. Анри перед началом обронил, что шейхи проигрывают здесь целые состояния. И сам он пригнулся к рулю и хищно оскалился, как беговые верблюды, даже поскрипывает крепкими, чуть желтоватыми зубами.

— Давай! Давай!

Он выворачивает руль, чтобы не столкнуться с желтой «тойотой», притормаживает, пропуская угловатый черный «гелендваген», жмет газ, обходя серебристый «крайслер» и снова вырываясь вперед. Автомобильная гонка идет параллельно верблюжьим скачкам, но она не имеет самостоятельной ценности: каждая машина ведет своего верблюда, в этом и только в этом смысл борьбы моторов.

— Давай, давай! — уже в голос кричит Анри, подбадривая идущего вторым дромадера под яркой лиловой попоной. Крохотный наездник корчится за горбом, бьет тонкой палкой по крупу, я смотрю в бинокль и ужасаюсь — это мальчик, ему не больше семи лет! Если он не удержится, тяжелые копыта размолотят его в клочья...

Но мальчик держится, и тонкая палка делает свое дело: лиловое пятно продвигается вперед и первым пересекает линию финиша!

— Ал-ла-ла! — в восторге кричит Анри, хлопает ладонями по кожаной обшивке руля и громко, восторженно смеется.

А ты азартный, Парамоша!

— Ура! Ура!

Я тоже бурно радуюсь за друга. Пусть мы еще не настоящие друзья, но моя радость ему приятна и способствует ответной симпатии.

Анри сбрасывает скорость и клетчатым платком вытирает вспотевшее от азарта лицо. Платок свежий, не вчерашний, но тоже из тонкого батиста.

— Очень хороший верблюд! — говорит Анри, и улыбается.— Такой стоит триста тысяч, не меньше!

— Да ну?! — изумляюсь я.— Триста тысяч дирхам?!

— Нет,— агент качает головой и улыбается еще шире.— Долларов. Триста тысяч долларов! Однажды самку продали за миллион!

— Не может быть!

— Точно, точно,— кивает головой Анри.— А обычный верблюд — всего две-три тысячи.

И без видимой связи с предыдущим интересуется:

— Ты ел верблюжатину? Она продлевает жизнь и укрепляет мужскую силу!

— Никогда! — оживляюсь я.— Может, посоветуешь хороший ресторан, где можно ее попробовать? Там и пообедаем!

Анри аккуратно паркует свой огромный джип напротив входа в над-аль шира. Он сосредоточен.

— В ресторанах не подают верблюжатину. Ее можно отведать только на свадьбе, когда много гостей. Иначе нет смысла забивать такое большое животное...

Анри выключает двигатель.

— А почему в скачках участвуют дети? — спрашиваю я. Это единственный вопрос, который я задаю без явной или скрытой цели, из чистого любопытства.— Неужели не жалко подвергать их такому риску?

Анри морщится, чувствуется, что эта тема ему неприятна.

— Это не наши дети. Это палестинцы, индусы, малайцы. Их покупают, иногда похищают. Вообще-то принят закон, разрешающий скакать только с пятнадцати лет. Но чем меньше вес всадника, тем больше шансы на успех, так что сам понимаешь...

Он просит меня посидеть в машине и исчезает. Я внимательно осматриваюсь. Парковка забита автомобилями. На площади перед входом бурлит толпа в арабских и европейских нарядах. Привычно разбиваю прилегающую территорию на сектора, внимательно сканирую каждый взглядом. Ничего подозрительного.

Возвращается очень довольный Анри. Я понимаю, что мои предположения о подпольном тотализаторе оправдались. Он нашел подпольного букмекера и получил свой выигрыш. Анри возбужден, у него хорошее настроение. Видно, выигрыш достаточно крупный. Он широко улыбается. И я широко улыбаюсь в ответ. Мы выглядим одинаково весело. Хотя он отдыхает, а я работаю.

Я продолжаю изучать агента и узнаю его все лучше. Он аккуратен, последователен, очень азартен. Азарт в нем перевешивает осторожность. А может, он настолько доверяет мне, что не ощущает опасности? Нет, вряд ли...

Никогда нельзя обольщаться, особенно в столь деликатных делах! Просто у него крепкая нервная система. Еще одна положительная черта — на отдыхе Анри не забывает о страховке: возвращаясь к машине, он несколько раз очень профессионально проверился... И вообще — азарт ли привел его сюда или холодный и очень трезвый расчет? Если выбирать безопасную точку для шпионского контакта, то верблюжьи бега — идеальное место! Ибо, вопреки мнению дилетантов, в многотысячной толпе вести наблюдение очень трудно, а вот оторваться от него довольно легко...

Анри садится за руль, включает двигатель.

— В «Гранд Хайятт» ехать не стоит,— говорит он, будто продолжая разговор.

Значит, мое мимолетное вчерашнее предложение, да еще сделанное в напряженный момент сильнейшего психологического стресса, не кануло в Лету забвения. Оно обдумано и проанализировано. Еще один элемент положительной характеристики агента. Я добавил очередной жирный плюс в невидимый, но очень важный реестр.

— Там действительно хорошие рестораны, но это отель не моего уровня. Появляться там — значит навлекать подозрения. Особенно с иностранцем,— добавил Анри, понизив голос.— Поэтому лучше просто выедем на берег залива...

Плюс очень рационален! И осторожен... Только вот необъясненная раскованность в одежде... Но это такой нюанс, которым в данной ситуации можно пренебречь. В конце концов, мне не работать с ним месяцы и годы...

Джип уверенно идет в плотном потоке машин. Справа открылся фешенебельный район, застроенный богатыми виллами местных жителей.

— Это Джумейра, в переводе «искрящиеся огни»,— гостеприимно поясняет Анри.— Всего тридцать семь лет назад здесь была деревушка рыбаков, и костры искрили в ночи... А кроме костров ничего не было!

Поразительно! Теперь кругом ровные, без единой трещины или морщинки, черные дороги, сотни отелей, причем не просто богатых и роскошных — каждый является чудом, поражающим воображение. В одном воспроизведена Венеция — каналы, по которым снуют катера и маленькие лодки, возле другого действует горнолыжный курорт с климатом Альп и искусственным снегом, вот похожий на трехсотметровый парус самый высотный береговой отель мира «Бурдж аль Араб» — единственный семизвездный по международной классификации... И виллы, не похожие одна на другую...

— А теперь видишь, какое великолепие,— улыбается Анри.— Вилла араба должна быть лучше, чем вилла его брата!

Я ошарашенно смотрю на сотни башенных кранов, десятки искрящих огнями электросварки остовов небоскребов, земснаряды, намывающие огромные искусственные острова, и понимаю, что у меня на родине никогда ничего такого не будет. Вообще ничего красивого и путного не будет. Только серость, убожество, грязь и срань. Все «громадье планов», все грандиозные задумки рассеются звуками бесполезных слов и уйдут в вязкий российский глинозем, потому что кто хотел сделать, тот уже это сделал. За неполных сорок лет. А кто не хочет — тот болтает, сотрясает впустую воздух, что позволяет ему безнаказанно воровать...

«Кто знает — молчит. Кто говорит — не знает». Мне нравятся восточные поговорки: лаконичные, образные, парадоксальные и мудрые. Перед командировкой я прочел не меньше сотни, и это, пожалуй, наиболее объемная часть моей подготовки.

— А почему не приехал Константин? — вдруг спрашивает Ахмед Табба, и атмосфера в кондиционированном салоне «мицубиси паджеро» резко меняется.

Размышления о судьбах государств отодвигаются на задний план, потому что на передний выходят не такие глобальные, но куда более важные в конкретной ситуации проблемы. Например, расположенность и искренность подданного эмирата Дубаи Ахмеда Таббы. Ибо даже пять лет в эмиратской тюрьме для директора фирмы «Столичные огни» Игоря Андреевича Горина — гораздо большая катастрофа, чем нереализованные планы на его родине и разворованные там миллиарды...

А пять лет — по местным меркам, минимальный срок! Правосудие в Эмиратах суровое, и получить за шпионаж двадцать—тридцать лет вполне реально. Правда, есть и поблажки: если осужденный наизусть выучит Коран — пятнадцать лет могут скинуть. Я старательный, прилежный, и у меня хорошая память... Но пятьсот страниц вряд ли осилю... Впрочем, кто выучит двадцать сур, а это меньше половины, тому сбрасывают десять лет. Это, конечно, не пятнадцать, но тоже хорошо... И чего я не захватил с собой Коран? Читал бы потихоньку... И для создания положительного образа господина Горина это было бы полезно...

— Он не смог.

— Почему? — Анри требовательно смотрит на меня сквозь зеркальные очки. Он знает азы конспиративных контактов. Посторонний человек не приходит к агенту ни с того ни с сего. Для этого должны быть веские причины. Очень веские!

Но что я могу ему ответить? Что мой друг и коллега Олег Павловский, оперативный псевдоним Константин, мочился так, как и положено европейскому мужчине,— стоя, хотя ситуация требовала, чтобы он делал это сидя? Вряд ли Анри поймет, о чем идет речь. Да и в Центре решили, что говорить агенту правду нецелесообразно: пусть надежда встретиться с куратором согревает ему душу и стимулирует старательность и преданность...

— Потому, что он в очень важной и срочной командировке,— уверенно говорю я.— Вы же знаете нашу работу!

— Да,— Анри кивает. Он не настолько искушен в правилах шпионажа, чтобы определить — говорю я правду или лгу. Поэтому он мне верит и с сожалением вздыхает:

— Ветры всегда дуют не туда, куда хотят корабли...

Эту поговорку в сборнике я не видел, но это и не важно. Важней другое: наш агент еще и философ!

Про вчерашнее приключение с Амбалом я не рассказываю, чтобы раньше времени не спугнуть Таббу. Пусть вначале даст согласие. Как говорится у нас, в России: главное — ввязаться в драку, а там посмотрим...

«Мицубиси паджеро» запрыгал по кочкам и ухабам, будто злой джинн перебросил его за четыре тысячи километров из мира киношных — черных с белой разметкой дорог в царство вечного российского бездорожья. Но это была всего-навсего огромная строительная площадка, засыпанная щебенкой, исчерканной колеями большегрузных самосвалов. Отсюда в Персидский залив уходила насыпная дамба — стебель огромного пальмового листа, на котором построят две тысячи вилл и сорок высотных отелей. А вокруг сделают волнорез из гигантских арабских букв, которые образуют любимую фразу шейха: «Не каждый, кто говорит,— мудрец, не каждый, кто на коне,— всадник...» Прочесть мудрый афоризм можно будет из космоса: со спутника, с Луны, с Марса, с Альфа Центавра. Пусть знают!

Через пару километров наш джип выехал на совершенно пустынный песчаный пляж, и Анри притормозил в пяти метрах от ласковой даже на вид, отблескивающей солнечными бликами воды.

— Здесь можно разговаривать спокойно,— говорит агент, и мы выходим наружу. Песок мягко скрипит под ногами. Пахнет большой водой. Я достаю из кабины свой кейс. Анри слегка напрягается. Я приветливо улыбаюсь, нейтрализуя его озабоченность.

— Мы встречаемся лишь второй раз, но Константин рассказывал о вас только хорошее,— учтиво говорю я.— Надеюсь, что со временем мы станем настоящими друзьями. А пока я прошу принять знаки уважения к вам и вашей семье.

Анри не отказывается. Это хороший знак. Похоже, он согласится продолжать сотрудничество.

— Это вам,— я протягиваю массивные карманные часы из серебра. Судя по удовлетворенному выражению лица, Анри оценил ценность подарка.

— Это для вашей жены,— на свет появляется красивая коробочка французских духов.

Анри удовлетворенно кивает.

— Это для вашей мамы,— я достаю гутру: черный, с серебряной отделкой головной платок.

Все подарки куплены в местных магазинах, они нейтральны и не несут на себе иностранного следа.

— А это деткам,— поскольку я не знаю, сколько детей добавилось к известным Центру мальчику и девочке за прошедшие годы, то вручаю будущему другу две сияющие лаком машинки и две нарядные куклы. Разберутся сами.

Анри доволен, он тепло благодарит, с подчеркнутым восторгом жмет мне ладонь двумя руками и преданно смотрит в глаза. Это производит впечатление полнейшей дружеской расположенности, если не знать, что на арабском Востоке внешние знаки внимания значат еще меньше, чем во всех других краях.

Но как бы то ни было, прелюдия закончена, обе стороны выдержали правила приличия, и теперь можно со спокойной совестью переходить к делу.

— Дорогой друг,— церемонно говорю я и подхожу к агенту на дистанцию доверительного разговора. Теперь хорошо бы взять его под локоть, но здесь это рассматривается как знак фамильярности и бесцеремонности, поэтому я сдерживаюсь и кладу руку на борт собственного пиджака.

— Вы долго и плодотворно сотрудничали с моим другом Константином, причем эта работа приносила пользу обеим сторонам. Я бы хотел просить вас продолжить сотрудничество. На тех же условиях, если у вас нет других предложений...

Анри молча поглаживает тронутые сединой усы. Пауза затягивается, и я сразу понимаю, в чем дело.

— Впрочем, инфляция усиливается, и будет справедливо, если ваше вознаграждение возрастет, ну, скажем... на тридцать процентов!

Я в очередной раз лгу. Нет, это грубое слово, и оно не учитывает специфики нашей Службы. Лучше употребить другой, более мягкий термин. Эвфемизм, как говорят высоколобые интеллектуалы. Я, скажем так, лукавлю. Причем дважды. Первый раз — в пользу Анри, второй — в пользу казны российской разведки.

В Эмиратах никакой инфляции нет, последние десять лет за доллар в любом обменнике дают три, шестьдесят шесть дирхам. К тому же, я уполномочен увеличить гонорар агента до пятидесяти процентов.

Но Анри первое лукавство вполне устраивает, а о втором он не догадывается. Одутловатое лицо расплывается в улыбке, он удовлетворенно кивает.

— По рукам! — закрепляя достигнутую договоренность, мы обмениваемся крепким рукопожатием.

Обе стороны удовлетворены. У Анри вновь появляется стабильный источник дополнительного дохода. А мое удовлетворение носит чисто моральный характер. Задание выполнено, и я уже сегодня могу улететь. А до этого выкупаться в заливе. Похоже, на этот раз Иван не соврал.

— Теперь я буду работать с вами? — спрашивает Анри.

Я неопределенно дергаю головой. Такой жест можно с равной вероятностью истолковать как согласие, как отрицание и как неуверенность. Очень часто это зависит от настроения толкователя. Агент выбрал первый вариант.

— По крайней мере, до того времени, как освободится Константин,— уточняет он, как бы для самого себя.

Я не возражаю. Это уже не мои проблемы. Мысленно я уже в Москве.

— Выкупаемся? — я быстро сбрасываю одежду.

Анри качает головой и целомудренно отворачивается. Здесь не принято демонстрировать свою голую задницу другому мужчине. И смотреть на нее тоже не принято. Но на всякий случай я заранее надел плавки, поэтому чувство приличия моего нового друга не было оскорблено.

С разбега я разбиваю гладкую, чуть морщинящую редкими волнами поверхность залива, быстро отплываю от берега, ложусь на спину, снова переворачиваюсь на живот, кручусь веретеном, поднимая фонтаны брызг... Вода чистая, не такая плотная, как в Средиземном море или Тихом океане, и цвет у нее другой — не синий, а сероватый. Она достаточно теплая, но внутри спрятана приятная прохлада, как будто в каждой водяной молекуле кто-то охладил ядро — специально, чтобы сделать туристам контрастный расслабляющий массаж. Напряженная нервная система успокаивается, я начинаю по-другому воспринимать окружающий мир. Солнце бликует на гладкой поверхности, слепит глаза, заставляя щуриться. В щенячьем восторге я оборачиваюсь. Справа многозвездные отели, прямо вдали — строящиеся небоскребы, слева возводится то самое восьмое чудо света — остров в форме пальмового листа... А передо мной на диком неухоженном пляже прогуливается активизированный агент Анри... Умиротворяющая картина...

Вдруг яркий «зайчик» смазывает меня по прищуренным глазам: будто солнце отразилось в оптике — бинокля, фотоаппарата, снайперского прицела! Я по пояс выпрыгиваю из воды, фиксирую место: десятиметровая куча щебня, почти на самом верху хорошая точка для наблюдения и для снайперской засады вполне подходящая... Только кто может за мной наблюдать, а тем более — кому придет в голову в меня целиться? Может, тем, кто послал за мной Амбала?

Интерес к нашим скромным персонам мог возникнуть в двух случаях — если Анри раскрылся местной контрразведке или если информация утекла из нашего Центра. Но даже если так, все равно оснований для «острых акций» нет: мы еще не успели ничего сделать!

Настроение испортилось, нервы снова напряглись. Я бултыхался в теплой воде уже не с таким азартом, как минуту назад. А сам настороженно не сводил глаз с груды щебня.

Световая вспышка не повторялась. Это мог быть бинокль туриста, осколок стекла, да все что угодно. Но желание нежиться в ласковой прохладно-теплой воде Персидского залива пропало. Я быстро выбрался на берег, наспех вытерся, оделся, на миг задумался... Что делать?

Оставлять за спиной сомнительные события и непонятные явления у нас не принято. Значит, надо пройти сто метров, забраться на кучу щебенки и выяснить, что там блестит. Но делать этого совершенно не хочется. И я понял — почему. Когда собираешься разбить палатку для ночлега и обнаруживаешь рядом расщелину, похожую на змеиное гнездо, то крути не верти, а обязательно придется ее проверить. Но если просто идешь мимо, то надо быть идиотом, чтобы совать палку в подозрительную дыру. А я именно шел мимо — прямиком к трапу самолета на Москву. Хрен с ней, с этой вспышкой!

Анри смотрел выжидающе. Игорь Андреевич Горин довольно естественно улыбнулся ему и забрался в успевший нагреться салон «мицубиси паджеро».

* * *

От Дубаи до Шарджи всего двадцать пять километров. Но это другой эмират, здесь более жесткие законы, и огромный памятник Корану на центральной площади подтверждает, что они неукоснительно исполняются.И действительно: запрет на хранение и употребление спиртного, в отличие от более либерального Дубаи, не знает исключений. За бутылку водки в дорожной сумке придется заплатить штраф в тысячу дирхам, а за появление на улице в обычном веселом состоянии русского туриста на отдыхе можно получить двадцать пять ударов палкой по пяткам!

Казалось бы, наши соотечественники должны бежать без оглядки из столь негостеприимного и сурового места! Но вопреки очевидной и безукоризненной логике, всюду: и в отелях, и в магазинах, и на пляже — господствует русская речь... Что перевешивает невиданную угрозу телесных наказаний за невинную национальную забаву? Для этого есть только один весомый аргумент, и именно он играет здесь решающую роль. В Шарджи все дешевле: жилплощадь, золото, промтовары, продукты, взлет и посадка самолетов... Поэтому наиболее дешевые рейсы «Аэрофлота» выполняются через Шарджу. А посольство экономит на всем, и нет ничего удивительного, что сейчас я сижу в зале местного аэропорта — небольшого, но вместительного и опрятного.

Совесть у меня чиста, я устал, но испытываю удовлетворение: задание выполнено. Я активизировал Анри, написал подробный отчет, дал агенту достаточно полную характеристику и даже предложил несколько рекомендаций для офицера, который будет с ним работать. Скажу, не хвастая: никто из моих нынешних коллег новой формации не сделает столько за несколько дней! «Поколению пепси» вообще не пришло бы в голову выполнять столько «лишней», на их взгляд, работы. Поэтому, перед тем, как отправиться в аэропорт, я снисходительно похлопал Мишу по плечу и сказал:

— Учись, парень, пока я жив!

Но тот только удивленно моргнул. Он явно не понял, чему он должен учиться, не понял причин моей снисходительности, а главное — не понял, зачем я исписал по пустяковому поводу семь страниц. Но ничего не спросил, не возразил, вообще не проявил никаких эмоций. Это тоже у нынешнего молодняка в крови: не ссориться ни с кем, кто может доложить в Центр, не обострять отношений, не заводить врагов... Только как тогда работать? Как заниматься разведкой? Лично у меня полно врагов по всему миру...

В зале появилась большая группа людей, обмотанных белой тканью: паломники совершают хадж, здесь у них пересадка на пути в Мекку. Только что возникла сумятица на эскалаторе: они никогда не видели движущихся лестниц, но, вверяя судьбу Аллаху, покорно становились на стальные ступени и опрокидывались назад силой инерции, не пытаясь даже удержаться на ногах. Чуть не возникла свалка, но быстрый жилистый полицейский вмешался вовремя: остановил эскалатор, помог упавшим подняться и пустил всех пешком. Молодец! Это не наш ленивый и безынициативный увалень...

А вот еще один полицейский — в форме, черный берет засунут под погон, на поясе большой пистолет, а на босых ногах... тапочки! Он заходит в туалет, потом появляется опять, держа в руке ботинки, неторопливо обувается, надевает берет и уже другим, «служебным» шагом идет на линию контроля. Наверное, вымыл ноги. Такого у нас не увидишь, это местная экзотика...

Я смотрю на часы. Через час объявят посадку. Что ж, напрасно я плохо думал про Ивана. На этот раз он не соврал: командировка оказалась удачной, я развеялся, погрелся на солнце и даже выкупался в заливе. Все так, как он обещал.

Хорошо бы перекусить. Но за столиками буфета свободных мест нет. Можно купить пару бутербродов и съесть прямо в зале ожидания. Но это Шарджа... Здесь хорошо известна история про трех англичан, которые в священный месяц рамадан пили на улице пепси-колу и курили. Полицейский патруль сделал им замечание, а те завели свою обычную демагогию про свободу, демократию и права человека... В результате получили по месяцу тюрьмы и по пятьсот долларов штрафа! Так это англичане — привилегированная нация, именно англичане нашли здесь нефть, поэтому у них много льгот... А что говорить о подозрительном русском, если он даст повод копаться в своей биографии? Нет, лучше потерплю. Поем в самолете.

К регистрационной стойке тянулась длинная очередь. Мои соотечественники, как штангисты-тяжеловесы, тащили на себе огромные коробки с плазменными панелями и стереосистемами, аккуратно упакованные в пластик автомобильные покрышки, неподъемные «челночные» сумки из рогожки, в которых мог поместиться нерасчлененный труп. Зачем они это делают? Сейчас, когда эпоха тотального дефицита закончилась, все это добро есть и в российских магазинах, причем практически по той же цене. Наверное, это синдром голодного...

Я поднялся, собираясь идти в зону вылета. Больше всего мне хотелось пересечь линию границы и оказаться на борту российского самолета. А потом взлететь и взять курс на Москву. А потом приземлиться в «Шереметьево 2» и, наконец, расслабиться по-настоящему.

— Игорь Андреевич! — послышалось сзади.

Я даже оборачиваться не стал. Это, конечно, слуховая галлюцинация. Или какой-то русский турист окликает другого русского туриста. Во всяком случае, ко мне названное имя не имеет никакого отношения. Потому что меня зовут Дмитрий Полянский. А Игорь Андреевич — оперативный псевдоним для той операции, которая уже закончилась. Мало ли у меня было оперативных псевдонимов?! Так что — каждый помнить и на каждый откликаться?

— Игорь Андреевич! — человек, выкрикивавший чужое имя, приближался, и, что самое скверное, его голос показался мне знакомым.

Самообман — самое последнее дело, это удел слабаков. Страус, засунувший голову в песок, успокаивается на несколько минут, но с этого момента он обречен стать легкой добычей. Лучше бы использовал свои возможности — быстрый бег и мощный удар когтистой лапой.

Я остановился и обернулся. Лавируя в шумящей толпе, меня догонял заметно возбужденный Миша. Все ясно: возвращение домой отменяется!

Я отогнал первую мысль, хотя обычно она является самой правильной. Почему «отменяется»? Может, пришла шифротелеграмма о награждении меня орденом или медалью, и посольские коллеги спешат сообщить приятную новость? Увы, и ежу понятно, что ради того, чтобы меня обрадовать, никто не стал бы отрывать свою задницу от посольского кресла!

Миша подошел вплотную и наклонился к моему уху.

— Поступило срочное указание из Центра. Вы должны остаться и продолжить выполнение задания. В посольстве я покажу вам шифровку.

Очередь у стойки «Аэрофлота» почти рассосалась. Бесшумный транспортер втянул огромные тюки, коробки, спаренные кругляши шин и набитые трупами или свинцом сумки в бездонный черный зев багажного отсека. По радио объявили посадку на московский рейс.

Я грубо выругался в пространство.

— Да, надо сдать билет,— Миша хлопнул себя по лбу.— Чтобы отчитаться перед бухгалтерией... Хорошо, что вспомнил!

Я тоже вспомнил. Блеск неизвестной оптики на берегу залива! Пару часов назад этот мимолетный эпизод был напрочь стерт с избирательной ленты памяти, а сейчас он раскаленным гвоздем торчал в мозгу... И вряд ли это был блик разбитой бутылки: простые объяснения в разведке — верный путь в тюрьму. Или на эшафот...

Шумные соотечественники, озабоченно рассматривая посадочные талоны, шли на посадку, не подозревая, какие они счастливые.

Тяжело вздохнув, я направился к выходу из аэропорта. Меня заставляли ночевать у расщелины, которая скорей всего была змеиной норой!

* * *

Мы сидим в «подводной лодке». Не в настоящей, конечно: на профессиональном жаргоне так называется специальное помещение, скрытое в чреве посольского здания и защищенное от любой возможности прослушивания. «Чистые» дипломаты им не пользуются и даже не подозревают о его существовании. Зато все совещания и служебные переговоры сотрудников разведки проводятся именно здесь.

«Подводная лодка» отличается от остальных комнат посольства в той же степени, в какой шпионаж отличается от дипломатической работы. Полуметровые стены без окон обшиты толстым слоем звукоизоляции, обиты железом и обтянуты медной проволокой, по которой, при включении освещения, хаотическими импульсами пропускается электрический ток. Кроме того, здесь имеется и генератор «белого шума», и электромагнитное экранирование, и противофазный радиоизлучатель... Внутри нет ничего лишнего: голые белые стены и потолок, гладкий пол, прозрачный стол и стулья. Спрятать здесь «жучка» практически невозможно, посторонние сюда не заходят, но дважды в день специалист по технической разведке обследует «подводную лодку» так же скрупулезно, как комнату для приема граждан. Это меры против предательства. Считается, что благодаря им мы можем разговаривать свободно.

«Мы» — это я и Петр Васильевич Попов, второй секретарь посольства, он же руководитель местной резидентуры. Смуглолицый, худощавый, с узкими щегольскими усиками, он похож на араба. Лет десять назад мы встречались в Каире, тогда он был рядовым разведчиком и носил фамилию Гуссейнов. Я проводил довольно рискованную операцию, а он ее обеспечивал, сливаясь, благодаря своей восточной внешности, с местным населением. Тогда он произвел прекрасное впечатление: смелый, рисковый, один из лучших специалистов по арабскому миру... О нем ходили легенды, как о Лоуренсе Аравийском.

Но с памятью у Попова-Гуссейнова плоховато: он начисто забыл и нашу встречу, и ту операцию. Хотя, скорей всего, дело тут не в памяти: тогда он был капитаном, таким же исполнителем, как я, а теперь стал полковником и перешел в ранг руководителей. Подобные трансформации часто портят людей... Если бы не лежащая на столе шифротелеграмма, он бы вообще не стал со мной встречаться.

«Страннику. Константин оставил у Анри объект номер ноль. Вам надлежит изъять этот объект и, взаимодействуя с резидентурой, обеспечить срочное доставление его в Центр. Иван».

Я прочел телеграмму трижды и все же не мог понять, о чем идет речь. Анри законсервирован семь лет назад. Константина нет в живых уже три года. Когда же он оставил агенту неизвестный объект? И почему нужда в нем возникла только сейчас? Да еще такая срочная? Бред какой-то!

Я поделился своими сомнениями с резидентом. Впрочем, Попова это не особенно удивило.

— Скорей всего, семь лет назад и оставил,— буднично пожал он плечами.— Дело-то обычное. В Центре не успевают перерабатывать поступающую информацию. Расшифровка телеграмм, изучение документов, микропленок, звукозаписей, видеоматериалов — все это требует времени и ресурсов... В первую очередь занимаются теми, где есть пометка «Срочно!» А остальные накапливаются, пока руки дойдут... Может, только сейчас и дошли! А там нечто такое, что их заинтересовало! Отсюда и срочность.

— Гм...

«Неужели они такие идиоты?» — чуть не спросил я, сдержавшись в последний момент. Я и так знал ответ на этот вопрос.

Попов по-своему истолковал сомнение на моем лице.

— Или другой вариант,— продолжил он.— Семь лет назад этот объект не представлял интереса для Центра, но сейчас произошло нечто, что изменило ситуацию... Например, резко повысилась ценность информации!

— А вы не знаете, о чем идет речь? Что это за объект номер ноль?

Резидент неопределенно пожал плечами.

— Шифровки только в Центре хранятся вечно, у нас они уничтожаются через три года. Можно только догадываться...

— Надо опираться на какие-то яркие события, имевшие место семь лет назад,— ненавязчиво подсказал старшему по должности и званию опытный, но скромный майор Полянский.

И подсказка возымела действие. Попов оживился, кивнул и потер ладони, как будто хотел таким архаичным способом добыть огонь правды.

— Тогда можно выдвинуть несколько версий...

Он помолчал и наморщил лоб, вспоминая.

— Во-первых, семь лет назад ушел к американцам шифровальщик нашего посольства в Саудовской Аравии. Все резидентуры региона получили задание на его розыск. Возможно, Павловский установил местонахождение гада, но тогда его данные не были реализованы. А теперь перебежчик как-то проявил себя, например, начал писать разоблачительную книгу... И вопрос опять обрел остроту!

«Слабо! Сейчас каждый пишет, что хочет, причем даже не выезжая из России. И это никого не шибет. К тому же информация в архивной шифровке никуда не делась, ее можно вытащить из архива и прочесть в любой момент. Зачем тогда искать какой-то объект здесь, в Дубаи? Речь явно идет не об информации, а о материальном предмете!»

Внешне я никак не проявляю своего скептицизма, напротив — слушаю резидента почтительно и внимательно, как старательный ученик.

— Хотя нет, это вряд ли,— поправился Попов-Гуссейнов, поддержав свою репутацию Лоуренса Аравийского.— А вот взрыв на атомном ракетоносце «Джордж Вашингтон» — вполне реальная версия!

— Что за взрыв? — как можно деликатней спросил я.

— Это был экспериментальный подводный крейсер с новой противорадиационной защитой. Какой-то суперсекретный материал, задерживающий гамма-излучение не хуже, чем свинец. Только он легче свинца в тысячи раз!

Я насторожился, хотя и не подал вида.

— И надо же, в реакторном отсеке произошел взрыв. Обычный тепловой взрыв: перегрелся контур охлаждения. Реактор вовремя заглушили, так что никаких серьезных последствий не наступило. «Джорджа Вашингтона» отбуксировали в порт базы Эль-Фуджэйра. Вот и все...

Это уже больше похоже на правду. Потому что именно на военно-морской базе в Эль-Фуджэйра служил агент российской внешней разведки, носящий псевдоним Анри! Надолго забытый, а теперь вдруг ставший необходимым.

— Но почему через столько лет? — Разговор надо поддерживать, а задавать риторические вопросы гораздо целесообразней, чем делиться собственными выводами и умозаключениями, которые очень легко присвоить.

Лоб резидента наморщился еще сильнее.

— Вполне возможно, что Центр тогда не заинтересовался его сообщением: авария перечеркивает любой эксперимент, а к чему документировать провалы Главного противника, если нас куда больше интересуют его успехи? А теперь что-то могло измениться, например, у нас разрабатывается новый проект атомных субмарин, и кто-то вспомнил про «Джорджа Вашингтона»...

Да, это ближе к истине! Наши никогда не работают на опережение: сели обедать — тогда и начинают искать ложку... Могу поспорить, что «объект номер ноль» — это кусок антирадиационной защиты реактора!

— А вот еще один вариант... — продолжал Лоуренс Аравийский, но я уже погрузился в другие мысли.

Всего резидент выдвинул четыре версии. Но правдоподобней второй я так и не услышал. Наконец он прервался, повертел в руках телеграмму из Центра, небрежно бросил ее на стол.

— Короче, раз уж мы должны взаимодействовать, готовь план проведения операции...

Я отвел взгляд и принялся рассматривать белые стены. Тихо шумели звукоподавляющие устройства. Хитроумные системы разрывали слова на звуки, перемешивали их в неразборчивый коктейль, просеивали сквозь мелкое сито сглаживающих фильтров и бесследно растворяли в пространстве. Все сказанное оставалось в «подводной лодке». И в памяти собеседников. Поэтому предательство напрочь перечеркивало самые продуманные меры предосторожности. А измена, к сожалению, непременный спутник разведки, поэтому каждый разведчик страхуется, как может.

Я избежал многих неприятностей потому, что никогда не рассказывал о своих планах. Даже коллегам и начальникам. Сейчас я тоже не собирался нарушать этого правила. Но обижать резидента недоверием нельзя, поэтому обнародовать свой принцип надо аккуратно.

Посланец Центра деликатно прокашлялся.

— План в данном случае не нужен. Взаимодействие заключается в том, что вы меня прикрываете. А операцию я провожу сам!

— Вот как...

Резидент заметно поскучнел. Одно дело — утверждать чужие планы, другое — самому обеспечивать ответственную работу.

— Мне кажется, что за мной наблюдают. С того самого момента, как я вошел в контакт с Анри. Поэтому прикрытие должно быть основательным.

Лоуренс Аравийский встрепенулся.

— Вы уверены? Может, показалось? Или совпадение?

— Может быть. Но все же выделите мне помощников для страховки и контрнаблюдения.

— Но у нас очень напряженно с людьми...

Московский посланник развел руками, и резидент устыдился: негоже грузить гостя своими проблемами!

— Впрочем, я выделю вам лейтенанта Горчакова, вы с ним уже контактировали.

— Это Миша, что ли?!

— Ну да, Михаил Евгеньевич. А что?

Ясно, что от Миши никакого толка не будет. Придется обходиться своими силами. Впрочем, как всегда.

— Нет, ничего. Очень симпатичный парень. Я с ним свяжусь, когда возникнет необходимость...

* **

«Мицубиси паджеро» ходко мчится по черному гудрону. Это эмират Фуджэйра, дороги здесь поуже, но такие же ровные и безупречно гладкие — как ноги следящей за собой ухоженной женщины...

Образ, выбранный для сравнения, безошибочно выдал направленность вектора озабоченности Игоря Андреевича Горина. Не подумал же, сластолюбец, про клинок морского кортика, железнодорожный рельс, выбритую щеку педантичного немца, или еще нечто подобное, но лишенное сексуального подтекста! Строгий и безупречный в вопросах морали Дмитрий Полянский вздохнул и, осуждающе покачав головой, снова уставился в окно.

Мои подозрения в очередной раз блестяще подтвердились. Анри рассказал, что участвовал в аварийных работах на «Джордже Вашингтоне» и ухитрился похитить кусок строго секретного металлопластика, сохранности которого американцы придавали большое значение. Константин присвоил экспериментальному материалу обозначение «объект номер ноль» и распорядился спрятать его в надежном месте, поскольку он обязательно потребуется.

«Рано или поздно объект очень понадобится,— сказал прозорливый капитан Павловский.— И тогда мы с тобой его заберем».

Он был хороший разведчик и прекрасный аналитик, но предвидеть всего не может ни один смертный. «Хочешь насмешить Бога, расскажи ему о своих планах»,— гласит мудрая поговорка, и судьба самого Олега явилась наглядным тому подтверждением.

Пейзаж вокруг кардинально изменился. Пески и оазисы остались позади: по обе стороны шоссе громоздятся дикие черные скалы, кое-где контрастно выделяются россыпи серых и белых блестящих камней.

— Этим горам двести миллионов лет,— рассказывает Анри. Сегодня он опять в национальном наряде: гафия в мелкую клетку, белоснежное хлопковое платье до пят, на ногах открытые сандалии без задника. Он не знает, что вчера я чуть не улетел на родину, для него все происходящее в порядке вещей: прибыл новый куратор, а с ним — новые задания, новая работа, новые заработки.

— Ни нефти, ни других полезных ископаемых тут нет, только камень для строительства. Живут здесь бедно, в горных селениях совсем недавно появилось электричество... Климат тоже не такой, как везде, недавно в горах выпал снег! Представляете, впервые за всю историю! Правда, он быстро растаял...

Анри словоохотлив и, по-моему, испытывает ко мне симпатию. Сейчас мы едем к его брату Саиду. Именно с братом Анри спрятал «объект номер ноль». И найти его может тоже только с ним.

— А если его уже нашли? За семь-то лет? — спрашиваю я сам не знаю зачем: такой вопрос выдает занудливого пессимиста и не рассчитан на рациональный ответ. Но с другой стороны, бесполезных вопросов не бывает: любые способствуют добыванию новой информации.

Анри довольно улыбается и качает головой.

— Саид очень предусмотрительный. Он специально выбрал Черное ущелье. Оно пользуется дурной славой, поэтому там редко бывают люди. И уж конечно, никому в голову не придет шарить по тамошним пещерам!

— Это очень хорошо,— киваю я.— Саид мудрый человек...

Я собираюсь спросить, почему у Черного ущелья дурная слава, но Анри стал увлеченно рассказывать о своем брате — какой он честный, принципиальный, как хорошо знает Коран и строго его соблюдает... Перебивать его было просто неприлично, оставалось лишь поддакивать и восхищаться вместе с рассказчиком.

— Я много раз звал Саида переехать в Дубаи, но тогда он потеряет хорошую работу... Сейчас у него высокий заработок, полный социальный пакет, в будущем — приличная пенсия... К тому же авторитет, уважение. Утратить все это? Вот он и отказывается...

Как выглядит «объект номер ноль», я до сих пор так и не узнал: Анри не смог подобрать нужное слово на английском. Он произносил что-то типа «карта» или «пластина» и складывал пальцами прямоугольник пятнадцать на двадцать сантиметров. Размер был вполне транспортабельным, и это радовало.

Горы кончились, теперь шоссе идет вдоль побережья. Промелькнул высотный отель на самом берегу. Вокруг деревья, газоны, шезлонги, голубое блюдце бассейна, бар под конической камышовой крышей,муравьями копошатся маленькие загорелые фигурки.

Анри увеличил скорость. Оазис цивилизации остался позади. Прибрежный песок, черные валуны — и все. Длинные океанские волны привольно выкатываются на пустынные пляжи. Стрелка спидометра подрагивает на отметке сто двадцать. До Эль-Фуджэйры остается около часа езды. Я периодически контролирую дорогу. Сзади, все больше отставая, тащится грузовичок, который мы только что обогнали. Из-за него резво вынырнула серебристая «тойота». В Эмиратах много японских машин, здесь их любят.

Ничего подозрительного: никто не висит на хвосте. По крайней мере, явно не висит. Хотя, если нас профессионально «ведут», то это ничего не значит. Машины наблюдения могут идти то сзади, то впереди, к тому же они постоянно меняются.

— Саид сегодня работает,— продолжает рассказывать Анри.— Придется его немного подождать. А потом мы втроем поедем в Черное ущелье. Пока доедем, пока найдем... Может быть, придется заночевать в горах...

— Заночуем,— из вежливости соглашаюсь я, хотя такая перспектива совершенно не вызывает энтузиазма. Что-то беспокоит меня на подсознательном уровне. Никаких фактов для этого нет. Тревожит не аналитика, а интуиция. Внимательно смотрю в правое зеркало заднего вида.

Грузовичок безнадежно отстал и пропал из виду. Серебристая «тойота» идет сзади, как привязанная. Почему? Будто отвечая на этот вопрос, «японка» рванула на обгон. Ч-чух! Серебристый снаряд со свистом пролетел мимо, как будто наш джип стоял на месте. Километров сто пятьдесят, не меньше! На такой скорости «тойота» должна была через пару минут скрыться из глаз, но нет — пошла в паре сотен метров впереди. Опять-таки — почему?

— Там много пещер,— объясняет Анри, хотя я ни о чем не спрашиваю.

— Самое трудное — вспомнить нужную пещеру.— Честно говоря, я бы вряд ли ее узнал. Но Саид найдет, нет сомнений...

— За нами могут следить? — перебиваю я.

— Что?!

— Мне кажется, за нами следят. Причем профессионально. Вон та «тойота».

«Мицубиси паджеро» слегка «рыскнул», будто дрогнули руки, лежащие на чутком руле. Водитель на миг потерял обычную восточную невозмутимость.

— Я не знаю... Кто может за нами следить? — Лоб Анри покрылся потом, на этот раз он вытер его не платком, а тыльной стороной ладони.

А ведь в салоне прохладно... Неужели он сдал меня контрразведке?!

— И вчера, на берегу залива, я видел блеск оптики! — тоном следователя говорю я, впиваясь взглядом в одутловатый профиль агента. Хотя утром он побрился, его щеки не могут служить эталоном гладкости: жесткая черная щетина уже выглядывает из волосяных луковиц.

— Скорей всего, кто-то наблюдал за нами в бинокль,— дожимаю я.— А позавчера после нашей встречи мне пришлось отрываться от слежки!

Но прошлые эпизоды не волнуют Анри так, как сегодняшняя слежка. А если и волнуют, то внешне это никак не проявляется, по крайней мере, потоотделение не усилилось. Он пристально смотрит в зеркало.

Я тоже, уже без всякой конспирации обернулся назад. Там появился бежевый видавший виды «фольксваген». Он шел в пятистах метрах, не сокращая дистанции, будто на невидимом буксире.

А что у нас впереди? Ага, «тойота» с некоторым запозданием прибавила скорость и быстро уходит к горизонту!

Была в этих двух событиях некоторая синхронность... Очень похоже на смену экипажей наблюдателей. Но... Убитый, по здешним меркам, «немец» не очень похож на оперативную машину спецслужб. Честно говоря, совсем не похож! Впрочем, эмират Фуджэйра победнее соседей, и автомобили здесь поплоше. Но, по идее, вести нас должны дубайцы... Или у них хорошее взаимодействие?

Я попытался вспомнить все, что знаю про контрразведку Эмиратов. Увы, этот файл памяти был совершенно пуст...

Другое дело — Европа! Немецкая БНД — в мозгу немедленно высветились структура, штаты, персонал, оперативные сотрудники... Французские контрразведка DST и главная военная разведка DGSE — дислокация, вооружение, методы работы... Надо сказать, что методы у них самые грубые в цивилизованном мире, б-р-р-р... Но эффективные. Точнее, потому и эффективные! Британская МИ-5 — настоящие фамилии и псевдонимы наиболее талантливых розыскников, особенности взаимодействия с пограничниками и таможней...

Даже разделение компетенции американского ФБР с полицией штатов четко отпечаталось на ленте памяти!

А про спецслужбы Эмиратов я ничего не знал! Я ведь не специалист по Ближнему Востоку и, если не считать изучения арабских поговорок, не проходил специальную подготовку для выполнения этого задания! Даже языком не владею! Я ехал на недельку «развеяться», выкупаться в заливе и позагорать, провернув заодно «пустяковую» операцию по активизации нашего агента. Ну и сука этот Иван! Из-за него я не в первый раз попадаю как кур в ощип!

«Фольксваген» держится на том же расстоянии.

— Ну-ка, Ахмед, попробуй оторваться!

Анри прибавляет газ. Особенность «мицубиси паджеро» в том, что у него низкий центр тяжести, поэтому, в отличие от других внедорожников, он хорошо приспособлен для шоссейных гонок. Стрелка спидометра резко кренится вправо: сто тридцать, сто сорок, сто пятьдесят, сто шестьдесят...

Если нас преследует машина «наружки», то под ее обшарпанным капотом скрыт мощный движок, и сейчас он себя проявит... Но «фольксваген» то ли не хочет себя проявлять, то ли не может этого сделать. Он быстро и безнадежно отстает. «Тойоты» впереди тоже не видно. Может, все это случайное совпадение? Какой-то блеск, какие-то машины... Похоже на паранойю!

Шоссе пустынно — и впереди, и сзади. Анри переводит дух и насухо вытирает лицо — на этот раз платком. Он успокаивается. Но значит, он чего-то боится? Интересно, чего?

— Я куплю воды,— он сбрасывает скорость и останавливается у заправки.

Губы у агента действительно пересохли. Он хлопает дверцей сильней, чем обычно, и идет к маленькому магазинчику так быстро, что его белая кондуру развевается, словно парус. А может, его надувает встречный ветер.

Ключи Ахмед оставил в замке зажигания. Но они не понадобились: вещевой ящик, который во всем мире именуют «перчаточным», а в России почему-то — «бардачком», оказывается незапертым. Я быстро перебираю его содержимое. Некрасиво, конечно, но если бы не подозрительное поведение Анри, я бы себе не позволил такой вольности... Хотя, что скрывать — за десятилетия службы приходилось позволять и не такое. Причем очень часто нескромность и бесцеремонность приносили хорошие результаты. Как и на этот раз.

Потому что под безобидной программкой верблюжьих бегов, под полезным для любого водителя атласом дорог зоны Персидского залива, под чистой хлопчатобумажной тряпицей, которая пригодится на все случаи жизни обнаруживается самый мощный пистолет в мире: израильский «Дезерт Игл», в переводе — «Степной Орел». Рядом — запасной магазин, и по револьверным, с мой мизинец, патронам я определяю, что это наиболее убойная модификация «Орла»: калибр сорок четыре «магнум». В переводе на понятные российские единицы это означает, что диаметр каждой пули одиннадцать целых тридцать пять сотых миллиметра, а удлиненная гильза содержит усиленный заряд пороха. В рекламах израильских оружейников утверждается, что грохот этого монстра способен оглушить всех в радиусе двадцати метров, а за пулей даже днем остается белый след, как за истребителем в синем небе!

Быстро закрываю ящик. Если бы там лежал крохотный дамский «Браунинг» 6,35 мм, и то это было бы грубым нарушением закона. В Эмиратах запрещено огнестрельное оружие, даже охотничьи ружья! Это не Оман, Саудовская Аравия или Иордания, где можно купить все, что угодно, включая автомат Калашникова!

Ай да скромный служащий компании сотовой связи Ахмед Табба! И кто его научил возить с собой пистолет? Кто достал ему сверхубойного «Степного Орла»? Уж точно не мы, в смысле, не кураторы из российской разведки! Оружие агенту не нужно, оно только повышает его уязвимость и привлекает неприятности. Олег Павловский, конечно же, не знал о пистолете. А скорей всего, тогда у Анри еще не было оружия. Девять против одного, что это приобретение последнего времени! Но значит, он не связан с контрразведкой: спецслужбы любого государства не поощряют противоправную деятельность своих подданных...

Анри возвращается. Теперь он идет неспешной походкой, в руке — большая бутылка минеральной воды. Я прикрываю глаза и делаю вид, что дремлю. Мягко хлопает дверца, с легким скрипом прогибается водительское сиденье, деликатно включается двигатель. Джип трогается с места. Кожей лица чувствую косой изучающий взгляд. Но что он может заметить? Новый куратор безмятежно спит: ровное дыхание, расслабленные мышцы, даже глазные яблоки неподвижны под тонкой кожей век, а это особенно трудно — именно они обычно выдают имитацию.

Однако внезапно пришедшая мысль разрушает гениальную мизансцену, и я бурно просыпаюсь.

— Скажи, Ахмед, ты видел бежевый «фольксваген»? Он должен был пройти мимо!

Я точно знаю, что «немец» не появлялся. И свернуть ему было некуда.

Ахмед отрицательно качает головой.

— Может, шину проколол,— меланхолично говорит он.— Или остановился отдохнуть...

Что ж, может быть. Но мне все это не нравится. Хотя что именно «все это», я объяснить не могу: ведь ничего не произошло! Только ощущения, предчувствия, сомнения, подозрения...

— Через несколько километров неплохой ресторанчик, мы тоже остановимся и перекусим,— говорит Ахмед.

— Очень хорошо! — соглашается покладистый Игорь Андреевич.

* * *

— Судя по количеству ламп Алладина, вы верите в джиннов?

Витрина сувенирного магазинчика наполовину заставлена муляжами арабских масляных ламп трех размеров: по три, пять и десять дирхам.

Ахмед Табба усмехается.

— А судя по количеству верблюдов, во что мы верим?

Он не лишен чувства юмора. Действительно, вторую половину витрины занимают верблюды разных цветов и размеров, причем разнообразия здесь куда больше: деревянные, стеклянные, мягко-набивные, с резными боками, сквозь которые проглядывает сидящий внутри верблюжонок...

— Верблюды — это реальность, а волшебные лампы и джинны — сказки. Верят ли местные жители в сказки?

Мы сидим на веранде маленького ресторанчика, где половина столиков занята моими соотечественниками, как будто дело происходит в Адлере, Лазаревской или Лоо. Здесь есть даже бар со спиртным, только выносить его запрещено: заказывай и пей, но в помещении.

По левую руку желтая полоса песка, синяя водная гладь, из которой торчит живописная светло-коричневая скала, осаждаемая пловцами в прокатных масках и ластах. Справа магазин сувениров и достаточно скромный мотель, больше подходящий для района Большого Сочи, чуть дальше — несколько комфортабельных туристских автобусов.

— На Востоке реальность и сказка переплетаются,— вполне серьезно говорит Ахмед.

Он не торопясь ест говяжий кебаб, снимая крохотные кусочки с шампура пухленькими, перепачканными жиром пальцами. Я пытаюсь представить, как он этими пальцами управляется со «Степным Орлом», но ничего не выходит. Теперь ясно, что мои смутные подозрения оправдались: Ахмед Табба отнюдь не цельная личность. И даже не двойная матрешка, как мы думали. Скорей тройная. Внешняя оболочка для соотечественников: скромный служащий компании сотовой связи, правоверный мусульманин, внимательный муж и заботливый отец, любитель верблюжьих бегов, позволяющий себе столь невинное развлечение по выходным дням... Во второй ипостаси это агент российской внешней разведки Анри — толковый, добросовестный и инициативный добыватель секретной информации... А вот кто он в своей третьей роли, где прорисовывается европейская ориентация и присутствует грозный «Дезерт Игл»?

Внешне тройственность натуры агента никак не проявляется, его основная оболочка выглядит вполне убедительно. Проголодавшийся Ахмед Табба ловко поддевает кусочками лаваша острый и пряный хумус. Когда он жует, желваки под ушами напрягаются и лицо приобретает грушевидную форму. Но за едой он не забывает любезно просвещать меня.

— Здесь много нераскрытых тайн, загадочных историй и мрачных преданий, которые отражаются в реальной жизни... Знаешь, как раньше называлось это побережье? Пиратский берег! Потому что сюда приставали торговые суда из Индии, Китая, Индонезии. А за купцами охотились морские разбойники, и кораблей с черными флагами здесь тожебыло великое множество. Пиратов нет уже много лет, а название осталось и не дает их забыть...

Я заказал запеченную на углях рыбу и теперь вилкой цепляю кусочки рассыпчатого белого мяса, которому обгоревшая шкурка придает пикантный привкус. Океанский ветерок несет приятную прохладу, отчетливо пахнет морской солью и водорослями.

— Или взять легенду Черного ущелья,— Ахмед запивает еду свежевыжатым соком манго, помешкав, вытирает жирные пальцы салфеткой и уже вилкой набирает овощи из общей вазы.

— Кстати, почему у него дурная слава? — задаю я застрявший в памяти вопрос.

— Из-за Черного Бедуина,— отвечает Ахмед, продолжая жевать. Не каждый человек может одновременно есть и рассказывать, но у него это получается вполне непринужденно.— А точнее, из-за вероломства, злодейства и пролитой крови.

— Расскажи мне эту легенду,— прошу я, и мой собеседник со значением кивает головой, принимаясь за очередной шампур с кебабом.

— Когда-то давным-давно, когда это государство еще называлось Эс-Сира,— Ахмед обводит рукой вокруг, захватив и часть оманского залива, и ставшую выше из-за отлива скалу, и даже туристские автобусы «мерседес», которых в Эс-Сире, разумеется, не было и быть не могло.

— Так вот, в те далекие времена Черное ущелье напрямую соединяло побережье с равниной. По нему, сокращая дорогу и выигрывая время, проходили торговые караваны. С Пиратского берега везли таинственно мерцающий жемчуг, тонкие скользкие шелка, серебристую вяленую рыбу, дурманяще-ароматные индийские пряности, матово-прозрачный китайский фарфор, узорчатые дамасские клинки. Навстречу транспортировали красивые, ручной работы ковры, искусно выделанные бараньи и верблюжьи шкуры, лечебные снадобья из яда и желчи рогатой гадюки, дрессированных охотничьих соколов в просторных клетках...

Теперь Ахмед вцеплялся зубами в кебаб и резким движением головы снимал кусочек с шампура, мне показалось, что зубы скрежещут о металл, даже мурашки по спине пробежали.

— Но разве это самые большие ценности в пустыне? Что толку в шелках и жемчуге, если их некому подарить? Для чего оружие, если им некого защищать? Разве может твердый и острый холод даже самой лучшей стали сравниться с мягким, нежным и горячим женским телом?!

На миг он перестал жевать и воздел указательный палец к небу.

— Женщина есть самая большая ценность в песках и голых скалах! Поэтому пираты привозили на берег Эс-Сира прекрасных пленниц и продавали их на многочисленных невольничьих рынках. На торги приезжали богатейшие шейхи пустыни, иногда за очаровательную рабыню давали столько золота, сколько она весит! Потом караваны развозили драгоценный живой товар по оазисам их новых властителей. Невольниц закутывали с ног до головы, на лица надевали похожие на птичьи клювы кожаные маски — бурги, чтобы кочевники не распознали, что в караване есть женщина. Иначе не избежать нападения: ведь многие мужчины пустыни всю жизнь не знали женской ласки, довольствуясь ее суррогатами — равнодушным теплом верблюдицы или овцы...

— Да, это очень интересная тема,— подбодрил я рассказчика. Но прозвучало это довольно двусмысленно: однополая любовь — ахиллесова пята арабского мира...

Ахмед стал жевать чуть медленнее и опустил веки, будто анализируя фразу. С Востоком связано много историй про содомский грех. Собственно, если судить по «Тысяча и одной ночи», он и грехом-то здесь не считался. И незачем бестактно лезть грязными ногами, или чем-то там еще, в интимные глубины чужой культуры.

— И мало кто ее знает. Я имею в виду тему женщин Востока.

Как мог, я попытался реабилитироваться. Мой спутник удовлетворенно кивнул.

— Это точно. В пустыне нет некрасивых женщин: закрытые, бесформенные наряды, как и высокая стоимость того, что под ними скрыто, только усиливают желание...

Ахмед доел свой кебаб и удовлетворенно откинулся на спинку стула. Тут же появился официант — смуглый молодой человек в белой рубашке, черных брюках и закрытых, тщательно начищенных туфлях.

— Два кофе,— сказал Ахмед, и я понял оба слова. Все-таки у меня несомненные способности к языкам!

Одна группа туристов шумно грузилась в автобус, остальные с фотокамерами в руках еще исследовали остров. Отлив продолжался, и теперь добраться до него можно было вброд.

На другом конце веранды разгорелся скандал. Русский, в безвкусной пестрой рубахе навыпуск, тыкал наполненный стакан в лицо низкорослому официанту с плоским лицом — филиппинцу или малайцу.

— Ты зачем налил сюда воды, чучело?! Здесь у меня водка, понимаешь, водка! Я за нее заплатил шестьдесят дирхам! На, нюхай, скотина!

Официант морщился и отворачивался. Выносить из бара водку нельзя, поэтому он был уверен, что доливает воду в воду. На помощь пришел метрдотель в белой рубашке с черной бабочкой, похоже, тоже филиппинец. Он принялся тщательно, как парфюмер, нюхать содержимое стакана.

— Ну что, обезьяна, убедился? Думаешь, я вас развожу? Это вы, козлы, всех тут разводите, такие бабки на водке косите, а потом разбавляете!

У скандалиста было лицо дегенерата и развязные манеры уголовника, к тому же пьяного. То, что он делал, тянуло по местным меркам на три месяца суровой эмиратской тюрьмы. Но, привыкнув к безнаказанности на своей терпеливой, всепрощающей родине, он об этом даже не подозревал.

— Это русский? — с презрительным прищуром спросил Ахмед Табба.

— Что ты, конечно, нет! — я замахал руками.— Это поляк...

Простите меня, братья-славяне, но имидж русского человека должен быть незапятнан в глазах агента. Сейчас это особенно важно.

Я ждал, что официанты вызовут полицию, и предвкушал, как на позорящего нацию дегенерата наденут наручники. Но метрдотель решил по-другому: извинился и послал официанта исправлять ошибку.

— Дабл! Двойная водка! — кричал ему вслед ублюдок в пестрой рубашке и грозил вилкой. Хотя мне следовало держаться как можно дальше от полиции, я испытал разочарование. Наверное, мигранты-филиппинцы сами побаиваются властей и избегают обращаться к ним без крайней необходимости. Инцидент был исчерпан.

Смуглый молодой человек принес кофейную турку, две чашечки и разлил по ним черную, пряно пахнущую жидкость с густой пеной. Ахмед сделал первый глоток.

— В те времена в оазисе Аль Даид подросла дочь шейха Рашида бин Мухаммеда Аль Тайера прекрасная Фади,— продолжил он свой рассказ.— Ее голос напоминал пение соловья, глаза сверкали, как мастерски ограненные алмазы, ходила она так легко и грациозно, что даже не оставляла следов на песке. Когда ей исполнилось четырнадцать лет, старейшины двух уважаемых родов, у которых подросли сыновья, пришли к шейху Рашиду с дарами свадебного предложения. Каждый привел шесть верблюдов, навьюченных тканями, утварью, специями и другим добром. Каждый пригнал десять курдючных баранов и семь длиннорогих коз. С каждым приехал жених — статный и сильный красавец на быстром коне. Только двадцатилетний Самир был в черном кондуру и сидел на черном, как ночь, скакуне, а девятнадцатилетний Зайед, одетый во все белое — на безупречно белом.

Они были хорошо вооружены: за спиной у Самира висело ружье изготовления знаменитого Гаджи Мустафы, а у Зайеда — мадьярское ружье не уступающего в известности мастера Серали. За пояс Зайед заткнул отделанный серебром кинжал оружейника Базалай Али, а Самир — кинжал Абдул Хазиза, который был ничуть не хуже. На поясе Самира болталась кривая Хоросанская сабля, а у Зайеда — острая сабля выделки Исфаганского Уста-Асада. Самый придирчивый знаток оружия затруднился бы определить, чья сабля лучше!

Одним словом, женихи были достойны и ни в чем не уступали друг другу. Поскольку они пришли одновременно, мудрый шейх решил никого не обижать отказом, а предоставить дело на разрешение Судьбы. Самир и Зайед должны были соревноваться между собой, а победитель становился мужем несравненной Фади. Это решение соответствовало обычаям пустыни, оно было справедливым, поэтому обе стороны охотно на него согласились.

На следующий день, рано утром, как только солнечные лучи позолотили пальмы оазиса, Самир и Зайед выехали на центральную площадь поселка Аль Даид. Здесь уже собралось много зрителей, желающих посмотреть состязание. В первом ряду на покрытых коврами скамьях сидели сам шейх Рашид, два его сына, три племянника и другие родственники. Они выполняли роль судей.

Но здесь были только мужчины. Прекрасная Фади и две ее сестры должны были остаться дома, ибо таков удел женщин Эс-Сира: ждать, как мужчины решат их судьбу, и беспрекословно повиноваться им...

Но Фади нарушила приказ отца и обычаи пустыни: она закуталась в мужскую одежду, взобралась на верблюда и тоже выехала на площадь, смешавшись с другими бедуинами.

Первым испытанием была скачка. По сигналу шейха Рашида женихи с места помчались во весь опор, вскоре белый и вороной кони, вздымая песок, скрылись из глаз. Их сопровождали несколько всадников, которые следили за тем, чтобы состязание шло честно и по правилам. Томительно тянулось время, наконец, вдали заклубилось облако песка, которое быстро приближалось. Вороной и белый скакуны шли бок о бок, они были в мыле, на губах пузырилась пена. Самир изо всех сил нещадно хлестал коня, круп несчастного животного покрывали кровоточащие рубцы. Вдруг удар тяжелой плети с вплетенной в конец пулей обрушился на плечо скакавшего рядом соперника. Зайед пошатнулся, но удержался в седле.

Глаза Фади яростно сверкнули сквозь щель закутавшей лицо гафии, шейх Рашид сурово нахмурился, зрители насторожились, азартные приветственные крики смолкли. Произошедшее могло быть случайностью, но такая случайность не красила того, кто ее допустил. К тому же все понимали: попади плеть по лицу Зайеда, вряд ли он смог бы продолжать состязание.

Белый и черный всадники вихрем пронеслись по площади. Их кони шли голова в голову, ноздря в ноздрю, ухо, в ухо и никто из сидящих на коврах судей не смог определить победителя. Шейх Рашид объявил ничью.

Следующим испытанием стало состязание в меткости. Как всегда, над оазисом кружили ястребы, высматривая возможную поживу. Самир вызвался стрелять первым. Он поднял к небу ружье и замер, как статуя, выжидая удобный момент. Прошла минута, вторая, третья... Наконец грянул выстрел. Паривший ниже других ястреб дрогнул, кувыркнулся через подломившееся крыло и начал медленно снижаться. Одно крыло у него было перебито, а второе не могло удержать раненую птицу в небе, как она ни старалась... Отчаянная борьба за жизнь оказалась проигранной: вскоре ястреб коснулся земли и конвульсивно бился в пыли, надеясь оттолкнуться от гибельной тверди и снова набрать спасительную высоту. Тщетно! К нему подбежал Самир, наступил тяжелым сапогом, цепкими сильными пальцами вмиг оторвал голову и с торжеством бросил смятую тушку к ногам судей.

Теперь настал черед Зайеда, но испуганные ястребы разлетелись, либо взлетели так высоко, что казались крохотными точками. На таком расстоянии их невозможно достать пулей... Зайед ненадолго задумался, потом вскинул ружье и выстрелил не целясь. Результат был таким, какого и следовало ожидать,— промах! Но, к удивлению собравшихся, а особенно пришлых людей, не знавших мудрости правителя Аль Даида, шейх Рашид снова объявил ничью. Более удачливый стрелок помрачнел, его родственники недовольно зашумели. Но делать нечего — сейчас решающий голос принадлежал отцу невесты.

Третьим испытанием стала борьба. Отложив оружие и разувшись, женихи сошлись вплотную и обхватили друг друга сильными руками, пытаясь сломить соперника и повергнуть его на землю. Они долго кружили на одном месте, не разжимая стальных объятий и вытаптывая песок под ногами, но никто не мог взять верх. Несколько раз они падали, но тут же упруго вскакивали и снова бросались в схватку стремительно, как атакующая песчаная мамба. Один раз из протянутой руки Самира вылетела горсть песка и только по случайности не запорошила глаза Зайеда. И снова яростно сверкнул взгляд Фади, и вновь нахмурился шейх Рашид, и снова настороженно смолкла толпа зрителей. Ибо повторенная случайность становится закономерностью.

Борьба продолжалась, но никому не приносила перевеса. Стало очевидно, что силы соперников равны.

И шейх Рашид остановил схватку, в очередной раз признав ничью.

Настал кульминационный момент. Потому что в отличие от спортивных состязаний, при покупке жены ничьих не бывает. И сейчас отец невесты должен был объявить победителя. Толпа зрителей затихла. Умолкли родственники женихов. Замерли перед почетными местами судей черный и белый всадники. Они тяжело дышали, и их кони еще не отошли от головокружительной скачки. Наступила тишина. Только в кронах окружающих площадь пальм щебетали неприметные пустынные птички.

Шейх Рашид бин Мухаммед Аль Тайер встал и торжественным голосом объявил свое решение.

— Оба жениха равны по силе и ловкости, они происходят из известных и достойных родов. У них равно замечательное оружие и непревзойденные скакуны. Их дары щедры и выражают уважение к нашему роду. Но только один может стать мужем моей дочери. Принимая решение, я исходил не из результатов состязаний, а из того, как проявили себя соперники. В скачке Самир ударил плетью Зайеда. Может быть это произошло случайно? Но я не видел, чтобы он принес извинения и объяснился с судьями! Зато я видел, что Зайед проявил сдержанность и благоразумие, сделав вид, что не заметил удара!

Черный всадник потупился. Белый продолжал смотреть перед собой.

— При втором испытании Самир целил в самую легкую мишень — продолжил шейх.— Он доказал свою меткость. Но тут же проявил неоправданную жестокость: вместо того, чтобы вылечить раненого ястреба и выдрессировать его для охоты, он оторвал ему голову. И я понял: побежденный им, или более слабый, не может рассчитывать на снисхождение! А Зайед явил всем свое благородство: он участвовал в состязании даже без шансов на успех!

По площади прокатился одобрительный гул.

— В третьем испытании соперники оказались равны. Но Самир бросил в лицо Зайеду песок! Это подлый прием, он запрещен правилами состязаний... Может, это тоже была случайность? Нет. То, что произошло один раз, может никогда не повториться, но если нечто случилось дважды, то обязательно свершится и в третий раз!

Шейх замолчал, и запруженная людьми площадь превратилась в слух.

— Поэтому я отдаю свою дочь Фади славному Зайеду!

Толпа взорвалась радостными криками. Люди славили своего мудрого и справедливого правителя. Все радовались, только черный всадник, яростно нахлестывая коня, мчался прочь из Аль Даида. И еще один бедуин, хрупкого телосложения, но с блестящими от счастья глазами, выбрался с площади и погнал своего верблюда к дому правителя.

Вскоре все жители оазиса Аль Даид пышно и весело отмечали свадьбу Зайеда и Фади. На многочисленных кострах жарилось и варилось верблюжье мясо, целиком запекались бараны, начиненные сладким шемарханским рисом и фруктами, в огромных котлах готовился жирный рассыпчатый плов. Ветры разносили по окрестностям вкусные запахи, звуки музыки, радостные возгласы и выстрелы, которыми салютовали новобрачным. С высокого купола неба светили крупные звезды, которые с холодным безразличием взирали на происходящее торжество и на человека, затаившегося в ночи неподалеку от поселка.

Черные одежды, черная душа и черные мысли — вот что отличало его от сотен предающихся веселью людей. Оскорбленный Самир источал злобу и ненависть, как весенний скорпион источает смертельный яд. Вопреки воле родственников, он не смирился с происшедшим, считая, что это он выиграл состязание, и что именно ему должна принадлежать красавица Фади. Покинув отчий дом, он рыскал по пустыне, находил живущих в уединении прорицателей, алхимиков и отвергнутых людьми колдунов, выведывая способы изменения судьбы... Однажды, в Мертвом треугольнике зыбучих песков, один чернокнижник подсказал ему, что для этого надо продать душу шайтану, и научил, как вызвать врага всех правоверных.

После свадьбы Зайед повез жену на побережье. Небольшой караван неспешно двигался по пустыне, причем дневные переходы были короткими, а ночные стоянки — длинными, ибо в красивом шатре молодые предавались любви, осваивая тонкости этого сладкого искусства, а потом долго спали, набираясь сил. Через несколько дней пути караван преодолел большую часть расстояния и вошел в Черное ущелье, название которого тогда еще не имело зловещего смысла, а лишь отражало цвет окружающих его скал.

Когда путники готовились к ночлегу, их настиг взбешенный Самир. Доподлинно неизвестно, встретился ли он с нечистым и получил ли от него адскую силу, но он налетел на лагерь, как тайфун, сметающий все на своем пути. Нападение было столь быстрым и внезапным, что никто не сумел оказать сопротивления. Чудовищный удар острой сабли обезглавил Зайеда, второй взмах клинка отсек руку одному его другу, выстрел в правый глаз убил другого. Испуганные погонщики разбежались, а когда они нашли с себе мужество вернуться, у догорающего костра лежали только три холодеющих трупа.

А перебросивший обезумевшую от горя Фади через седло черный всадник несся обратно — к выходу из ущелья. Он торжествовал победу и крепко сжимал мягкое теплое тело своей добычи. Пытаясь освободиться, девушка билась, царапалась, кусалась, но как степной орел не обращает внимания на конвульсии схваченного когтями зайца, так и добившийся своей цели Самир не замечал отчаянного сопротивления жертвы. У нее не было шансов вырваться из сильных рук похитителя.

В отчаянии Фади исхитрилась вытащить из-за пояса похитителя его замечательный кинжал знаменитого мастера Абдул Хазиза и вонзила острый голубоватый клинок себе под левую грудь. Холодная сталь легко пронзила горячее, разрывающееся от любви и горечи сердце.

Возбужденный совершенным и мыслями о предстоящем, Самир не расслышал последнего стона, слетевшего с нежных губ молодой вдовы. Только уже в устье ущелья он понял, что добыча перестала биться, обмякла, и жизнь больше не наполняет ее великолепное тело. Перевернув пленницу, он уперся непонимающим взглядом в отделанную золотом рукоять кинжала, торчащую из груди прекрасной невольницы. В ярости Самир спрыгнул с коня и вознес к небу невиданную хулу на Всевышнего, ругаясь черными словами и призывая на помощь шайтана.

И тут же сверху посыпались камни — вначале мелкие, потом покрупнее, потом, вздымая пыль, покатились огромные валуны, и, наконец, стали рушиться скалы, засыпая ущелье и погребая злодея под многотонной массой скальных пород... Стоял такой треск и гром, что в пустыне начали разбегаться тушканчики и ящерицы, а облака пыли заволокли небо, закрыв звезды и острый, как клинок сабли, молодой месяц.

С тех пор дорога через Черное ущелье упирается в завал: короткий путь с побережья на равнину перестал существовать. Больше не шли по каменистому дну ущелья торговые караваны, а люди, искавшие в Черных скалах медь, стали видеть черного всадника, который появлялся и на крутых склонах, и на неприступных вершинах... Его трубный голос вселял ужас в сердца случайных путников, а некоторых из них находили убитыми, причем одним и тем же способом: отсеченные голова и рука, выпущенная в глаз пуля... Всегда в правый глаз!

Постепенно желающих побывать в ущелье становилось все меньше, и оно обезлюдело на века. А молва окрестила его ущельем Черного бедуина...

Ахмед замолчал, и я перенесся из жуткого и кровавого мира средневековья в цивилизованную современность. Приятно горчил кофе с кардамоном, аккуратный официант, скорее всего индус, принес счет. Расплатился я, как и положено в таких случаях. Тем более что рассказчиком Ахмед был хорошим.

* * *

Эль-Фуджэйра — обычный эмиратский город. Выглядит он значительно скромнее, чем Дубаи или Абу-Даби, но гораздо помпезней, чем мой родной Тиходонск, Саратов или любой другой российский областной центр. Здесь нет потрясающих воображение шикарных небоскребов, поменьше зелени, не видно вызывающе журчащих фонтанов и голубых бассейнов, но зато много красивых пяти-девятиэтажных зданий с зеркальными и тонированными стеклами, хорошие дороги, изобилие мечетей и минаретов, богатых магазинов, уличных кафе. Бросается в глаза почти полное отсутствие туристов — за столиками пьют кофе, колу и курят кальяны арабы в национальных нарядах, причем не только белого, но и желтого цвета. Тротуары пустынны, людей в европейской одежде очень мало. Ярко светит солнце, жарко.

Мы оставили машину на платной парковке и по неширокой улице вышли на небольшую площадь, окруженную довольно мрачными домами. Темные фасады, закрытые деревянными ставнями-жалюзи узкие окна, напоминающие бойницы осажденной крепости. Справа тянулся двухметровый забор, за которым пряталось двухэтажное здание вообще без окон. Зловещим, угнетающим видом оно было похоже на крематорий. Или в лучшем случае — на тюрьму.

Здесь, к моему удивлению, оказалось многолюдно: человек сорок молча стояли полукругом и явно чего-то ожидали. В тишине слышалось тяжелое дыхание толпы. Почти все были в головных платках с обручами и длинных белых «сюртуках», как у Анри. Мне вначале показалось, что собравшиеся осуждающе смотрят на мой респектабельный летний костюм, но потом я заметил еще несколько человек в брюках и легких рубашках.

— Надо подождать, Саид скоро освободится,— извиняющимся тоном сказал Анри, и я покладисто кивнул головой: дескать, конечно, подождем, сколько надо, какие проблемы, мы же никуда не торопимся!

Оператор должен быть максимально приятным для агента. Разумеется, до тех пор, пока это не вредит делу. А лучший и самый легкий способ расположить к себе человека — во всем соглашаться с ним, не ставить его в неудобное положение и не задавать неприятных вопросов. Например, таких, какой вертелся у меня на языке: «Зачем служащему сотовой компании пистолет?» На редкость бестактный вопрос, надо сказать!

Черные ворота в серой бетонной стене, залязгав разболтанным механизмом, откатились в сторону, и на площадь вышли пять человек в национальной одежде. Один был без головного платка и со скованными за спиной руками. Его держали под локти два рослых охранника с автоматами Калашникова поперек груди. Современное автоматическое оружие диссонировало с древней одеждой жителей пустыни, как будто перепутались разные исторические эпохи. Похоже на ошибку реквизиторов при съемке кинофильма, но здесь не было ни камеры, ни оператора, ни реквизиторов, ни режиссера — только зрители.

Сзади шел высокий араб лет сорока, а чуть за ним скромно держался юноша со свернутым в рулон ковриком, который был намотан на какой-то стержень.

— Это Саид! — обрадованно сказал Анри.— А сзади — его сын Мухаммед!

— Очень приятно,— как можно любезней ответил я и приветливо улыбнулся.— Твой брат очень симпатичный, и сын на него похож.

Охранник, подчиняясь гортанной команде Саида, снял сарестованного наручники, и тот, опустившись на колени, принялся молиться, при поклонах утыкаясь лбом прямо в асфальт. Ему было лет двадцать пять, смуглое лицо побледнело, черты заострились. На нем лежала печать смерти!

Я перестал улыбаться. Неужели это приготовление к казни? Не может быть! Где эшафот, где бой барабанов, где подобающая случаю торжественность? Какая-то совершенно обыденная процедура, наверное, провинившийся попросит прощения у собравшихся здесь людей, и этим все закончится... Я скосил глаза на Анри. Он смотрел на брата с племянником и умильно улыбался.

Мухаммед раскатал коврик чуть в стороне от молящегося, а «стержень» передал Саиду. Это оказался никакой не стержень, а кривая арабская сабля, тусклый блеск которой не оставлял сомнений в конечной цели происходящего. Мне захотелось уйти. Конечно, я видел, как убивали людей, да и самому приходилось это делать, но никогда это не выполнялось столь демонстративно, расчетливо и хладнокровно. К тому же мне никогда не нравились убийства, как бы их ни называли...

Если бы я знал, в чем состоит замечательная работа Саида, то лучше под благовидным предлогом подождал бы в каком-нибудь кафе... Но уйти сейчас — значит оскорбить чувства Ахмеда и проявить неуважение к его брату. Оператор не может себе такого позволить. Я незаметно вздохнул.

Молитва закончилась. Держа саблю в левой руке, Саид принял у сына листок бумаги и принялся громко читать. В мертвой тишине замершей площади отчетливо слышалось каждое слово. Я разобрал, что вина приговоренного состоит в убийстве.

— Он убил троих человек! — возбужденно прошептал мне в ухо Ахмед.— Мужа, жену и их ребенка!

Убийца стоял на коленях, слова приговора обрушивались на него, словно тяжелые камни, и он опускал голову все ниже и ниже.

Саид оказался левшой. Он взмахнул саблей, не перекладывая ее в другую руку. Блестящая сталь описала полукруг, обрушилась на открытую шею приговоренного и легко прошла сквозь нее, украсившись широким красным мазком.

Чох! Из открывшегося среза толчком выплеснулось что-то густое и черное, как будто отключаемый насос натужно вытолкнул последнюю порцию мазута или машинного масла. Неровный шар со стуком упал на асфальт и откатился недалеко в сторону, укоротившееся тело повалилось вперед и, дернувшись несколько раз, застыло навсегда.

По площади прокатился гул, крики, мужчина в европейской одежде упал в обморок, еще один, в национальном наряде, мешком опустился на землю. Честно говоря, и у меня закружилась голова, на миг померк свет в глазах, и только чудовищным усилием воли я удержал себя на ногах. Ведь за шпионаж здесь тоже предусмотрена смертная казнь!

Не обращая внимания на происходящее, Саид опустился на коврик и, положив рядом саблю, принялся молиться. Тем временем из ворот вышли два человека в красных, как у строительных рабочих, комбинезонах и длинных, до локтей, перчатках. Один тянул за собой шланг. Они привычно уложили останки казненного в черный пластиковый мешок, быстро смыли кровь с асфальта.

Расторопный Мухаммед протянул саблю, и они старательно омыли клинок. Полированная сталь заблестела первозданной чистотой. Так кисть художника, отмытая после окончания работы, готова накладывать новые краски на следующие картины. Мухаммед тщательно вытер саблю и вложил ее в ножны.

Через несколько минут ничто не напоминало о совершенной экзекуции. Упавших привели в чувство, толпа разошлась, площадь опустела. Саид поднялся с коврика, в это время к нему подбежал широко улыбающийся Ахмед. Братья радостно обнялись, троекратно соприкоснулись щеками.

Выждав момент, я подошел поближе, и Ахмед представил меня Саиду на арабском, тут же повторив по-английски уже для меня:

— Это мой друг, он порядочный человек, и я хочу, чтобы вы познакомились.

Саид доброжелательно улыбнулся и протянул руку. И хотя правосудие он свершил левой, а мне протянул правую, я невольно замешкался и, только сделав над собой усилие, пожал широкую тяжелую кисть. Не знаю, заметил ли Саид эту заминку, но виду он не подал.

Мухаммед, по-хозяйски скатав коврик, деликатно замер, выжидая, пока старшие уделят ему внимание. Ахмед погладил племянника по плечу и прижал к себе. Все-таки у них была хорошая, дружная семья.

* * *

Ночь в ущелье черна, как антрацит. Кругом нависают черные скалы, которые усугубляют это впечатление. Вверху глубокое черное небо с крупными звездами и острым желто-красным полумесяцем, напоминающим клинок сабли. Той самой, которую осторожно, как настройщик скрипку, держит Саид, нежно касаясь бритвенного лезвия то одной, то другой стороной алмазного точильного бруска. У него чуткие пальцы музыканта. Короткие, ювелирно точные движения сопровождаются тихим скрежетом: «Вж... Вж... Вж...»

Трогательная картина, на язык так и просится газетный шаблон социалистических времен, что-то типа: передовой слесарь дядя Вася готовит рабочий инструмент к новым трудовым свершениям...

«Вж... Вж... Вж...»

Часа два мы ехали по узкой и совершенно пустынной дороге, вьющейся по дну Черного ущелья. Это была первая увиденная мною дорога без покрытия: неровные базальтовые пласты, какая-то щебенка, валуны на обочинах... Ничего зловещего и устрашающего вокруг не было: ущелье как ущелье.

Братья переоделись: теперь на них были просторные брюки, цивильные шведки и прочные жилеты со множеством карманов, тяжелые ботинки на толстой подошве.

— В пещерах могут быть змеи,— пояснил Ахмед, перехватив мой взгляд.

— Ядовитые?!

Он кивнул.

— Мы с Саидом будем искать, а ты стой у входа. Так будет лучше.

Действительно, так будет лучше. Элегантный светлый костюм, галстук и дырчатые туфли хороши для асфальта и кондиционированных офисов, но не для дикой природы. Однако, отправляясь в командировку, я и представить не мог, что придется лазать по кишащим змеями диким пещерам. Зато братья экипировались со знанием дела и выглядят как заправские туристы. Только клетчатые платки на головах выдают в них коренных жителей пустыни.

«Паджеро» мягко затормозил. Ахмед достал из багажника длинную палку, пару фонарей и по каменной осыпи полез вверх, к зияющей черной расщелине. За ним ловко устремился Саид. Конечно, рифленые подошвы армейских ботинок куда надежней тонкой гладкой кожи модельных туфель. Скользя и падая на руки, я полз следом. Острые камешки кололи ступни и струйками катились из-под ног. Ладони покрылись кровоточащими царапинами. Те слова, которые рвались наружу, не могли украсить сотрудника российской разведки, но то, что их удавалось сдерживать, характеризовало меня положительно.

Тыча перед собой палкой, как сапер миноискателем, Ахмед пролез в расщелину. Брат ящерицей скользнул за ним. Тяжело дыша, я отряхнулся и заглянул в пещеру. В непроглядном мраке метались два световых луча. Мне показалось, что из темноты доносится угрожающее шипение. В детстве и юности я панически боялся змей. Работа притупила этот страх, как и многие другие, но без крайней необходимости я бы не стал туда заходить.

Я перевел взгляд вниз, на дорогу. Перепад высот метров восемь-десять, а спускаться всегда труднее, чем подниматься...

Слева на скалах что-то шевельнулось. Я всмотрелся, но ничего не увидел. Прищурившись, с минуту внимательно вглядывался в подозрительный участок, но шевеление не повторялось. Может, качнулся камень, проскользнуло какое-то животное, или просто свет сменился тенью... Когда после темноты смотришь на свет, всякое может померещиться... Но камни сами по себе не шевелятся, крупные животные здесь, по-моему, не водятся, даже тени просто так не играют! Разве что бесплотный черный всадник... Но я материалист! Если бы в руках был бинокль, а еще лучше — оптический прицел, надетый на что положено, можно было бы разрешить свои сомнения, а во втором случае — сразу и устранить их причину. Но если бы да кабы — известно, что бы и где выросло...

Братья вышли из расщелины через сорок минут, причем с пустыми руками. Нет, не совсем с пустыми: фонари и палочка у них остались, но ничего нового не прибавилось.

— Не нашли, это не та пещера,— пояснил Ахмед, хотя все было ясно и без пояснений.

— Жалко! — совершенно искренне сказал я.

Он пожал плечами.

— Ветер всегда дует не туда, куда хотят корабли...

Оценив всю глубину восточной мудрости, я в очередной раз впился взглядом ему в лицо.

— Здесь есть какие-нибудь животные?

Агент равнодушно пожал плечами.

— Ящерицы, змеи, тушканчики... А что?

— По-моему, я видел какое-то движение на той стороне. Кто это мог быть?

Ахмед улыбнулся и махнул рукой.

— Никто. Показалось.

Когда человек врет, у него чуть плотнее сжимаются губы, слегка прищуриваются глаза, четче очерчиваются носогубные складки. Эти изменения нелегко заметить, но я проходил специальную подготовку... И должен признать, что выражение лица Ахмеда осталось совершенно спокойным. Мимика лжи никак себя не проявила. Интересно, если бы я спросил про пистолет, он бы сумел совладать с собой?

Не буду описывать спуск к машине, скажу только, что половину пути я катился колобком, и мой щегольской костюм теперь больше подходил не для преуспевающего российского бизнесмена, а для огородного пугала. Потом мы поехали дальше, я внимательно смотрел по сторонам, и обилие пещер приводило меня в уныние: какой-то швейцарский сыр, только черный. Сколько же времени уйдет на поиски?

Но Саид вел себя довольно уверенно: он знал, с какой стороны расположена нужная пещера, помнил сопутствующие приметы и не отвлекался зря. Второй раз джип остановился у похожей каменной осыпи, ведущей к такой же, как первая, расщелине.

На этот раз русский бизнесмен Горин остался внизу, вознамерившись подремать на удобном кожаном сиденье для восстановления сил. Его плачевный вид вполне оправдывал это желание.

Когда братья скрылись в пещере, я в очередной раз внимательно осмотрел окрестности. Потом, подчиняясь внезапно пришедшей мысли, открыл перчаточный ящик и осторожно извлек тяжелый «Дезерт Игл» на свет божий.

Тусклый блеск и завораживающие обводы совершенной машины убийства гипнотизировали, пальцы непроизвольно сжали рифленую рукоятку. По привычке чуть оттянув затвор, я увидел матово-желтый цилиндр патрона. Однако! Только отчаянные, привыкшие к оружию люди досылают патрон в ствол, чтобы сэкономить несколько секунд для первого выстрела. Так делают те, которые ходят «по краю», постоянно рискуют своей шкурой... Или готовятся к тому, чтобы отобрать чужую жизнь...

Мысли бежали быстро, а руки действовали сами по себе, подчиняясь выработанным рефлексам. Через мгновенье «ускоряющий» патрон оказался у меня в кармане. Зачем? Этого я и сам точно не знал. Просто чтобы изменить ситуацию, которая потенциально может представлять угрозу. Так когда-то учил дядя Витя в учебном спецкурсе «Тактика оперативно-разведывательных действий». Нарушить тщательно выстроенные кем-то планы всегда полезно. Этим ты повышаешь свои шансы и, соответственно, уменьшаешь шансы того, кто играет против тебя.

Я полез за платком, чтобы обтереть пистолет.

— Э-гей! Э-э-ге-гей! — раздался крик сверху.— Э-ге-ге-гей!

Клич привлечения внимания на всех языках звучит одинаково и понятен без перевода, как универсальный, но так никем и не выученный язык эсперанто.

«Дезерт Игл» мгновенно оказался в «бардачке», крышка ящика мягко захлопнулась, а выведенный из дремы Игорь Андреевич Горин, протирая глаза, неловко выбрался из автомобиля.

Ахмед Табба, он же Анри́, он же неизвестно кто, обладающий запрещенным оружием, приготовленным к мгновенному использованию, выбрался из пещеры и, широко улыбаясь, размахивал брезентовым свертком. Рядом стоял Саид. Его лицо было невозмутимым, как и полагается при такой профессии...

Довольно ловко братья спустились вниз, и я, отойдя в сторону, с трепетом развернул брезентовый прямоугольник. Можно было подумать, что внутри икона или картина размером двадцать на пятнадцать сантиметров. Но «объект номер ноль» был чем-то похож на медовую соту светло-желтого цвета, только ячейки наполнены не медом, а прозрачными кристалликами... Это было совершенно необычное вещество, твердое и легкое. Очень легкое... Если оно действительно заменяет свинец десятисантиметровой толщины, то его применение на подводном крейсере даст выигрыш в весе не меньше, чем несколько тонн! А это скорость, маневренность, дополнительное вооружение... Да и для космического дела весьма перспективно. А может, и еще для чего-то, недаром же в Центре вдруг встрепенулись!

Края объекта были неровными, рваными, некоторые ячейки оплавились, заполнявшее их прозрачное вещество вытекло и застыло маленькими помутневшими слезинками. От неизвестного материала доносился отчетливый запах взрыва, пожара, катастрофы...

Завернув «объект номер ноль» обратно в брезент, я отдал его Ахмеду.

— Пусть пока побудет у тебя.

Небольшая хитрость, мера предосторожности: если местная контрразведка собирается захватить честного российского гражданина Игоря Андреевича Горина с поличным, то никакого «поличного» при нем не окажется, и тогда каждому непредвзятому человеку в мире станет ясно, что это просто грязная провокация.

Ахмед не возражал и послушно спрятал находку под свой жилет. Он еще не знал, что если захочет застрелить своего нового куратора, то не сможет этого сделать. По крайней мере, сразу. Осечка вызовет у него замешательство, растерянность, а скромный Игорь Андреевич, выгадавший бесценные секунды, может преподнести несостоявшемуся убийце сюрприз. Очень неожиданный сюрприз...

Теперь, когда цель достигнута, я настроился на немедленное возвращение, но ночь упала на горное ущелье мгновенно, как сокол-сапсан на тушканчика, и братья решили заночевать здесь. Дурная слава ущелья их не пугала. «Свершается только то, что допускает Аллах»,— в ответ на мой вопрос перевел Ахмед слова Саида. Похоже, он был полностью согласен с такой позицией.

Под длинным и узким, как палец, камнем братья сноровисто разбили лагерь. На крыше джипа закрепили мощную аккумуляторную лампу дневного света, рядом установили небольшую желтую палатку с надувным матрацем. Ахмед достал портативную газовую плиту, поставил на голубой венчик огня компактную тефлоновую сковородку...

Дикая природа подействовала на Ахмеда благотворно — он как будто помолодел: спина распрямилась, фигура утратила кабинетную грузность, движения стали быстрыми, уверенными и точными. Лицо уже не казалось одутловатым, быстрый цепкий взгляд выдавал авантюрный склад характера и способность к решительным действиям. Написанная мной характеристика оказалась неточной и требовала существенного дополнения. Сейчас Анри мало походил на законопослушного менеджера «Этисалата» и тайного агента российской разведки. Сейчас он находился в своей третьей ипостаси и вполне мог быть контрабандистом, торговцем живым товаром или разбойником пустыни. Когда первая и вторая оболочка оказались сброшенными, он приобрел новый облик и стал вполне похож на человека, который держит под рукой мощный пистолет с досланным в ствол патроном! И я похвалил себя за то, что переложил этот патрон себе в карман. Хотя, конечно, это слабое утешение.

В просторном багажнике «мицубиси паджеро» оказалась уйма полезных вещей: и небольшой холодильник с телячьими антрекотами, и раскладной столик с четырьмя стульями, и одеяла, и канистра с водой,— словом, все, что надо для более-менее комфортабельного ночлега.

Вскоре по ущелью поплыл будоражащий аромат жареного мяса. Мы сели за стол. У Саида оказалась с собой настоящая еда бедуинов — лепешки и вяленая верблюжатина. Но хотя он тщательно вымыл руки и еще не доставал свою саблю, я не притронулся к этой экзотике. Вообще аппетита у меня не было, чего нельзя сказать про моих спутников. Для снятия стресса я бы с удовольствием выпил сто граммов водки или виски, но как раз спиртного у запасливого Ахмеда Таббы оказаться не могло. Пришлось довольствоваться терпким чаем из травы заатар и горстью фиников.

После ужина Саид принялся править лезвие сабли, пояснив что-то для меня.

— Меч стоит четыре тысячи долларов,— перевел Ахмед.— Это дар правительства, но за ним надо тщательно ухаживать, иначе он не сможет так хорошо рубить...

Мне было интересно, почему Саид не справляет свою работу в маске, и при случае я решил спросить его об этом. Но перебивать неудобно, братья оживленно разговаривают между собой, по тону и общему смыслу я понимаю, что Саид чем-то недоволен. Поймав мой заинтересованный взгляд, Ахмед переводит:

— Саид не понимает тех, кто приходит смотреть и падает в обморок. Это неприлично. Зачем тогда вообще приходить? Тень этих обмороков невольно омрачает его репутацию, а ведь среди зрителей много его друзей! Что они подумают?

— Я вообще не знал, что у вас проводятся публичные казни...

— Очень редко. По специальному распоряжению шейха. Когда преступник совершил особо тяжкое злодеяние...

— А Саида не смущают зрители?

Ахмед искренне округлил глаза.

— Почему они должны его смущать? Он выполняет работу Аллаха и гордится этим! Наше общество понимает законы Аллаха. И я, и другие родственники, и его друзья — все мы гордимся Саидом!

Интересный поворот темы! Я делаю многозначительный вид и понимающе киваю.

— Ах да, конечно... Но мне кажется, Саид чем-то недоволен...

— Брат по натуре добросовестный и требовательный к себе,— кивает Ахмед.— Он не очень доволен сегодняшней процедурой. Не технической стороной, нет, тут все выполнено безупречно. Но он не смог найти родственников сегодняшнего парня: они от стыда уехали неизвестно куда...

— А зачем их искать? — удивился я.

— Чтобы попросить прощения за то, что их близкому придется умереть,— терпеливо разъясняет Ахмед. Кажется, он считает меня идиотом. Конечно, не персонально, а как представителя всех европейцев.

— Ты же видел, как искренне Саид молился за него! Он сопереживает второму участнику процедуры и до последнего надеется, что тот не умрет: его могут помиловать, могут отменить приговор... И Саид обрадуется такому исходу!

Саид следит за нашим разговором и понимает, о чем идет речь. Он показывает на саблю, на себя, качает головой и что-то говорит.

— Саид исполняет волю Аллаха, но он не бездушный инструмент, как этот меч. Он сопереживает каждому, кого провожает на небеса,— переводит Ахмед.

— А сколько Саиду лет?

Палач пальцем рисует на черном песке под ногами цифры: одна тысяча триста тридцать семь. Хотя яркая лампа хорошо освещает их, я не понимаю, что это значит.

— Это одна тысяча триста тридцать седьмой год Хиджры,— поясняет Ахмед.— По вашему летоисчислению он родился в тысяча девятьсот пятьдесят девятом году.

— И давно он работает... гм... на этом месте?

— Больше двадцати лет.

— А сколько... процедур он провел?

Ахмед обращается к брату, тот ненадолго задумывается и нехотя отвечает.

— Он не считает и старается забыть то, что осталось позади. Поэтому он спокойно спит, спокойно живет.

Саид добавляет еще несколько фраз, Ахмед тут же переводит.

— Работа есть работа, на жизнь она не влияет. Никто его не боится, у него много друзей.

Я киваю в очередной раз. Эти обыденные и понятные объяснения развеивают стереотипный образ верзилы в красной замызганной рубахе, с глазами, сверкающими из треугольных глазниц зловещего черного колпака, как ветер пустыни развеивает взметенный копытами коня песок... Вопрос про маску отпадает сам собой. Действительно, если палач не закомплексованный садюга-изгой, творящий зло по причине низменности своей натуры, а обычный член общества, делающий социально-полезную работу, то зачем ему прятать лицо? Гм... Непривычный для российского менталитета подход!

По ущелью пронесся ветерок, я поежился. Ночью горы быстро остывают, прохлада ощутимо забирается под одежду. Сейчас, наверное, градусов пятнадцать-шестнадцать. Зима все-таки...

Ахмед идет к джипу и приносит три клетчатых шотландских пледа, которые явно дисгармонируют с первобытными скалами вокруг. Впрочем, как и все остальное, собранное под острым каменным пальцем, указывающим в бездонное небо: современный внедорожник, переносной холодильник, сабля для казней, сверхсекретный антирадиационный материал, известный российской разведке как «объект номер ноль»... Большую степень эклектизма трудно себе представить! Да и компания подобралась специфическая: шпион, палач, агент шпиона, который вдобавок вообще неизвестно кто!

Набросив на плечи одеяла, мы сидим молча. Саид полюбовался идеально выведенным клинком, спрятал точильный брусок и аккуратно вложил саблю в ножны. Теперь глубокую тишину нарушают лишь тихое потрескивание лампы да далекий вой какого-то зверя. Звезды с любопытством рассматривают нас с высоты, хотя, наверное, их любопытство я преувеличиваю, а высоту преуменьшаю... Таких крохотных, чтобы не сказать ничтожных, букашек, как мы, они даже не заметят.

Первобытную ночную тишину нарушает резкий зуммер телефонного вызова. Так удар бича в цирке разрывает туго натянутую черную ткань. Ахмед Табба вздрагивает, в мертвенном свете ртутной лампы видно, как он покрывается потом. Даже Саид утратил обычную невозмутимость и смотрит если не испуганно, то удивленно: ведь в ущелье сигналы сотовой связи не доходят!

С технической стороной дела все проясняется немедленно: Ахмед достает из-под пледа не телефон, а портативную рацию. И тут же появляются новые вопросы, оживают прежние подозрения... Ведь такая штучка — не гражданский прибор, это изделие специального назначения! Что все это значит? Что Анри — «двойник»? Но тогда почему он потеет? Чего ему бояться своих хозяев? И зачем они ему звонят? Тем более что радиус связи в горах короткий, значит, они где-то рядом... К чему тогда этот вызов? Что-то нет здесь никакой логики! Но с другой стороны, двадцать лет тюрьмы можно получить и без всякой логики...

Честно говоря, мне не по себе. Это еще при предельном смягчении выражений. Если не облагораживать свои ощущения и не бояться грубых слов, то можно сказать, что я чуть не наложил в штаны. Одно дело — рассуждать об обоснованности умозаключений в университетской аудитории, учебном классе нашей сто первой школы или в кабинете Ивана, а совсем другое — в чужой стране, «на холоде», даже жарком, в ущелье первобытных черных скал, когда вокруг происходят события, срежиссированные кем-то другим и тебе непонятные, когда неизвестно, что за люди вокруг тебя — друзья или враги, и когда трудно предположить, как сложится твое будущее: удастся унести ноги или попадешь в тюрьму, а то и под саблю палача... Машинально сую руку в боковой карман, но там только четырехсантиметровый патрон «Степного Орла» с усеченным конусом пули. Если он в пустой руке, вряд ли им можно защититься от опасности...

Зуммер продолжает дребезжать. Ахмед нехотя нажимает клавишу, и в напряженную тишину нашего замершего бивуака врывается усиленный динамиком густой мужской бас, уверенный, высокомерный и устрашающий. Как будто говорят черные скалы, черная ночь или сам Черный бедуин...

Симплексная связь, которая обычно применяется в рациях, позволяет слушать весь разговор, и мы с Саидом эту возможность использовали, только он понимал, о чем идет речь, а я нет, хотя и разбирал отдельные слова.

Неизвестный требовал какой-то товар, Ахмед оправдывался и что-то объяснял. Надо сказать, что своим голосом он владел лучше, чем телом, и если не видеть его дрожащую руку, вытирающую обильный пот с лица, то можно подумать,что он сохраняет спокойствие и уверенность. Разговор закончился на повышенных тонах. Угрожающая фраза повисла в воздухе.

Саид начал резко выговаривать что-то брату. Тот опустил голову. Саид продолжал бранить его, и голова Ахмеда опускалась все ниже, как будто подставляя шею для сабли Саида.

Нехорошо прерывать семейные разговоры, но еще хуже терпеть неопределенность.

— Что происходит, Ахмед? — бесцеремонно перебил я младшего брата.

Агент повернулся ко мне.

— У нас возникла проблема,— не глядя в глаза, произнес он.— Год назад я связался с нехорошими людьми и помогал им в одном грязном деле... Потом случилась неприятность... Партия товара пропала... Они подумали, что я его украл. Это не так, и доказательств не было, но подозрения остались. А сегодня они выследили нас и решили, что в свертке — тот самый товар...

— Что за товар?

— Наркотик,— Ахмед Табба вновь опустил голову.— Героин. Килограмм героина...

— Ничего себе!

Недавно наш соотечественник продал в Дубаи один грамм героина за двести долларов и получил двадцать лет тюрьмы!

— Ничего себе,— повторил я, еще не зная: верить в эту историю или не верить. Но она многое объясняла. И выглядела вполне правдоподобно, хотя правдоподобие в нашей жизни ничего не значит.— И что теперь?

Ахмед развел руками.

— Они предложили положить товар на землю и уйти, чтобы вы с Саидом не видели их лиц. А я предложил показать то, что мы на самом деле забрали из пещеры... Пусть убедятся, что это не их порошок...

— Что за глупость! Мы им ничего не покажем! — раздраженно выкрикнул я и, перехватив удивленный взгляд Саида, тут же пожалел о своей несдержанности. С агентом нельзя так разговаривать. Как правило, нельзя.

— Видишь ли, Ахмед, мы не можем показывать секретный объект посторонним людям! Это против всех правил! К тому же очень опасно! А главное — это не докажет твою правоту и ни в чем их не убедит!

— Тогда нас убьют,— тихо сказал Ахмед.— Разве это менее опасно?

Вдали послышался приглушенный шум мотора. Следуя логике, мне надо было немедленно забрать у него «объект номер ноль» и скрыться в горах, предоставив незадачливому агенту самому выпутываться из паутины своих грязных делишек. Но... Если это «постановка» контрразведки, то ее цель в том и состоит, чтобы улика оказалась у меня!

— А Саид в курсе дела?

Ахмед покачал головой.

— Нет. Но он слышал разговор и все понял. Ругал меня, говорил, что за килограмм героина мне отрубят голову... И что именно ему придется это делать...

— Так что мы сидим?! Чего ждем? Давай быстро уедем отсюда!

Агент покачал головой еще раз.

— Нам некуда деваться. Из ущелья нет второго выхода. Мы с Саидом постараемся их убедить...

Саид пошевелился, под пледом раздался продолжительный скрежет клинка о ножны. Я понял, какой аргумент приготовил палач. Похоже, он у него единственный на все случаи жизни.

Почти сразу из темноты бесшумно вынырнули три тени. В мертвенном свете ртутного фонаря они материализовались в одетых по-походному людей. Куртки цвета хаки с многочисленными «молниями», брюки из плотной ткани, тяжелые ботинки. На головах платки, завязанные, словно в песчаную бурю: лица закрыты, оставлена только узкая полоска для глаз. Что ж, это хороший признак: значит, не собираются убирать свидетелей... Но в руках все трое держали пистолеты, и вряд ли это подтверждало добрые намерения...

Высокий рослый мужчина, настоящий гигант, подошел к Ахмеду почти вплотную и заговорил тем самым низким устрашающим голосом, который только что раздавался из рации. Ахмед что-то лепетал в свое оправдание. Лицом к лицу с атлетом, он утратил видимость спокойствия и деланную уверенность, а потому выглядел довольно жалко. Только через минуту я понял, что этой уловкой он усыплял бдительность незнакомца.

Потому что, когда разговор зашел в тупик и гигант поднял руку, удлиненную двадцатью шестью сантиметрами вороненой стали, Ахмед высунул из-под пледа уже знакомый мне «Дезерт Игл» и, не тратя времени на угрозы, без колебаний нажал на спуск. Раздался металлический щелчок, который в холодной ночной тишине прогремел, как выстрел, но, увы, только в фигуральном смысле.

От неожиданности троица с закрытыми лицами отпрянула, и даже их рослый предводитель ошарашенно отшатнулся, теряя драгоценные секунды. Но пока Ахмед передергивал затвор, он сумел бы взять реванш и наделать в нем дырок. Если бы я, восстанавливая нарушенное мною же развитие причинно-следственных связей, не швырнул нагревшийся в кармане патрон ему в голову. Этому патрону и человеку, прицелившемуся в Ахмеда, изначально было суждено встретиться. По воле Провидения, увесистый цилиндрик угодил в щель защитной повязки. Великан вскрикнул и схватился за глаз, пистолет в его руке выстрелил неизвестно куда.

В следующую секунду подал голос и «Степной Орел». Никакого светящегося следа пули я не увидел, но грохот действительно был сродни раскату грома — тут реклама не врала. Действие выстрела тоже оказалось впечатляющим: великана с закутанным лицом выбросило из светового круга и с силой шваркнуло о каменистую землю. Судя по безжизненно раскинутым подошвам, ему уже не суждено было когда-нибудь подняться на ноги.

Когда начинается стрельба, время замедляет свой бег. Словно при замедленной съемке, отлетел в сторону шотландский плед. Саид вскакивал, как внезапно освобожденная тугая пружина, его сабля описывала широкий полукруг, спутники «черного бедуина» поднимали свои пистолеты, навстречу им тянул «Степного Орла» бывший мирный телефонист, а нынче шпион и наркоторговец Ахмед Табба.

Сабля встретила на своем пути шею худощавого гибкого араба и беспрепятственно прошла насквозь, закутанная голова слетела с плеч, платок развернулся, и она, будто устыдившись, укатилась в темноту, а отсверкивающий в мерцающих белых волнах ртутного света клинок изменил траекторию и продолжил неотвратимое и угрожающее движение. Третий нападающий выстрелил раз и второй, причем обостренным сознанием я сразу понял, что он попал в цель. Он бы стрелял еще, но сабля Саида отсекла ему кисть с половиной предплечья. Отрубленная рука упала на землю, нервные импульсы успели добежать до указательного пальца и сжать его, раздался еще один выстрел, пуля с визгом срикошетировала и шлепнулась о камень.

Издав истошный крик и зажав фонтанирующий кровью обрубок, раненый бросился наутек. Его никто не преследовал: наше внимание переключилось на Ахмеда. Тот навзничь лежал на скомканном пледе, и даже неопытному человеку было ясно, что обе пули попали ему в грудь.

Бедняга! Теперь совершенно ясно, что он не стал агентом-двойником, и спецслужбы не имели никакого отношения ко всему происшедшему... Значит, хотя это и звучит довольно цинично, происшедшее не имеет никакого отношения ко мне! Можно перевести дух, забрать «объект номер ноль» и уносить ноги. Правда, неизвестно, как поведет себя Саид... Скосив глаза, я нашел взглядом лежащий на земле «Дезерт Игл». До него можно добраться одним прыжком. Надеюсь, что до крайностей не дойдет...

Саид бросил саблю, наклонился к брату, распахнул жилет с двумя круглыми отверстиями посередине груди, а я очень естественно взял серый сверток, мешающий расстегнуть рубашку. И сразу понял, что «объект номер ноль» способен не только задерживать радиацию, но и останавливать пули. Пластина ячеистого материала была вмята, зато рубашка Ахмеда осталась целой, да и следов крови не видно... Я развернул брезент. Точно — хвостовики пуль торчали из желтой «медовой соты». Агенту повезло: он отделался контузией, да, может быть, трещинами ребер.

Саид еще этого не знал: он рывком разорвал клетчатую ткань, ожидая увидеть смертельные раны, и теперь недоуменно рассматривал безволосую, но совершенно не поврежденную грудь брата. Не понимая, в чем дело, он провел пальцем по смуглой коже, потом пал ниц и принялся горячо молиться.

Ахмед открыл глаза и сказал что-то по-арабски. Лицо его постепенно приобретало осмысленное выражение. Он опасливо потрогал грудь, кряхтя сел, поморщившись, осмотрел ладонь, явно ожидая увидеть следы крови.

— Я не ранен? Он стрелял прямо в меня...

— Пистолет не очень мощный,— я показал ему застрявшие пули.

Агент должен знать, что остался жив благодаря мне. Ведь именно я дал ему спрятать спасительный «объект номер ноль», без которого сейчас он был бы хладным трупом! Чувство благодарности, как правило, усиливает преданность. Хотя из этого правила есть много исключений...

Ахмед огляделся.

— А где эти? Их только трое? Что с ними?

Как говорится, хрен его знает! Но друга следует успокоить. Поэтому я доброжелательно улыбнулся:

— Все в порядке, Ахмед, не волнуйся. Все хорошо.

Это была психотерапия в чистом виде. Вряд ли можно сказать, что у нас все в порядке. Да и применимо ли к сложившейся ситуации слово «хорошо» — тоже большой вопрос. Где-то рядом должно быть минимум два трупа. А может, и все три... И неизвестно, кто еще поджидает нас в темноте!

В чистом воздухе отчетливо слышался запах порохового дыма. И смерти.

«Объект номер ноль» надежно зажат под мышкой, поэтому организм расслабился, и меня стал бить «отходняк». Сердце колотилось, желудок сжался, по спине катился холодный пот... «Постстрессовое состояние» — вот как это называется по-научному! Возрастает уровень адреналина, резко падает содержание сахара, повышается вязкость крови, сжимаются периферические сосуды, растет давление... Дело может закончиться инфарктом. Или инсультом — хрен редьки не слаще...

Сейчас, по всем правилам, надо вколоть шприц-тюбик «Антистресса», который вместе со стимулятором «Озверин» и «Обезболивателем» входит в комплект бойца разведки специального назначения. Это другое ведомство, но иногда кое-что нам перепадает. Однако сейчас спецпрепарата, естественно, нет. Во-первых, он раскрывает причастность к особым службам, а во-вторых, в Эмиратах сажают даже за невинные транквилизаторы: «Тазепам» и любые его разновидности приравниваются здесь к наркотикам! Самое милое дело — выпить водки, но и водки нет... Остается собрать волю в кулак и успокоиться без каких-либо препаратов. Успокоить себя самому. Короче, самоудовлетвориться. С волей-то в кулаке... Прямо мастурбация какая-то!

Я стал размеренно дышать низом живота, повторяя формулу расслабления из йоговской медитации: «Я спокоен, я совершенно спокоен и расслаблен...» Честно говоря, помогало мало.

Обхватив грудную клетку, Ахмед осторожно поднялся. Его взгляд уперся в отрубленную руку с намертво зажатым пистолетом. Ахмед снова погладил ушибленную грудь и отвернулся. Закончивший благодарить Всевышнего Саид подошел к нему вплотную. Братья обнялись и трижды соприкоснулись щеками. Ахмед болезненно морщился. Потом я подкрутил кронштейн и поднял фонарь, расширяя круг света. Теперь можно осмотреться.

Убитый Ахмедом великан лежал навзничь, раскинув руки. Похоже, пуля пробила его насквозь, и крови натекло много. В мертвенном свете галогеновой лампы она казалась черной, как мазут. Его напарник упал ничком и уткнулся бы лицом в землю, если бы оно осталось на своем месте. Но теперь шея обрывалась на огромном пятне «мазута», а лицо белело в стороне, глядя открытыми глазами в безразличное небо пустыни. Обильные мазки и черные пятна уходили в сторону. Как преследующая подранка гончая, Саид, подсвечивая фонариком, двинулся в темноту. Через несколько метров он нашел третье тело. Здесь зловещая черная лужа вытекла из обрубка руки, и причина смерти не вызывала сомнений: острая кровопотеря...

Да, с тем, что «все хорошо», я поторопился... Директор фирмы «Московские огни» вляпался в прескверную историю! Утешает только то, что он ни к чему не приложил руку. Почти ни к чему...

Внезапно Саид издал гортанный крик и принялся что-то горячо объяснять Ахмеду. Тот тоже пришел в возбуждение. Братья подскочили к великану, осторожно развернули платок, открывая лицо, и с возгласом ужаса отпрянули в сторону. Оба указывали в одном направлении: тяжелый патрон «Степного Орла» торчал в правой глазнице убитого!

Мне показалось, что это Амбал, но точно утверждать не мог, ибо лицо было залито кровью.

— Это Знак! — воскликнул Ахмед.— Саид говорит, что это зловещий Знак переведенной Судьбы!

— Знак переведенной Судьбы? — не понимая, переспросил я. Казалось, если убить троих, то что может быть хуже, даже без всяких Знаков?

— Видишь, как они убиты?! Отсеченная голова, отрубленная рука, пуля в правом глазу! Так убивал путников Черный бедуин!

— Ну и что? Это простое совпадение. При чем здесь Черный бедуин? Вы просто спасались от нападения и лишили их жизни! Самооборона, вот как это называется!

— Нет, Саид говорит, что это **он** убил их нашими руками! **Таких** совпадений не бывает! **Он** перевел свою Судьбу на нас!

— И что это, по-вашему, означает? Что теперь будет?

Глаза Ахмеда расширились.

— Мы не выйдем из ущелья! Мы останемся здесь навсегда и будем делать то, что делал Черный бедуин! Это проклятье!

Как ни странно, теперь я совершенно успокоился. Наверное, подсознательно настроился на борьбу, преодоление препятствий, выполнение задачи... А значит, мобилизовались все ресурсы моего многострадального организма...

— Лично я выйду из ущелья,— холодно сказал я и поднял с земли пистолет одного из убитых.— Мне надо возвращаться! Не думаю, что кто-то сможет меня остановить! Советую и вам идти со мной. Надо ехать прямо сейчас!

Очевидно, мой уверенный тон подействовал на агента. Он о чем-то поговорил с братом, и они принялись быстро сворачивать лагерь. Саид был не похож на себя. Куда девались непоколебимая монументальность и спокойствие! Сейчас он выглядел подавленным и даже испуганным.

* * *

Ночью по Черному ущелью действительно лучше не ездить. Густой непроглядный мрак, лучи фар то упираются в скалы, то проваливаются в пустоту. Бесформенные угловатые тени, как пятна камуфляжа, маскируют повороты дороги, они похожи на черные угловатые камни, а камни, в свою очередь, очень трудно отличить от теней. В результате ничего не стоит свалиться в пропасть или врезаться в обломок скалы. К тому же, не исключена засада...

Несмотря на сложные условия, «мицубиси паджеро» развил восемьдесят километров в час, и это грамотно, ибо может спасти при обстреле, но из-за скорости и плохой видимости машина с трудом вписывается в повороты, затылок сидящего за рулем Ахмеда закаменел от напряжения. Тем более что под рукой он еще держит свой «Дезерт Игл», чтобы отстреливаться, если придется... Саид отказался брать пистолет и сжимает между ног свою саблю, которая вряд ли поможет, если на нас все же нападут. И я на всякий случай ласкаю в ладони подобранное оружие. По иронии судьбы это отечественный «ТТ», изготовленный в Китае из низкосортной стали. Такие выходят из строя после двухсот выстрелов, зато очень дешево стоят.

Саид все время молится. В перерывах он что-то бормочет и тяжело вздыхает.

— Брат очень переживает,— поясняет Ахмед, и в голосе его чувствуются виноватые нотки.— Ведь он лишил жизни двух человек!

— Но ведь ему, кажется, не впервой,— бестактно говорю я.

Ахмед недовольно фыркает.

— Разве можно сравнивать! Это ведь совершенно разные вещи!

Я умолкаю. В конце концов, муки совести Саида — это проблема самого Саида. Для меня главное — выбраться из страны. А для начала — из ущелья.

Засады не оказалось. В полукилометре криво стоял брошенный джип неизвестной породы с незахлопнутой в спешке дверью водителя. Наверное, кожа его сидений еще хранила тепло остывающих неподалеку тел тех, кто на нем приехал. Темная масса поперек дороги появилась неожиданно, но реакция водителя оказалась отменной:

Ахмед притормозил, по краю обрыва осторожно объехал осиротевшую машину, после чего вновь набрал скорость. Я перевел дух. Конечно, не исключено, что нас ждут у выезда из ущелья, но интуиция подсказывала, что дорога свободна.

Очевидно, у моих спутников появилось такое же ощущение: братья оживленно заговорили между собой. Точнее, говорил Саид, а Ахмед отвечал ему, явно не соглашаясь. Но меня все происходящее уже не касалось. Обтерев пистолет, я бросил его на пол, откинулся на спинку сиденья и прикрыл глаза, намечая план дальнейших действий.

Итак, как только появится связь, я позвоню Попову и условными фразами доложу, что объект у меня. Пусть высылает навстречу Мишу или кого-то там еще... Секретная пластина уйдет в дипломатической почте, а Игорь Андреевич Горин наконец-то улетит в Москву! Ура!

— Возникла проблема,— сказал Ахмед, и вначале я не понял, что он обращается ко мне. Но кому еще здесь может адресоваться фраза на английском?

— Что?

— Проблема. Саид требует, чтобы мы все явились в полицию и дали правдивые показания.

— Он с ума сошел!

— Нет. Просто брат — добросовестный человек. Он государственный служащий, работает в судебной системе и обязан поддерживать правопорядок. Тем более, если скрыть происшедшее, то самооборона превратится в преступление!

Очень трудно вести неприятный разговор с человеком, сидящим к тебе спиной. Так его невозможно переубедить.

— Но ты же понимаешь, что нам нельзя идти в полицию! Нельзя рассказывать, зачем мы приезжали в ущелье, нельзя показывать «объект номер ноль»! Ты понимаешь это, Анри?!

— Я понимаю. Саид — нет. Он говорит, что ты подозрительный иностранец, и все, что мы делали в ущелье, очень подозрительно. Он говорит, что никогда бы не ввязался в эту историю, если бы не поверил своему брату, то есть мне. Мне очень стыдно. Я подвел Саида. Он может потерять работу и положение в обществе.

— Да он и так все потеряет! — заорал я.— Единственный способ оставить все как есть — забыть о том, что произошло! Нас никто не найдет!

Саид, не поворачиваясь, что-то негромко сказал. Очень негромко, особенно на фоне моего крика.

— Аллаха не обмануть,— перевел Ахмед.— Видишь, Саид очень чуткий человек. Он не понимает слов, но чувствует, о чем мы говорим.

— А он не чувствует, что будет дальше?! Нас всех посадят в тюрьму, а может, и казнят! За убийства, наркотики, шпионаж!

— Он говорит, что такова Судьба. На все воля Аллаха!

Машина подскакивает на неровностях каменистой почвы, трясется и раскачивается. С трудом удерживаясь в согнутом состоянии, я шарю по полу, нахожу «ТТ» и снова выпрямляюсь. Меня просто загоняют в угол, принуждая застрелить Саида, а заодно и его братца. Причем делают это они сами! Или... Или всем руководит проклятье Черного бедуина из мрачной средневековой легенды?

Остановка, короткая схватка, выстрелы, взмах острой, приученной к человеческой крови сабли... И как результат — три трупа: один обезглавленный и двое застреленных... Вполне реальная ситуация! Причем не исключено, что пуля попадет кому-то именно в правый глаз... А кому отрубят голову — и так ясно... Бр-р-р! Бедный Игорь Андреевич...

Все это ерунда. И проклятье, и кровавая «мясня». Мы же материалисты. И профессионалы. Грамотная «ликвидация», «терминирование», «стирание», «сливание», «спускание»: спецслужбы мира придумали много эвфемизмов, заменяющих не знающее оправданий слово «убийство»,— так вот, грамотное убийство исключает сопротивление, схватки, потери... Дождаться, пока Ахмед притормозит, пустить каждому по пуле в затылок — и все дела! Но для этого на заднем сиденье «мицубиси паджеро» должен сидеть другой человек. Мастер «мокрых дел». К тому же получивший санкцию руководства на проведение «острой акции». А их не выдают уже лет тридцать! Хотя в последнее время прецеденты появились...

Но как бы то ни было, майор Полянский не может убивать людей выстрелами в затылок, так что жизни братьев ничего не угрожает. Мое оружие — слово!

— Послушай, Анри,— строго официально говорю я, стараясь, чтобы слова звучали веско и значимо.— Ты знаешь наши правила. Если ты сдашь меня властям, сам понимаешь, что будет!

А что, собственно, будет? Мне будет плохо в эмиратской тюрьме, вот и все. Какое Анри до этого дело?

Но агент воспринимает произнесенную фразу как угрозу. Он думает, что за меня будут мстить... Смешно! Кого можно представить в роли мстителя? Резидента Попова? Или этого юнца Мишу, как там его фамилия... Как говорится, и смех и грех!

— Я не собираюсь тебя сдавать. Зачем мне это? Но что я могу поделать с Саидом?

— Каждый караван выбирает свой путь,— блеснул я знанием восточных поговорок.— Пусть он делает, что хочет, а ты делай, что должен!

Больше за всю дорогу я не произнес ни слова. Но и сказанного оказалось достаточно.

Ахмед стал решительно возражать Саиду, что-то громко доказывать, и резко настаивать на своем. Получив столь неожиданный отпор, тот обиженно замолк. В салоне джипа наступила напряженная тишина.

* * *

— Здравствуйте, Сан Саныч! — кричу я в трубку радостным голосом идиота.— Я нашел то, что нужно. Прекрасный браслет, вашей жене очень понравится!

«Сан Саныч» — это Петр Васильевич Попов, «браслет» — объект номер ноль. Про жену я сказал просто так, но это, наверное, Центр. Похоже на детскую игру. Но чтобы играть в нее, надо знать правила, а главное — догадываться о самом факте такой игры. Сим-карты наших телефонов куплены на подставных лиц, настораживающих слов в разговоре нет, значит, он не привлекает внимания. А следовательно, примитивный эзопов язык себя оправдывает!

— Это точно тот, который мы искали? — голос у моего собеседника напряженный и заспанный. Немудрено: пять утра... Я настроен снисходительно: хотя резидент формально и руководит операцией, но ночным бодрствованием он бы ничем мне не помог.

— Думаю, да. Во всяком случае, мы нашли его у того же ювелира...

Попов с полминуты молчит, расшифровывая услышанное. Я имел в виду, где положили, там и взяли. Как истолковал фразу он, не знаю, но голос стал спокойнее.

— Хорошо, когда я его увижу?

— Думаю, скоро. Высылайте Мишу мне навстречу.

— Мишу? В этом есть необходимость?! — Попов неприятно удивлен. Он думал, что помощь резидентуры ограничится ободряющими словами по телефону. Но мне просто необходимо прикрытие соотечественника с дипломатическим иммунитетом!

— Конечно! Я везу дорогую вещь, и будет лучше, если он мне поможет!

Наступила пауза.

— У вас не было осложнений? — прозорливо спросил резидент.

— Были,— честно ответил я.— Но нас они не касаются. Это проблемы ювелиров, что-то с клеймами...

— С клеймами?!

— Или с весом. Грамм в одну сторону, грамм в другую... Ювелиры будут разбираться между собой.

На этот раз мой собеседник явно не понял эзопова языка. Да он и не стремился вникать в подробности. Главное, что операция не прошла гладко. В таких случаях резидентура предпочитает держаться подальше.

— Эти осложнения уже закончились?

— Не знаю,— ответил я, глядя в напряженную спину Саида.

— Докладывайте обстановку. Только при полной ясности я смогу принять решение!

Попов отключился. Наверняка лег досыпать.

Мы въехали в Эль-Фуджэйру. Ахмед высадил Саида у полицейского участка, и тот, по-стариковски шаркая ногами, медленно побрел к длинному приземистому зданию с антеннами на крыше. Братья не попрощались, и я понял, что жизненные пути их разошлись навсегда. Впрочем, не получив родственной поддержки, Саид, возможно, будет менее откровенен со служителями закона. А возможно, и нет...

«Мицубиси паджеро» не трогался с места: подставив мне для обозрения свой далеко не французский профиль, Анри пристально смотрел вслед брату. Тот шел сгорбившись, зажав свою саблю под мышкой, и выглядел довольно нелепо. И подозрительно. Как бы сейчас его самого не отправили за решетку...

Но трое стоящих у входа полицейских почтительно поздоровались с главным палачом. Стало ясно, что его заявления будут приняты с полным пониманием и максимальным доверием. Когда полицейские посмотрели в нашу сторону, Ахмед, наконец, дал газ.

— Тебе надо быстро уезжать из страны,— озабоченно сказал он.

— Именно это я и собираюсь сделать.

— А мне придется явиться в полицию...

— Ничего страшного. Расскажешь, что в пещере прятал дорогую икону, которую продал неизвестному иностранцу. А когда какие-то вооруженные люди напали на наш лагерь, ты застрелил одного из его же пистолета...

Это настолько близко к правде, что опровергнуть тебя не сможет даже Саид. А других свидетелей нет.

Теперь тяжело вздохнул Ахмед.

— Аллах всему свидетель. От его взгляда не скроется ни одна неточность...

— Что ты имеешь в виду?

Ахмед вздохнул еще раз.

— Мне придется поклясться на Коране. А значит, я буду обязан говорить правду!

— Гм... — такой поворот темы поставил меня в тупик.

Основная проблема любой разведки мира — отличить истину от лжи. Для этого применяют внешний и внутренних контроль, перекрестные сверки, наружное наблюдение, прослушку, всякие другие хитроумные проверки, детекторы лжи, иногда — «сыворотку правды»... А тут привел к присяге на священной книге — и получай результат. Как просто!

— А куда мы едем? — внезапно настораживаюсь я.— Выезд из города в другой стороне...

— В порт. На трассе нас мгновенно перехватят.

— Так быстро? Разве мы преступники? Кто доказал нашу вину?

Ахмед пожимает плечами.

— Мы — недобросовестные свидетели, этого достаточно, чтобы захлопнуть наручники...

Да, здесь замечательная система судопроизводства. Недаром туристы не боятся гулять ночью по улицам и оставляют свои вещи, где попало...

— У тебя есть с собой деньги? — озабоченно спросил Ахмед.— Нам надо нанять лодку или катер.

— Есть.

— Тогда все в порядке.

Увы, я не был в этом уверен.

«Мицубиси паджеро» несся по ровному, как стрела, пустому проспекту. Небо на востоке посветлело, динамики мечетей звали правоверных на утреннюю молитву. Начинался рассвет.

* * *

Поиски судна затянулись и продлились почти до полудня. Ахмед куда-то убегал, возвращался, звонил по телефону и вновь исчезал. Я неприкаянно бродил по пассажирскому терминалу и, как мог, пытался убить время. Заглянул на почту, изучил весь ассортимент в сувенирных магазинчиках, съел довольно вкусную шаурму, бросил в воду монетку, как делают все туристы, чтобы вернуться в полюбившиеся места.

Наконец, появился Ахмед, и по его удовлетворенному виду я определил, что вопрос удалось разрешить. Так и оказалось.

Солнце пригревает, серо-голубая волна мягко плещет о борт небольшой деревянной шхуны, на которых для туристов обычно устраивают «Арабские ночи» с национальным застольем и обязательным танцем живота. Скоростные красавцы-катера принадлежат богатым людям, их не сдают в аренду, поэтому пришлось довольствоваться тем, что есть. Мерно тарахтит маломощный движок, вдали медленно движется пустынный берег.

Через час позвонил Миша.

— В утренних новостях показали ваш фоторобот,— тревожно сообщил он.— Очень похожий. Вас ищут в связи с тройным убийством в Черном ущелье. Пока как свидетеля. Однако на пистолете и еще одном орудии преступления обнаружены отпечатки пальцев. Они еще не идентифицированы, но полиция полагает, что это ваши...

— Не может быть! Это ерунда, провокация...

Я осекся на полуслове. Черт! Я же забыл протереть «Дезерт Игл»! И долго мусолил патрон, которым попал в глаз гиганту! Предельно смягчая выражения, на фига я это делал?!

— Как бы там ни было, с учетом сложившейся обстановки вам надо скрыться,— дает Миша дельный и совершенно бесплатный совет.

— Хорошо. Как это сделать?!

— Действуйте по обстановке.

— Твою мать! Как это «по обстановке»?! Какой план вы предлагаете и какую помощь мне оказываете?!

Я уже понял, какую помощь получу. Сам факт того, что резидент устранился от переговоров со мной, перепоручив их молодому сотруднику, говорил о многом. Собственно, обо всем!

— В сложившейся обстановке мы бессильны что-либо сделать...

— Да что ты мне заладил про обстановку! Пришлите вертолет, подводную лодку, автомобиль или ракету и сообщите мне координаты места встречи! Вот это и будет обстановка! А иначе — просто трусливая дресня!

На том конце связи Миша вздохнул.

— Мы будем стараться, но наши возможности ограничены... Пожалуйста, докладывайте обстановку...

На этом разговор был окончен. Я тут же почувствовал, что устал и хочу спать. Не мудрено: уже больше суток на ногах, в постоянном нервном напряжении...

Шхуну качает. Верный Анри без конца говорит по телефону, а иногда и по своей рации. Он пытается проложить для меня дальнейший маршрут. Рацией — по черным тропам, а телефоном... Вряд ли по белым. В лучшем случае — по грязно-серым. Но он, по крайней мере, старается...

— Есть один вариант,— опустив рацию, наконец, сообщает Анри.— Люди пустыни могут провести тебя в Саудовскую Аравию. Но они не любят посторонних, особенно европейцев. Они никого не любят, не признают никаких правил и законов. Потому что занимаются делами, которые не терпят свидетелей. Очень резкие люди... Но я сказал, что ты глухонемой араб из Египта. Против такого спутника они не возражают. Переход будет стоить тысячу долларов и займет три дня. Ты переоденешься в кондуру, закроешь лицо платком...

— Исключено! — резко перебиваю я.

Умный человек отличается от глупого не тем, что не совершает ошибок. Он их не повторяет.

Бедный Олег Павловский не проходил специальную подготовку для работы в Азиатском регионе. Его научили азам поведения, залегендировали как глухонемого после контузии и послали в Афганистан. Разовое поручение, кратковременная командировка — на пять-шесть дней, не больше. Халат, чалма, закрытое лицо, надежный агент-проводник из местных... Олег знал, как принимать пищу, как молиться, как носить оружие, как входить в жилище... Вначале все шло хорошо: задание было выполнено, оставалось только вернуться. Но когда он пошел через перевал с группой «непримиримых», то выяснился маленький пробел в его подготовке: Олега никто не научил, что горные афганцы любую нужду справляют сидя! Он выдал себя самым неожиданным образом и погиб под кривыми пуштунскими ножами. И агент вместе с ним...

Через перевал надо было идти двенадцать часов, а не три дня. И о поведении в пустыне я знаю еще меньше, чем Олег о нравах горных афганских племен.

— Исключено! — повторяю я.— Нужен вариант без враждебности к европейцам. И без всякого маскарада!

Анри вздыхает и, отложив рацию, берется за телефон.

Нужный вариант все-таки отыскался. Я в очередной раз подивился разнообразию связей скромного служащего «Этисалата» и сложности его натуры. Пожалуй, это даже не три матрешки — одна в другой, а пять или шесть... Но тем не менее, я испытывал к агенту теплые чувства: он сделал для меня все, что мог.

На прощанье мы обнялись. Прижавшись ко мне, он ощутил под рубашкой твердый прямоугольник и многозначительно постучал по нему согнутым пальцем.

— Это то, что спасло мне жизнь!

Я не стал его разубеждать, так как сейчас больше беспокоился о своей жизни. И Анри это почувствовал.

— Пересечь пустыню очень просто,— ободрил он, троекратно касаясь моего лица небритыми щеками.—

Надо сесть на верблюда, хлестнуть его и подождать, пока время сожрет пространство...

Анри подмигнул и улыбнулся, хотя не очень весело.

— Наберись терпения, рано или поздно пустыня закончится.

Да, он действительно был не только помощником шпиона и пособником наркоторговцев, но и философом.

* * *

Оказывается, пустыня вовсе не однообразна: она многолика и многоцветна. То плоская, как стол, то бугрящаяся холмиками, похожими на груди юных девушек, то вздыбленная барханами, напоминающими застывшие волны девятибалльного шторма...

И цветовая гамма гораздо шире, чем в традиционных представлениях жителей черноземных равнин и скалистых гор о желтом песке. Песок, в основном, белый, желтоватый, есть участки светло-или темно-коричневого цвета, встречаются и вовсе фантастические — оранжевые!

Мерно качаясь вдали, объят предрассветной мглой,
Караван Шаперай-ли идет в свой край родной
Через пески-барханы, где бродит лишь дикий джейран,
Через границу идет, идет, контрабанды караван.

Совершенно неожиданно я попал в грезы своего детства. Когда-то тиходонские пацаны, спрятавшись в подвале или за сараями, мужественно кривя губы, раскуривали собранные «бычки», вели задушевные беседы, потом, по-братски обнявшись и раскачиваясь, пели запретный «Караван». Тогда приветствовались только идеологически выдержанные тексты, типа: «Взвейтесь кострами синие ночи...» Любой не прошедший цензуру самиздат однозначно запрещался. А уж если речь шла о контрабанде или наркотиках — и подавно! Сейчас, когда Россия превратилась в самую разнузданную и беспредельную страну Европы, я думаю, что это было и правильно. Но тогда мы думали по-другому... Уже шестнадцатилетними в походах пели не «комсомольцев-добровольцев», а тот же контрабандистский и наркоманский «Караван», интуитивно чувствуя его тягучий ритм и старательно растягивая слова. Хотя никаких зримых и осязаемых образов за ними не стояло: только романтичные стихотворные строки, перемешанные с горьким дымом костра и хмельным сладковатым вкусом «Агдама».

Зато сейчас образов хватало с избытком. Я шел с караваном контрабандистов через пустыню Руб-эль-Хали, намереваясь пересечь государственную границу Саудовской Аравии, и как будто жил в песне своей юности. Вот они, вокруг: и бежевые пески-барханы, и коричнево-серые верблюды, и три погонщика в оранжевых и белых одеждах, и мелькающие изредка вдалеке газели, заменяющие здесь джейранов. Яркое синее небо, ослепительное желтое солнце, слабый ветерок, взметающий легкие песчинки, монотонный шаг дромадера, размеренное покачивание... Ц... стереокино с эффектом присутствия. А за кадро... ...точная музыка и знакомые слова:

Шелк он везет и хну...
Тюки везет он с собо...

Неважно, что «Ка...
нии: если бы я был ре...
ил зрительный и звук...
планом — верблюжь...
железные удила, пот...
ка и хны, но думаю...

Сам караванщи...
Ноги худые по...

Старшего караванщика зовут Джафар. У него худощавое, испещренное морщинами, сильно загорелое лицо. Прищуренный взгляд, орлиный нос, плотно сжатые губы, черные усы соединяются с совершенно седой бородой. Вид достаточно суровый и мужественный — несмотря на возраст, он бы пользовался успехом у российских туристок. Да и не только у российских...

> Глаза уж потухли давно, не видит он солнца восход
> И лишь на рваный халат, халат, мерно слеза течет...

Это не про нашего караванщика. Сразу видно, что у Джафара меткий глаз и сильная рука. За поясом у него кривой арабский кинжал «ханджар». Настолько кривой, что ножны изогнуты под прямым углом, хорошо, что широкий клинок доходит только до сгиба, иначе его было бы невозможно вытащить. В ажурных ячейках пояса — несколько десятков длинных винтовочных патронов, а к седлу приторочен реликтовый карабин маузера, выпущенный еще до Второй мировой войны. Но винтовки живут долго, а бьют на тысячу метров, что очень важно на открытых пространствах. Вооружены и его товарищи. Ибо строгие запреты, полиция и суды действуют в цивилизованной части ОАЭ. А в пустыне свои законы, здесь их пишут клинками и подкрепляют пулями.

> Несметно он был богат, богат, богаче любого паши-и-и,
> Но погубил его чертов «план» и сто тридцать три жены-ы-ы...

[illegible] как насчет несметного богатства и обилия [illegible] не курит даже обычный табак, не гово-[illegible] За то, чтобы провезти через границу [illegible]странца, он запросил всего тысячу [illegible]от долларов, в Москве элитные [illegible]. Так что вряд ли он очень

Солнце клонится к закату. Заросшие кустарником впадины между барханами темнеют, как женские подмышки в фильмах Тинто Брасса.

Пустыня — вовсе не мертвый выжженный песок, хотя именно так ее обычно представляют. Плетутся с подветренной стороны барханов ползучие, крученые стебли с узкими острыми листьями, тут и там виднеются островки желтой жесткой травы. Раскорячились под закатным солнцем разомлевшие ящерицы, оставляя зигзагообразные следы, быстрыми стрелками целеустремленно проскальзывают змеи. В зарослях деловито возится их потенциальная добыча — жилистые желтоватые зайцы и мягкие округлые тушканчики, а вблизи оазисов попадаются более крупные животные: пугливые газели, с которыми водят смертельный хоровод гибкие арабские леопарды.

В пустыне все охотятся друг на друга, впрочем, как и во всем мире. Только животные выдерживают территориальную специализацию: невозможно представить белого медведя, поджидающего в засаде антилопу-гну, или льва, ныряющего вслед за нерпой. Зато человек преследует себе подобного где угодно: на суше, в воздухе, под водой... Я сам много раз бывал и охотником, и дичью, надо сказать, что первая роль мне нравится гораздо больше. Но сейчас я выступал во второй.

У меня обожженное солнцем лицо, костюм, который окончательно превратился в лохмотья, на голове гафия, напоследок подаренная Ахмедом. Он неплохой парень, этот Ахмед. И если бы не связался с наркоторговцами, проблем бы не возникло. Или если бы я знал, что он связался с наркоторговцами, то сумел бы избежать проблем. А для этого надо было готовить активизацию: «просветить» нашего друга, определить, чем он дышит, и можно ли соваться к нему без всякой подготовки! Но разведка, как и история, не знает сослагательных наклонений. Что не сделано, то не сделано... Остается надеяться, что он меня не выдаст. И он действительно меня не выдаст.

Если, конечно, его не заставят клясться на Коране... Тогда выдаст обязательно!

За день караван проходит около семидесяти километров. Свой мобильник я выкинул сразу же, причем отсоединив батарею. Мы движемся уже два дня, и пока погони нет. По крайней мере, я ее не вижу. А уж опытный Джафар заметил бы обязательно...

* * *

Все полицейские участки мира выглядят одинаково. Хромированные решетки, бронированные стекла, кодовые замки, гладкие прочные двери без ручек с внутренней стороны, односторонние зеркала, позволяющие вести наблюдение из смежной комнаты, вооруженный персонал в униформе и штатском, подчеркнутая чистота, стойкий запах дезинфекции. Разумеется, так выглядят полицейские участки цивилизованного мира, к которому Арабские Эмираты, безусловно, относятся.

Поэтому в казенном, скупо обставленном помещении, где давал показания Ахмед Табба, работал кондиционер, чуткий микрофон фиксировал каждое слово и загонял его в компьютер, адаптированная к арабскому программа «Дракон» преобразовывала звуки в буквы, а в соседней комнате, за зеркалом, принтер «Кэнон» выдавливал из узкой, как недовольно сомкнутые губы щели, готовый протокол допроса.

— Какова причина нападения?— худощавый, с узким лицом и усиками-стрелками инспектор привычно задавал обычные в таких случаях вопросы. Отглаженная белая рубашка контрастировала со смуглой кожей.

— Вы знакомы с нападавшими?

— Нет. Я с ними не знаком,— несмотря на прохладу, допрашиваемый потел. Повышенное потоотделение — один из признаков лжи. Хотя и необязательный. К тому же у Ахмеда потливость была врожденным недостатком.

Но инспектор этого не знал и исходил из привычных стереотипов.

— Ваш брат утверждает обратное! Что за история с героином?

Очередная капелька выделилась из поры на морщинистом лбу, покатилась на сросшиеся брови, где уже скопились несколько таких же, и нарушила неустойчивое равновесие. Пробежав по крутому носу, они упали на гладкую поверхность стола, расплескавшись крохотными звездочками. Кап-кап-кап...

— Н-нет никакой истории. Саид неправильно понял разговор...

Инспектор едва заметно улыбнулся.

— А кто этот подозрительный иностранец? Что вы для него искали?

В смежной комнате, где принтер «Кэнон» добавлял в протокол строчку за строчкой, у прозрачного с этой стороны зеркала стояли двое. Строгие костюмы и галстуки выдавали в них сотрудников контрразведки, которые всегда пытаются выглядеть более официально, чем полицейские. И обычно им это удается.

— Он ничем не подозрителен. Обычный иностранец, прибыл на торговый фестиваль. Фирма «Московские огни», так кажется. А искали мы Библию.

Ахмед Табба облизнул пересохшие губы и машинально взглянул в зеркало. Лицо у него приобрело пепельный оттенок.

Контрразведчики за стеклом-обманкой переглянулись.

— У нас «засвечен» этот русский?

— По-моему, нет.

— А этот тип?

— Тоже.

— Надо проверить их по всем учетам.

В комнате для допросов Ахмед Табба объяснял, как случайно познакомился с бизнесменом из «Московских огней», как заговорил с ним о толковании священных книг, как вспомнил о спрятанной несколько лет назад

Библии, которую получил в подарок от какого-то туриста, кажется, болгарина. Разумеется, тоже совершенно случайно. По случайному совпадению они с болгарином находились в Черном ущелье, там он ее и оставил, ибо не решился принести домой источник чужой религии.

Случайности, с одной стороны, всегда вызывают подозрения, а с другой — их очень трудно опровергнуть. Хотя способы для этого имеются.

Полицейский инспектор медленно вынул из ящика и со значением положил на стол увесистую книгу в черном кожаном переплете.

— Правоверный мусульманин Ахмед Табба приводится к присяге на Коране,— четко произнес он обязательную формулу, которая печатается в конце протокола и заверяется подписями обеих сторон.

— Поклянитесь, что рассказали правду!

Дрожащая рука легла на чуть потертую посередине обложку. Обостренным восприятием Ахмед заметил эту потертость и понял, что на это самое место уже опускались сотни или даже тысячи потных, горячих, дрожащих рук его предшественников. Неужели все они говорили правду?! А сколько нечестивых рук и мерзких голов отрубили за клятвопреступление?!

Но его это не коснется: он ведь рассказал правду!

Нападение действительно имело место и вызвало самооборону, а Горин и вправду директор «Московских огней»! Конечно, чего-то он не договорил, но Аллах милостив и не обратит внимания на мелкие неточности...

— Клянусь! — как можно тверже сказал он.

Сила самовнушения была такова, что даже пот перестал капать.

— Где сейчас этот русский? — вкрадчиво спросил инспектор.

— Он ушел с караваном... Махмуда. Изучать пустыню.

Пауза оказалась почти незаметной. Почти. Инспектор не обратил на нее внимания, а контрразведчики за односторонним стеклом снова переглянулись.

— Что-то он темнит! — процедил один из них.

— Но в базе данных ни на одного, ни на второго сведений нет,— второй опустил трубку.— И по существу, нам нечего предъявить этому русскому...

— Если мы его возьмем с Библией, можно обвинить в пропаганде чуждой религии... — сказал первый.

— Когда,— уточнил напарник.— Когда мы его возьмем.

* * *

Время медленно пожирает пространство.

Заходящее солнце обрисовывает верблюдов, отбрасывая тени а-ля Дали — на неестественно вытянутых и тонких ногах. Легкий ветерок подхватывает сюрреалистические силуэты, несет по вечно безоблачному небу далеко-далеко — в те края, где облака водятся, а там разворачивает их вновь, и тиходонские пацаны, раскрыв рты, разглядывают невесть откуда взявшийся в вышине верблюжий караван. И может быть, запевают: «Караван Шаперай-ли, ай ли, идет в свой край родной...» Нет, это я приврал, не запевают. Другие времена, другие песни... И нет среди них худого кучерявого мальчишки с зелеными глазами, которого очень интересовало, откуда в привычном небе берутся облака, напоминающие экзотических животных.

«Теперь ясно, Димка?»

«Ясно»,— отзывается в моей душе мальчик из начала шестидесятых.

Что делает сейчас Ахмед? Чтобы окончательно не закрепиться в звании недобросовестного свидетеля, он должен был прийти в полицию. Наверняка он дает показания. Наверняка поклялся на Коране. Наверняка полицейские вызвали представителя контрразведки. И сейчас наверняка весь мощный розыскной механизм ОАЭ направлен на то, чтобы отыскать милейшего директора фирмы «Московские огни» Игоря Андреевича Горина. То есть меня. Правда, сейчас респектабельного Игоря Андреевича очень трудно узнать.

Путешествие по пустыне не способствует восстановлению первоначального лоска вконец изношенного костюма. Платок на голове хорошо защищает от солнца, если его правильно завязывать, но я этому не научился, поэтому лицо обгорело и шелушится. Частично это безобразие скрывает отросшая щетина, которая противно скрипит, когда проводишь пальцами по щекам, и старит меня лет на пятнадцать. Я не сплю по ночам, сторожкая дрема на высоченном седле не позволяет восстановить силы. Я похудел, а качаясь на верблюжьем горбу, приобрел сутулость. Для защиты от солнца днем и от холода ночью мне выдали выцветший, с многочисленными потертостями халат. Длинную мастырку в зубы — и вылитый караванщик Шаперай-ли!

Сейчас даже проницательнейший Миша из посольской резидентуры вряд ли узнал бы меня с первого взгляда. Пожалуй, и со второго тоже... Жаль, что не он меня ищет!

По большому счету, полиция и контрразведка ориентируются не на черты внешности и не на одежду. Когда забрасывается широкий невод, используются более емкие и универсальные приметы, позволяющие на первом этапе выделить искомый объект из массы ему подобных. «Белый, русский, говорит по-английски, арабским не владеет...» Правда, сейчас не бросается в глаза моя белизна, а то, что русский,— и вовсе на лбу не написано... Детское утешение! Чтобы окончательно запутать следы, с Джафаром я разговариваю по-арабски. Он жил в Африке и довольно сносно владеет диалектом «шоа». Сейчас старший караванщик определяет наше местонахождение.

— Далеко до границы? — спрашиваю я.

Джафар неопределенно показывает на карте. Трудно сказать, чем вызвана эта неопределенность. У него есть GPS-навигатор, определяющий через спутник наши координаты с точностью до пятидесяти метров.

— Где граница? — настаиваю я.

— Никто точно не знает,— поясняет Джафар, и его потемневший морщинистый палец елозит на потертой бумаге по желтому, с черными точками изображению песков — сантиметр в одну сторону, сантиметр — в другую. Каждый сантиметр карты — тридцать километров пустыни!

Ясно... Демаркация здесь не проводилась, контрольно-следовая полоса не наносилась, проволока не натягивалась, вышки не ставились... Так нередко бывает между дружественными странами, особенно если их разделяет практически непроходимая пустыня. Впрочем, кто хочет, тот проходит... Например, мы именно это и делаем. А может, уже сделали, в зависимости от того, где на самом деле проходит воображаемая линия: там, где палец Джафара находится сейчас, или там, где он находился пару секунд назад...

Мы остановились на очередной ночлег. Джафар, как всегда, уложил верблюдов по кругу, а лагерь разбил внутри. Оказывается, змеи не выносят запаха верблюжьей шерсти — наверное, в них живет генетический страх перед беспощадными жерновами копыт. Как бы там ни было, тяжело дышащий живой круг защищает от пресмыкающихся так же, как шерстяная веревка в прериях Американского Запада. По крайней мере, должен защищать. Но когда я, положив под голову твердый прямоугольник в сером брезенте, лежу под звездным черным небом, легкий шелест песка в часах Вечности иногда кажется стремительным скольжением смертоносной рогатой гадюки...

Впрочем, не сплю я по другой причине: доверять моим новым «друзьям» нельзя, потому что неизвестно, кто они на самом деле — друзья или враги. Так часто бывает в моем ремесле, поэтому всегда лучше перестраховаться и думать о людях хуже, чем они могут быть! Сказать, что они друзья, можно будет только тогда, когда они доставят меня к месту назначения живым и невредимым. А выяснить, что они враги, можно в любой момент, и очень важно быть наготове, чтобы отличающийся резким и сильным боем товарищ Токарев успел сказать свои прямые и веские слова...

В центре лагеря устанавливают плитку с сжиженным газом. Никаких костров, никакой романтики. Возможно, потому, что ломать крученые гибкие ветви ползучего кустарника — дело достаточно муторное. Да это и не нужно — у Джафара есть все для цивилизованной жизни: солнечная батарея, спутниковый телефон, аккумуляторный холодильник с консервами... Пока помощники готовят еду, он заканчивает ориентацию на местности и складывает карту.

— Ты немец? — спрашивает он, толсто намазывая складным ножом на лепешку куриный паштет. Из пустыни тянет ощутимой прохладой. Шелестит скользящий песок.

— Я, я, натюрлих! — как можно радостней киваю я. И снова перехожу на «шоа», уводя интерес собеседника от своей персоны.

— Наверное, женщины Востока очень скромные, раз они закрывают лицо. Только глаза видны!

Джафар весело смеется.

— Не факт, мой друг, не факт! Я много лет прожил в Африке, там еще строже: голову красавицы обматывают платком так, что только один глаз блестит. Один! Но им она прожигает все вокруг! И рассмотреть успеет, и знак подать — все одним глазом!

Я умело подтолкнул старшего караванщика к излюбленной теме.

— Зачем так кутать женщину, если она честная? — Джафар с аппетитом доедает бутерброд и делает второй.— Но ведь это ходячий сосуд греха! В Алжире, если муж отпустил женщину одну — на базар или в магазин, значит, сам виноват! Грех может совершиться где угодно, даже в крохотной лавчонке. Продавец застегнет полог — вжик! — и пристроится сзади...

Джафар быстро двигает руками, как будто финиширует в лыжной гонке. Его жестикуляция настолько наглядна, что даже не понимающие «шоа» и никогда не видевшие лыж помощники весело смеются. Старший погонщик смотрит на них сурово.

— У нас, конечно, совсем не так!

Смех смолкает.

Ночью я, как всегда, не сплю. Очень трудно удержать веки открытыми: в глаза будто насыпали весь песок пустыни. До боли сжимаю рифленую рукоять тэтэшника. Отвлекаюсь, как могу, тем более что поводы для этого есть: надо следить за Джафаром и его помощниками — чтобы никуда не звонили и не приближались слишком близко к своему гостю, беспечному Игорю Андреевичу.

Они не делают ни того, ни другого. Иногда только выбираются за кольцо верблюдов, после чего слышится характерный звук бьющей в песок струи. Садятся они при этом или нет, я не знаю, но судя по напору, простатитом никто из них не страдает. На Востоке вообще с этим делом все обстоит благополучно. Может, дело в инжире и финиках? Или регулярном массаже простаты? Тогда придется признать, что содомский грех распространен не только в арабских сказках...

Наконец, лагерь затихает. Вокруг черным-черно, как в планетарии моего детства. Только вместо затхлого запаха театральных декораций и духоты от скученных человеческих тел легкие наполняет чистый и прохладный воздух, ощутимый холодок заползает под одежду, и я плотней запахиваю рваный халат караванщика Шаперай-ли.

Черный бархат купола истыкан тысячами иголок, сквозь дырочки выбиваются лучики спрятанной за искусственным небом тысячесвечовой лампы. «Дима, а на звездах люди живут, как думаешь?» — спрашивает Ленка Свешникова. От нее пахнет яблоками, молоком и шоколадом...

А также верблюжьим навозом и опасностью! Огоньки звезд закрывает фигура всадника в бурке и тюрбане. Черный бедуин! И это уже не быстрый сон, а кошмарная явь!

— Джафар! — кричу я, почему-то по-русски. Тут же издает тревожный вопль один из верблюдов, ржут кони, тихая ночь наполняется чужими тенями...

В моем положении лучше «не попадать в истории», но сейчас не до дипломатии, надо выбирать: жить или умереть! Товарищ Токарев гремит, как хорошая винтовка, тут же оглушительно стреляет карабин, что-то лязгает, раздаются выстрелы, стоны и хрипы, грубые голоса выкрикают то ли угрозы, то ли проклятия... Очищая ближайшее пространство, стреляю еще несколько раз...

Шум скоротечной схватки стихает. Вспыхивает фонарь. Джафар с карабином наперевес подходит к тучному бородачу, опрокинутому на спину. Лицо его перечеркнуто повязкой и залито кровью. В отброшенной назад руке зажата сабля. Судя по необычному головному убору, это его я принял за Черного бедуина. А может, это он и есть. Но в следующий миг личность убитого проясняется.

— Кривой Мусса,— говорит Джафар.— Конкурент. У нас давние счеты... А ты молодец — выбил ему второй глаз!

— Я?! — изумляется мирный Игорь Андреевич и, обтерев на глазах старшего караванщика выполнивший свою работу «ТТ», забрасывает его в темноту.— Из чего?! Я-то и оружия никогда в руках не держал!

— Ну, может и не ты,— невозмутимо-уважительно кивает Джафар. Совершенно очевидно, что он признал во мне равного.— Но все равно молодец!

В стороне с жалобным хрипом бьется раненый конь. Выстрел из карабина прекращает его мучения. Из темноты выныривает второй караванщик. В одной руке он держит ханджар с темным клинком, в другой... Да, это отрезанная голова!

— Зачем?! — спрашивает чувствительный немецкий турист, сдерживая порыв рвоты.

— За него обещана награда,— поясняет Джафар.— Тело мы довезти не сумеем, а голову положим в холодильник... Консервам она не помешает!

Теперь меня чуть не вырвало по-настоящему. Остаток пути придется обходиться без пищи...

— Ничего,— успокаивает Джафар.— Они же в банках, в железе...

Третий караванщик ранен: Кривой Мусса ударил саблей, тот успел заслониться винтовкой и спас голову, но лишился двух пальцев. Считает, что ему повезло, и благодарит Аллаха. Рану умело обработали каким-то вязким черным составом и наложили повязку. Джафар дал приказ собирать лагерь.

— Ты сообщишь в полицию?

Он пожимает плечами.

— Зачем? Это пустыня...

— А как же ты предъявишь голову?

Старший караванщик усмехнулся. Словно треснула каменная глыба.

— За голову заплатит человек, не имеющий отношения к властям.

Да, законы пустыни темны и запутанны. Чтобы разбираться в них, нужно здесь родиться. В небе кружат то ли орлы, то ли ястребы, неизвестно каким образом почуявшие добычу. Караван трогается дальше. Трупы людей и коня оставляют без погребения: к вечеру останутся только кости, а к следующему утру и их заметет песком...

Бросаю на бренные останки последний взгляд и вздрагиваю. Несмотря на начинающее припекать солнце, по спине пробегает холодок. Три трупа, если считать коня! Отрезанная голова, отрубленная рука, пуля, попавшая в правый глаз! Проклятие Черного бедуина?!

Я материалист, я много лет проработал в точной и рациональной Службе, я не верю в совпадения. Но какое иное объяснение можно дать этому факту?!

Время снова начинает пожирать пространство...

* * *

Ближе к вечеру вековую тишину пустыни нарушил нарастающий гул. В голубом небе появился вертолет, целеустремленно сделал круг над караваном и, взметая песок, плюхнулся на ровную площадку метрах в пятидесяти впереди. Опытный Джафар незаметно сунул в песок карабин, так же поступили его спутники. Трое солдат с автоматами и четыре человека в строгих гражданских костюмах приблизились к каравану. Три араба и европеец.

В последнем я с удивлением узнал Мишу из Дубайской резидентуры, но никак не проявил своего знания.

— Есть ли среди вас господин Горин? — на чистом русском языке сказал один из арабов, и я вышел вперед.

— Предъявите для досмотра ваши вещи!

— У меня нет вещей,— для убедительности я расставил руки в стороны.

Второй араб ощупал мою одежду и извлек из-под брючного пояса брезентовый сверток. Третий подошел ближе. Они развязали веревку. На лице посольского разведчика застыла маска напряженного ожидания. Ожидания разоблачения. Я ободряюще подмигнул молодому коллеге, но он нахмурился еще сильнее.

Брезент развернули. Представители спецслужб держали в руках красочно иллюстрированный фотоальбом «Добро пожаловать в Эмираты» с прекрасным снимком знаменитого «Бурдж аль Араб» на глянцевой обложке. Очень качественный альбом. В порту Фуджэйры я заплатил за него сто пятьдесят дирхам. Для местного сувенирного рынка это очень приличные деньги.

Недоуменно переглядываясь, арабы стали листать книгу, будто надеясь найти внутри что-либо запрещенное. Они были явно удивлены и разочарованы. Миша тоже был удивлен, но приятно. Его черты разгладились.

Он заговорил по-арабски и тут же перевел, специально для меня.

— Итак, господа, эта официальная книга не является поводом для предъявления каких-либо претензий к российскому гражданину. Очевидно, произошло какое-то недоразумение. Думаю, что остальные недоразумения развеются так же быстро и убедительно!

Молодец, Миша! Я начал менять о нем свое мнение.

Арабы что-то ответили, возвращая мне фотоальбом.

— Разумеется, господин Горин даст все необходимые показания. Мы уже пригласили адвоката для участия в процедуре допроса... — уверенно говорит Михаил Евгеньевич.

Попрощавшись с Джафаром, я погрузился в вертолет, с ревом закрутились винты, и время стало пожирать пространство гораздо быстрее.

— Как только вас стали искать, мы потребовали участия представителя посольства,— перекрикивая шум двигателя, прокричал Михаил Евгеньевич Горчаков мне в ухо.— Но вас искали совсем в другом караване — ваш агент почему-то назвал караван Махмуда... Но когда вычислили его маршрут, оказалось, что вас там нет...

Я вспомнил добрым словом Ахмеда Таббу. Его личность оказалась еще сложнее, чем я представлял.

— А где объект «ноль»? — оглянувшись и понизив голос, сказал Михаил Евгеньевич.— Куда вы его дели?

Я тоже машинально оглянулся. Наши сопровождающие сидели в другом конце салона и при всем желании не могли услышать, о чем идет речь. Не говоря уже о том, что вряд ли поняли бы это.

— Отправил по почте. В нашу резидентуру в Берлине. Здесь очень хорошая почта. Наверняка посылку уже везут в Москву.

Я улыбнулся, но ответной улыбки не встретил.

— А откуда вы знали... Впрочем, нет, ничего...

* * *

Из окна кабинета Ивана с восьмого этажа открывается прекрасный вид на зеленое кольцо Москвы. Правда, сейчас оно никакое не прекрасное и не зеленое, а унылое, черно-серое, слегка припорошенное снегом. Но мне все равно очень приятно смотреть на родной пейзаж. Я люблю свою родину, хотя скорее прикушу язык, чем произнесу подобную ура-патриотическую банальность вслух.

— Значит, по нашей линии все прошло гладко? — спрашивает хозяин кабинета.— Только привходящие обстоятельства осложняли дело?

Я пожимаю плечами. Моих отпечатков на «Степном Орле», к счастью, не нашли, очевидно, они стерлись под пальцами Анри. Полоски папиллярных линий на патроне оказались непригодными к идентификации. Я дал свидетельские показания по факту самообороны в Черном ущелье и без проблем выехал из страны. Ахмед с Саидом были признаны добросовестными свидетелями и вернулись к своим занятиям. Только вряд ли засветившийся Анри пригоден к последующим активизациям.

— В общем, да. Все прошло достаточно гладко. Но привходящие обстоятельства действительно имелись... И они действительно осложнили дело. Я написал подробный рапорт.

— Всего не предусмотришь! — примирительно говорит Иван и разводит руками. Потом берет лежащий на столе «объект номер ноль». Обожженный взрывом, с двумя застрявшими пулями, он выглядит здесь предметом из другого мира.

— Мы вас поощрим, Дмитрий, обязательно поощрим! — Генерал взвешивает на ладони добытый «на холоде» объект.

— Только...

Он смотрит на меня с тем же выражением, что Миша в вертолете, но доводит вопрос до конца.

— Почему вы прибегли, гм, к столь нетрадиционному способу, как отправка посылки? Не надеялись на помощь резидентуры?

Я отвожу глаза в сторону.

— Ну что вы, товарищ генерал, ребята мне здорово помогли. Просто я привык всегда рассчитывать на худшие варианты. Разрешите идти?

Иван благосклонно кивает, я круто разворачиваюсь и через несколько минут с облегчением выношу обожженное солнцем лицо в стылую московскую зиму.

Дубаи — Фуджэйра — Ростов-на-Дону.
Январь 2004 — июль 2005 года.

ПАРФЮМ В АНДОРРЕ

Глава 1

— Ваши документы,— похожий на почтальона таможенник говорил по-испански, и я вопросительно посмотрел на нашего гида — маленькую доброжелательную женщину с табличкой «Марина» на белой блузе.

— Он просит паспорт,— явно обескураженно перевела Марина, и по автобусу прошло беспокойное шевеление. Никто не считает экзотические карликовые государства настоящими, а рассказы о суверенитете и членстве в ООН, пограничные будки и полосатые шлагбаумы воспринимаются как завлекающая туристов бутафория. Но если синяя униформа из мнущейся ткани действительно казалась бутафорской, то большой тяжелый револьвер с потертой ручкой был явно настоящим. А требование для доверчивой и либеральной Европы — даже слишком!

Я пожал плечами и протянул паспорт. Таможенник внимательно его пролистал.

— Покажите, пожалуйста, ваши вещи.

Он вежливо улыбался. Я подождал перевода и сказал то, что обычно говорят в подобных случаях:

— Какие у меня вещи? Джемпер и банка пива! Может, еще карманы вывернуть?

Заглянув в пакет, таможенник улыбнулся шире и, как мне показалось, искреннее.

— Добро пожаловать в Андорру!

— Они всегда так бдительны? — спросил я Марину, когда автобус тронулся.

Она недоуменно покачала головой.

— Да нет... Это вообще на моей памяти первый случай. На выезде иногда смотрят, чтобы не вывозили товаров сверх нормы. И то довольно поверхностно...

— Если бы мы были гражданами нормального государства, они бы вели себя по-другому! — сидящий впереди высокий парень повернулся ко мне. Его узкая голова с круглыми пронзительными глазами торчала над спинкой сиденья, как будто динозавр выглядывал из своего мезозоя.

— Потому что рота десантников может вмиг поставить этот обезьянник раком! У них же армии нет! А эти ряженые куклы разбегутся и засунут свои допотопные пушки в задницы! Так чего выделываться и людям настроение портить!

— Ерунда, обычная формальность,— отмахнулся я.— Не обращайте внимания.

Вокруг возвышались поросшие лесом горы, справа сквозь деревья просматривалась крыша одинокого дома, рядом желтел тщательно расчищенный и ухоженный лоскуток крохотного поля. Я с треском открыл пиво. Пить из банки было неудобно, как всегда, замочило усы, потекло по подбородку и капнуло на брюки.

— Хотите граппы? — снова повернулся высокий. Он сел в автобус у отеля «Мирамар».— У меня есть фляжка.

— Спасибо, на месте выпью. Собираюсь сегодня отвязаться как следует.

— Одному путешествовать скучно. И пить в одиночку неинтересно.

— Разве? Не замечал. Зачем же вы поехали один?

— Подружка заболела. Отравилась чем-то вчера вечером. Не пропадать же билету за сорок евро... А вы?

— А я отсидел восемь лет в общей камере и с тех пор люблю одиночество.

— А-а-а-а,— ошарашенный динозавр отвернулся. Зато теперь на меня уставилась соседка — рыхлая женщина неопределенного возраста, которая всю дорогу смотрела в окно и переговаривалась с сидящими сзади мужем и сыном. Ее звали Леной, мужа — Васей, а здоровенного парня с сорок пятым размером ноги они называли Юрочкой.

— Вы правда сидели в тюрьме? — шепотом спросила она, округлив глаза.

— Нет, это шутка. Я журналист.

Лена успокоилась.

— Конечно, человека сразу видно... Вы и непохожи: у вас интеллигентное лицо.

Я расплылся в польщенной улыбке.

— Спасибо. Вы хорошо разбираетесь в людях.

— А эта журналистка... Забыла фамилию... Которая пишет, что от нее без ума все мужчины, и описывает, как она с ними... Вы ее знаете?

— Увы, нет. У меня другие темы. Читали «Пляски каннибалов»?

— Это все выдумки. Лучше напишите про здешние пляжи. Почему мы должны платить за зонтики и лежаки?

— Я подумаю.

К счастью, Марина взяла микрофон.

— Сейчас мы проезжаем по дну озера. В прошлом году питающую его реку перегородили плотиной и спустили воду...

За окном расстилался лунный ландшафт. На спутниковом снимке осушенное дно выглядело как сковородка с подгоревшим жиром. В действительности — нагромождение скал, россыпи камней, толстые слои засохшего, растрескавшегося ила. Но разрезавшее эту первобытную дикость шоссе — ровное, гладкое, с аккуратной цветной разметкой, ничем не отличалось от благоустроенных дорог побережья. Да и плотина на отвесной скале напоминала замечательно отреставрированный средневековый замок: безупречно-белый бетонный монолит, тускло отблескивающие массивные створы ворот — ни ржавчины, ни следов протечек... Я вспомнил, как выглядит Чиркейская ГЭС в Дагестане, и ощутил укол потревоженной совести.

— Пока это единственная неосвоенная территория в республике,— бодро продолжала Марина.— Но ей обязательно найдут применение, и очень быстро — земли ведь не хватает.

— А полезных ископаемых здесь нет? — спросил сзади Вася. Всю дорогу он пил пиво, которое, как известно, пробуждает любознательность. Я с трудом сдержал ругательство. Похоже, эта семейка обожает задавать идиотские вопросы.

— Про полезные ископаемые в путеводителях ничего не пишут,— с профессиональным сожалением ответила Марина.— Да и туристов здесь интересует совсем другое: спиртное, табак, радиоаппаратура и парфюмерия. Они гораздо дешевле, чем в Испании и Франции. А кто пойдет со мной в парфюмерный магазин, получит скидку еще на десять процентов.

Глава 2

Магазин располагался в центре Андорры ла Вельи неподалеку от паркинга, на пути всех экскурсионных групп. Обещание дополнительных скидок действовало безотказно — просторный, украшенный зеркалами и благоухающий дорогими ароматами зал заполняла возбужденная разноязычная толпа. Длиннющие полки заставлены сотнями разнообразнейших флаконов. Обтянутый кожей «Heritage», завернутый в шерстяной двухцветный шарф «Rocabar», «Men' Story» в виде книги, «Nemo» — по идее изображал перископ «Наутилуса», но почему-то больше походил на армейскую полевую стереотрубу...

Свободный доступ разжигает азарт. Поддавшись всеобщему психозу, я прыскал душистые спреи на ладонь, запястье, локтевой сгиб, предплечье, тыльную сторону ладони, потом на те же самые участки другой руки, придирчиво нюхал, стараясь отграничить один запах от другого и выбрать лучший. Дурманящий «Cacharel», оправдывающий свое название «Egoiste», освежающий «Gucci», фантазийный, с цитрусовой нотой «Givenchy», утонченный «Dupont»...

Рядом молодая брюнетка увлеченно отыскивала свой индивидуальный волшебный тон. В полупрозрачной блузке, короткой юбке и босоножках на «шпильке» она выглядела очень эффектно. Недаром лысеющий француз моих лет столь же увлеченно фотографировал ее цифровой камерой. Я явно мешал, постоянно попадая в кадр. Хотя вежливый фотограф не выражал недовольства, я шагнул в сторону, помахал ему рукой и улыбнулся, но ответной улыбки не получил.

— Попробуйте «Boucheron»,— улыбчивая девочка-консультант протянула брюнетке витой стеклянный перстень с крышкой в виде голубого топаза.— Их придумал ювелир, этот тон вечен, как драгоценности...

— Ах! — высокая «шпилька» подвернулась, затейливый флакончик с хрустальным звоном разбился, и маслянистая желтая жидкость выплеснулась брюнетке на ноги. Она растерянно наклонилась, будто вдыхая тяжелый дурманящий запах. Француз наконец улыбнулся и быстро сделал очередной снимок.

Через полчаса я был покрыт двумя десятками утонченных мужских ароматов, созданных лучшими парфюмерами мира. Самое трудное — сделать выбор. Но не для меня. Я без колебаний выбрал «212» — свежий и изысканный, в строгом, под сталь, цилиндре с магнитной пробкой, безупречном и пугающем, как бомба террориста.

— Сеньору маленький флакон или большой? — спросила продавщица и отрабатывающая свои комиссионные Марина добросовестно перевела.

— В этом пятьдесят миллилитров, в этом сто,— от себя добавила Марина.— А стоит он всего на девять евро дороже.

Я, конечно, купил большой — другой мне просто не подходил. Выйдя на улицу, я сразу почувствовал, что нечто изменилось. Встречные женщины поворачивали ко мне напряженные лица, их ноздри раздувались, в глазах вспыхивали искры, и острые первобытные инстинкты прокалывали тесную оболочку цивилизованности. Я чувствовал, как наливаются возбуждением их соски, как набухают желанием их влагалища, и мускусный запах естественных выделений вплетается в причудливую мозаику искусственных ароматов, созданных Армани, Гуччи и Шанель. Женщины непроизвольно собирались вокруг меня, как собаки вокруг шашлычника, нет, более требовательно и угрожающе — как волки вокруг одинокого теленка. Вначале они сдерживались, оставаясь в рамках приличия, но постепенно чудовищное напряжение, как царская водка, разъедало сдерживающие плоть оковы нравственности. Они все теснее обступали меня, будто случайно трогали одежду, ловили за руки, толкали тугими бедрами, их носы, бессовестно вытянувшись, втягивали молекулы ароматов с моей кожи, а горячие языки будто невзначай обжигали ее короткими влажными касаниями. Эти контакты становились все теснее и настойчивей и ясно было, что через несколько минут случится неизбежное...

Да, именно так написала бы на моем месте упомянутая Леной несчастная нимфоманка с заурядной внешностью и незаурядным самомнением, болезненно мечтающая о славе куртизанки мирового масштаба. На самом деле я просто оказался в довольно плотной толпе, женщины и правда касались меня разными частями тела, а встречная симпатичная испанка действительно стрельнула в меня напряженным взглядом, и в карих глазах метнулся двусмысленный огонек. Все остальное можно додумать в меру фантазии и подсознательных комплексов.

Сзади меня толкнули, или «какая-то незнакомка прижалась всем телом, обжигая лопатки раскаленными грудями». Я обернулся.

— Пардон! Ах, это вы? — Лена, как ледокол, рассекала толпу, увлекая за собой все семейство.— Вы по магазинам или в термальный комплекс?

Марина предложила группе три часа свободного времени и два варианта его проведения. Большинство соотечественников склонялись к первому, я — ко второму.

— Еще не решил. Но знаю точно, что хорошо выпью.

Лена принужденно улыбнулась, а обогнав меня, озабоченно сказала мужу:

— Главное, чтобы не блевал в автобусе.

Глава 3

Центральная улица блистала чистотой, лаком автомобилей и шикарными витринами сотен универсамов, магазинов и магазинчиков. Как будто находилась в Париже, Мадриде, Берлине, новой Москве или другой европейской столице, а не в крохотном городке, затерянном в Пиренеях на высоте тысячи метров. «Два мира, две судьбы»,— писали советские идеологи под снимками парижского клошара и московского академика. Это точно. Тут даже аэропорт есть. Я вспомнил, как выглядит главная улица Тырныауза, и опять ощутил угрызения совести.

Термальный комплекс имел вид остро вытянутой вверх прозрачной пирамиды. В киоске внизу я за шесть евро купил красные плавки, переоделся, запер шкафчик с любимой цифрой пять на дверце, надел ключ на запястье и зашел в хорошо освещенный солнцем просторный высокий зал. Над огромным бассейном с синей водой на разных уровнях возвышались четыре белые чаши джакузи, по периметру каждой били десятки фонтанчиков. Загорелые мужчины и женщины расслабленно лежали в чашах, вяло бултыхались в бассейне. Знакомых лиц, по-моему, не было. У прозрачной, как в оранжерее, стены стояли белые шезлонги. Я посидел в одном, привыкая к душноватой атмосфере и осматриваясь, потом спрятал под полотенце ключ, поплавал немного, по белой винтовой лестнице с золотыми перилами прямо из теплой воды поднялся в джакузи, понежился в бурлящих пузырьках и действительно ощутил телесное расслабление. С каким удовольствием я бы провел здесь все три часа, потом вернулся в автобус и прожил еще два оплаченных дня в «Камбриллс Принцесс», валяясь на золотом песке и ныряя в ласковые волны с пляшущими у берега золотинками слюды... Но у меня было много дел. Только бы не произошло каких-либо неожиданностей.

Я вернулся к шезлонгу, с замиранием сердца развернул полотенце... Все в порядке — ключ был на месте. Именно тот, который нужен.

Таблички в коридоре указывали направления: гидромассаж, сауна, шейпинг... Я нашел парикмахерскую, сел в кресло.

— Побрейте мне голову и сбрейте усы,— на испанском сказал я.

Средних лет андоррец в кипенно-белом халате и с густой копной черных, стоящих дыбом волос заметно удивился.

— Что побрить?

— Побрейте мне голову и сбрейте усы,— повторил я по-каталански, чем удивил его еще больше. На самом деле ничего удивительного в этом не было: я свободно говорил на восьми языках и мог объясниться еще на двенадцати. Иногда на языке страны пребывания я писал статьи в местные газеты. Как правило, они посвящались дружбе с Россией.

Потом я пошел в солярий. Через пять минут ровный загар покрывал лицо и череп, как будто на них никогда не росли волосы. В лифте я поднялся на смотровую площадку. У мощных подзорных труб никого не было. Я бегло осмотрел живописные окрестности: суровые горы, под стать им вросшие в склоны старинные дома из грубого камня, круглые и квадратные башни церквей и замков. Современные здания имели более веселый вид и заметно оживляли пейзаж. Внизу, у входа в пирамиду был разбит прекрасный парк с ухоженными деревьями и коротко подстриженным зеленым газоном. На скамейках отдыхали распаренные в термальных водах люди.

Из комплекса вышел человек, похожий на меня до процедуры бритья. Очень похожий. Около пятидесяти лет, рост сто семьдесят семь, наметившийся животик, зачесанные на пробор волосы, изрядно тронутые сединой, седоватые усы. Благородное лицо интеллигента, которому если и приходилось совершать дурные поступки, то они не отразились на внешности. На человеке была моя одежда, в кармане лежал мой паспорт, в руках он держал полиэтиленовый пакет с моим джемпером и купленным одеколоном «212». Конечно, если придирчиво присматриваться, то можно найти различия: он на сантиметр выше и на четыре килограмма тяжелее, у него другой голос и седина сделана искусственно. Но сейчас он выпил сто граммов виски для запаха и умело изображает опьянение, а в автобусе будет спать, сдвинув на лицо кепку с противосолнечным козырьком. Так что вряд ли кто-то сумеет разобраться в таких тонкостях. Потом он будет два дня наслаждаться жизнью в четырехзвездном отеле, где я умышленно не заводил близких знакомств, и на золотом пляже, знакомства на котором столь же приятны, сколь и скоротечны. Счастливец!

Черт, что это?! Похожий на меня человек ничком повалился на землю и остался неподвижно лежать на чистой асфальтовой дорожке. К нему подбежали две женщины, начали тормошить, пытались поднять... Но расплывающееся на спине темное пятно убеждало в том, что все усилия бесполезны. Его застрелили! Скорее всего, из снайперской винтовки или из пистолета с глушителем. Словом, как обычно...

Меня бросило в жар, кровь молотками застучала в висках, тело обмякло. Я втравил Марка в это дело! Плевая работа, хороший заработок, никакой опасности, обычная перестраховка... Так оно и было. По крайней мере, я думал, что так оно и было. О моей поездке знали только Патроков и Иван, никакой необходимости в конспиративных предосторожностях не имелось. Но меня не зря называли хитрой скотиной — я всегда исповедовал принцип: лучше перестраховаться, чем на всю жизнь сесть в тюрьму или стать жертвой несчастного случая! Тридцать лет стажа разведработы без провалов и серьезных проблем подтвердили правильность такой позиции.

Покрытый потом, я спустился в раздевалку. Руки заметно дрожали. Надо бы действительно хорошо выпить. Шкафчик номер пять был открыт, я отпер восьмой. Вместо белой шведки надел голубую водолазку, вместо джинсов — свободные кремовые брюки спортивного покроя с множеством карманов. В одном лежал паспорт на имя гражданина Германии доктора Хорста Крюгера, в другом — пачка крупных купюр и кредитная карточка, в третьем — обычный складной нож, на сероватом клинке которого имелась надпись «Толедо». Легкие туфли на тонкой подошве завершили наряд. В руки я взял кожаный портфель со всем необходимым.

Вокруг Марка уже собралась толпа зевак, в самом центре высился похожий на динозавра парень из автобуса. Вид он имел озабоченный. Мигая красным и синим огнями, подъехала полицейская машина. На прошедшего мимо доктора Крюгера никто не обратил внимания.

Глава 4

В первом же баре я выпил три виски и купил знаменитую больше дешевизной, чем качеством андоррскую сигару. Потом с полчаса стоял возле магазина игрушек, глядя, как рыжие супермены в развевающихся плащах нарезают под потолком круги на почти невидимых лесках. То ли алкоголь, то ли созерцание помогли — руки перестали дрожать, и нервный озноб прошел. Стыдно признаться, но я ощутил голод.

У входа в ресторан «Андорра» стоял двухметровый медведь. Я посмотрел на часы — без трех минут четыре. Стоящий человек привлекает внимание, поэтому я не торопясь двинулся вдоль чистых витрин. Наш автобус уже ушел. Опоздавших тут ждать не принято — Марина предупреждала заранее. Лена громогласно одобрила: «Семеро одного не ждут!» И двух тоже — не исключено, что мой высоченный приятель с головой динозавра задержался до особых распоряжений... Может быть, и любознательный любитель пива Вася остался: не зря же он задал свой идиотский вопрос... Правда, выглядит он ни в ухо ни в рыло, да и вся семейка смотрится довольно убедительно, но это ни о чем не говорит: профессионалы именно так и работают. Другое дело — на кого? На кого работает лысоватый «француз», истративший на меня целую фотопленку? Кто напустил на меня таможенника? Хрен его знает! Ясно одно: меня сдали с потрохами!

Беглый анализ ситуации показывает, что в ней задействованы, как минимум, три силы. Одна наблюдает, контролирует каждый мой шаг. Исполнители — «динозавр», а может Вася, или они оба, или кто-то еще, кто никак себя не проявил и не привлек внимания. Цель: держать нанимателей в курсе моих телодвижений.

Вторая проверила меня на «чистоту» и одновременно предупредила, что я нахожусь под «колпаком». Цель: напугать и парализовать всякую активность. Исполнитель — таможенный чиновник, что должно внушить представление, будто меня остерегает государство Андорра. Но в этом замечательном государстве нет разведки и контрразведки, а без глаз, ушей и носа, что может знать язык? Таможенник, скорей всего, использован втемную. Возможно, им просто подбросили фотографию и номер автобуса, написав, что едет опасный преступник. Похоже на реакцию цивилизованной официальной структуры, интересам которой ничего не угрожает.

Третья сила не располагала фотографиями, «француз» восполнил этот пробел, а затем неизвестный снайпер решил вопрос радикально. Третья сила не связана со второй, не ограничена законом и действует жестоко, а потому куда более эффективно. Цель: уничтожить угрозу в зародыше.

Выводы: первая сила — Патроков. И Иван, как производная этой силы. Вторая — Интерпол, испанская контрразведка или еще кто-то в этом роде. Третья, несомненно — хозяева андоррского молибдена. Значит, он действительно существует в природе? А все вместе означает, что подставили меня капитально: о секретнейшей миссии не знает только продавщица парфюмерного магазина! Да и то не факт... Ну, а что в итоге? Все три силы убеждены, что я мертв, а я жив, здоров и голоден! К тому же вышел из-под контроля и обрубил все хвосты! Короче, оправдал свое прозвище. Пострадал только бедный Марк, но такой скотине, как я, это не может испортить аппетит...

Механизм в моей голове всегда точно рассчитывал сантиметры и секунды. Когда я вернулся к огромному медведю, минутная стрелка стояла точно на двенадцати. Ресторан почти пуст. В конце вытянутого зала должен быть камин. Он там и оказался. Чуть дальше, в нише у окна, стояли два столика. За одним сидела симпатичная испанка, едва не испепелившая меня взглядом возле парфюмерного магазина. На самом деле она француженка и много лет работала на нашу Службу. До тех пор, пока меня не выгнали на пенсию. Сотрудничать с другим офицером Мадлен отказалась. И правильно сделала. Сейчас ни в ком нельзя быть уверенным до конца. Кроме меня, разумеется.

Мадлен заканчивала обед, доктор Крюгер сел за соседний столик и сделал заказ. На безупречном немецком, естественно. Аперитив — пастис, эндивий под соусом рокфор, запеченные улитки, утиная грудка средней прожарки, полбутылки мозельского. В нарушение правил немец, не дожидаясь десерта, решил закурить и попросил у симпатичной испанки лежащие перед ней спички. Женщина вначале не поняла, но эсперанто жестов сделало свое дело: она равнодушно кивнула. Безалаберный Крюгер умело разжег сигару, а коробок с адресом сунул в карман. Со стороны все выглядело совершенно естественно, тем более, что со стороны никто и не наблюдал. Испанка вскоре ушла, а доктор не торопясь пообедал и еще добрых полчаса наслаждался своей сигарой.

Глава 5

Такси остановилось у нарядного шестиэтажного дома, стоящего прямо на склоне горы. Еще раз незаметно осмотревшись, я набрал код. Дверь мягко открылась, и неправдоподобно чистый подъезд обволок доктора Крюгера атмосферой благополучия и уюта. Здесь невозможно нассать в угол или выцарапать на стене ругательное слово. Хотя скотина может нагадить где угодно.

На пятый этаж я поднялся пешком. Мадлен открыла сразу и молча бросилась мне на шею. Ни паролей-отзывов, ни дурацких вопросов типа: «Вы не привели „хвоста“?» Да и я не стал обходить квартиру в поисках засады или спрятанных микрофонов. Такие штучки подходят для шпионских романов. В реальной жизни они ничего не дают.

— Извини, зайка, я не в форме,— доктор Крюгер целомудренно чмокнул Мадлен в гладкую щечку и, деликатно отстранившись, осмотрелся вокруг.

— Какое уютное гнездышко, дорогая. Не скажешь, что оно снято неделю назад: здесь все, как у тебя в Лионе. И занавески, и керамические фигурки очень похожи... Однако к делу: доложи обстановку!

Если Мадлен и обиделась, то виду не показала. Всетаки она достаточно долго занимается работой, которая требует скрывать свои истинные чувства.

— Два шурфа в разных концах долины. Никакой охраны. Можно было набрать целый мешок. С чего ты взял, что там есть золото?

Мадлен вывалила на стол десятка два серо-черных, опаленных взрывами камней.

Эти из восточного шурфа, а эти из западного...

— Хорошо, очень хорошо,— доктор Крюгер жадно перебрал невзрачные куски породы. Они выглядели точно так же, как камни в Тырныаузе.— Никто не мешал?

— Нет. Ты же сказал — идти в сумерках. Там вообще никого не было. Даже машины не проезжали.

— Хорошо... Это очень хорошо,— Крюгер поставил на стол свой портфель и открыл его.— Не боялась?

— Странный вопрос. И потом, я взяла пистолет. В Андорре разрешают носить оружие...

— Да, но только своим гражданам. А правда, что тюрьма здесь вырублена в скале и преступников по средневековым законам обезглавливают широким мечом?

Мадлен пожала плечами.

— Не знаю. Может, отпетых злодеев... И потом, какая разница — широкий он или узкий?

— В Парижском музее я видел меч палача — широченный, с отрубленным острием,— как любой тонкий, легко ранимый человек, я тяжело вздохнул.— Ужасающее впечатление!

— Здесь должен быть замечательный вид с балкона, а у меня мало времени,— бестактно вмешался Крюгер. Видно, он не меньшая скотина, чем я.

Нахмурившись, Мадлен вышла. Я достал из портфеля футляр, из футляра — пробирки с химикатами и капнул на камень вначале розовым, потом желтым. Смешавшись, капли запузырились, поднялся легкий дымок, когда реакция закончилась, на неровной поверхности осталось ярко-зеленое пятнышко. Отлично! Я взял второй камень, потом третий... Через двадцать минут работа была завершена. Результат превзошел все ожидания: сто процентов с высоким содержанием! Я вылил химикаты в туалет, тщательно вымыл пробирки, оттер пятна на камнях и сложил все в бумажный пакет.

— Ты не соскучилась, дорогая?

Вид с балкона действительно такой, что дух захватывает: дикие горы окружают оазис цивилизации — разнообразные по архитектуре дома, плавно извивающаяся в бетонных берегах Валира, парки, газоны, клумбы... Так и хочется прыгнуть и полететь. В детстве и юности я часто летал во сне. А в семьдесят девятом украл самую секретную разработку Пентагона — ракетный ранец для десантирования спецподразделений. Помню, за это мне дали премию в размере оклада.

Облокотившись на перила, Мадлен невесело смотрела куда-то вниз. Я нежно обнял напряженные плечи.

— Расслабься, зайка, ты отлично сработала. Оставь мне машину и поспеши, а то опоздаешь на самолет. У тебя ведь еще дежурство.

— Да, еще и дежурство.

— Конечно, ты очень устала, но это последний раз. Обещаю.

— Я знаю цену твоим обещаниям.

— Кстати, никакого золота здесь не оказалось. Но на наших заработках это не отражается, вот твои пять тысяч.

— Спасибо.

Она высвободилась, равнодушно взяла деньги и пошла собираться. Я проводил взглядом стройную фигурку. Никаких эмоций. Раньше мандраж перед акцией не оказывал столь губительного воздействия. Отвык от риска? Или годы берут свое?

Я перебрал содержимое портфеля.

Коммуникатор «Nokia 9290» — гибрид карманного компьютера с сотовым телефоном, номер зарегистрирован в Германии на несуществующего человека. Компактная подзорная труба — монокуляр десятикратного увеличения.Цилиндр с цифрой «двести двенадцать» на матовом боку. Белый бумажный прямоугольник. Это что-то лишнее. Никакого конверта здесь быть не должно...

Очень осторожно я взял конверт в руки. Ни проволочек, ни сердечника, ни порошков — обычное письмо.

Нож с хрустом вспорол тугую бумагу, и я сразу узнал почерк Марка.

«...Только из-за тебя я согласился вспомнить старое. Ты ведь знаешь мою интуицию. Так вот, с самого начала у меня было плохое предчувствие. Очень плохое. И оно все усиливалось. Связаться с тобой не смог, да это ничего бы и не дало — ты ведь упрям, как осел. Извини, это я послал письмо в таможню, написал, что тебя ищет Интерпол. Я знаю, как это называется. Но тебе ведь ничего не угрожало. Я надеялся, что ты насторожишься и все отменишь. Однако, раз ты читаешь это письмо, ничего подобного не произошло. Где же сейчас я? Если лежу на пляже — позвони, и я сто раз извинюсь за свой идиотизм и беспросветную глупость...»

Марк лежал в морге. В моей одежде, в заляпанных моим пивом брюках. Хотя он и сделал то, чего делать нельзя, идиотом и беспросветным глупцом был я.

— Ты плачешь?! — у одетой в дорогу Мадлен из рук выпала сумка.— Значит, тебе тоже нелегко расставаться! А зачем нож?

У меня вздрагивали пальцы, и обычный складной нож с надписью «Толедо» на клинке, как живой, прыгал на ладони, разворачиваясь острием то в одну, то в другую сторону. Когда нет стопора, колоть надо наискосок, против линии складывания, и нож это учитывал, ложась каждый раз так, как надо.

— Я приеду к тебе, когда все кончится.

— Что «все»? Мы же закончили работу и получили деньги! Поедем сейчас...

— Нет. Сейчас нет. Кстати, дай мне пистолет.

Губы Мадлен дрогнули. Она полезла в сумку и положила на край стола маленькую «беретту» и ключи от автомобиля.

— Угнать машину я не смогла, слева от подъезда синий «форд-фокус». Он взят напрокат по поддельному удостоверению.

— Я правда приеду.

— Ключ от квартиры оставь у консьержки. Прощай.

Не поверила. Вряд ли ее можно за это винить. Как и меня, незаметно проконтролировавшего из окна ее отъезд. Ничего подозрительного я не заметил.

Я раскрыл коммуникатор, набрал код России и первую цифру номера, потом согнутый палец завис над клавиатурой. Патроков нетерпеливо ждет результатов анализов. Но ему наверняка сообщили, что я убит. Если выйти на связь, об этом узнает Иван или кто-то еще — тот, кто сливает информацию третьей силе. Фонтан говна забьет опять, меня начнут искать и убьют по-настоящему. Бр-р-р... Нет, лучше пусть все остается как есть...

Вышел в Интернет и проверил котировки акций на франкфуртской бирже. Цены на молибден упали еще на восемь пунктов. В Лондоне на семь, в Нью-Йорке — на пять: сказывается отдаленность Нового Света. Но совершенно очевидно одно — андоррский молибден перестал быть мифом, и мировой рынок реагирует так, как и должен реагировать на новое крупное месторождение. Потом я вошел на сайт швейцарского банка «Лео», ввел пароль и убедился, что миллион долларов по-прежнему заблокирован на промежуточном счете до конца завтрашних суток. Впрочем, иначе и быть не могло. Если цена молибдена за это время повысится, миллион автоматически будет переведен на цифровой счет господина Крюгера. Если нет — возвратится на счет Патрокова. Комбинация безупречна: с одной стороны, исключен любой обман, с другой — теряет смысл убийство несчастного Дмитрия Полянского. «Хитрая скотина!» — сказал по этому поводу Иван. И с ним можно согласиться по двум причинам. Во-первых, еще тридцать лет назад меня так назвал Роберт Смит, тогда рядовой офицер, а впоследствии резидент ЦРУ во Франции. А во-вторых, «страховка» придумана, без ложной скромности, гениально, и Иван не мог не оценить ее законченности и изящества.

Глава 6

Иван на самом деле не простофиля из сказки, а генерал-майор Иванников, и его оперативный стаж не меньше, чем у меня. Правда, родственные связи и особенности характера сделали его службу качественно иной. Он всегда занимал легальные должности в посольстве, имел дипломатический паспорт, а самой рискованной его операцией было ксерокопирование статей из газетных подшивок в публичных библиотеках. Его не сажали в тюрьму, не грозили зажарить и съесть, не пытались сбить машиной или застрелить. Тем не менее, считалось, что мы оба работаем «в поле», «на холоде», хотя поля и холода у нас были совершенно разными. Последние двадцать лет Иванников и вовсе сидел в тепле руководящего кабинета, являясь моим прямым начальником: вначале непосредственным, а потом — самым высоким. Когда Россия резко снизила внешнеполитическую активность и отказалась от «острых» акций, способность выполнять грязную работу и готовность рисковать своей шкурой мгновенно обесценились, и я был отправлен на пенсион. Иван лично вручил мне почетную грамоту, конверт со скудной премией, сердечно пожал руку и посетовал, что профессионалов нынче ни в грош не ставят. Поскольку инициатором увольнения являлся он сам, трудно было понять, кому адресован этот упрек.

А через два года Иванников самолично позвонил мне, поинтересовался житьем-бытьем, удовлетворенностью жизнью и материальным достатком. Эффект от этого звонка был сопоставим с неожиданным визитом в однокомнатную хрущевку африканского носорога. Впрочем, нет: в конце концов носорог мог убежать из зоопарка и, влекомый первобытными инстинктами, забиться, обдирая бока, в панельную пещеру на окраине столицы. А вот чтобы давно и прочно отгороженный от мира референтами, охранниками, помощниками и секретарями богоподобный генерал позвонил напрямую ничтожному, списанному в запас майоришке и стал расспрашивать о его проблемах — это событие совершенно невероятное, которое и сравнивать-то не с чем. Если бы ко мне заглянули пьяные вдрызг инопланетяне и попросили добавить на бутылку, я бы, наверное, удивился меньше.

— Разбросала нас судьба, сколько лет, сколько зим по кружке пива не выпили! — бодро кричал Иван.— Это не годится! Друзей забывать нельзя! Садись в самолет, прилетай в Минводы, я тебя встречу, поедем в горы, отдохнем по полной программе! Не один год бок о бок работали, или нам вспомнить нечего?

Вспомнить можно было до хрена. Например, однажды, в результате умелого планирования операции тогда еще полковником Иванниковым, я очутился в джунглях Борсханы с тридцатикилограммовым маяком ориентации подводных лодок, совершенно не представляя, как доставить его в подходящее для установки место. Другой раз, дожидаясь эксфильтрации, напрасно торчал три дня на уругвайском побережье, пока не попал в лапы береговой охраны. Третий...

— Шашлыки, коньяк, охота, девочки — все как положено! Дорогу я оплачу, да еще и о заработках хороших поговорим! Я про товарищей всегда помню, ты ведь знаешь! Чего молчишь-то? Зазнался?

Я обвел взглядом обшарпанную комнату.

— Да нет... Просто прикидываю, как дела раскидать...

Никаких дел у меня не было. Вообще никаких. Все эти ассоциации ветеранов спецслужб занимались тем, против чего всю жизнь боролись, сыскные и охранные конторы преданно работали на зажравшихся нуворишей, а если привычки нет, в сорок восемь поздно становиться холуем. Целыми днями я бродил по Москве: выбирал места для закладки тайников и «моменталок», наблюдал за каким-нибудь прохожим, отслеживая все его перемещения и контакты, уходил от преследования... К сожалению, воображаемого. Я не интересовал решительно никого, одиночество и никчемность сводили с ума, и я был бы рад даже врагам, если бы они проявили внимание к моей персоне.

— Это, старик, все не дела, а делишки! Дела мы здесь обсудим! Так что, прилетаешь завтра?

— Прилетаю,— наконец сказал я.

Иван с двумя мордоворотами встретил меня прямо у трапа «Ту-154», обнял, расцеловал в обе щеки, долго тряс за плечи и оглядывал со всех сторон, только что не воскликнул: «А поворотись-ка, сынку!» Его спутники с трудом сохраняли на каменных лицах какое-то подобие явно непривычного выражения приветливости.

Мы погрузились в черный квадратный «гелендваген», и я настроился на долгую горную дорогу, но через несколько минут джип остановился у большого белого вертолета с российским флагом и буквами «ТГОК» на борту. Внутри он был отделан по варианту «VIP-салон»: мягкие кресла и диваны из белой кожи, дубовые панели, шелковые драпировки. Довершал интерьер чернокожий стюард в белом смокинге. Я впервые летел в такой обстановке и впервые пил голубой «Джонни Уокер» под бутерброды с толстым слоем белужьей икры. И то и другое мне понравилось, хотя мнения о дурном вкусе хозяина не изменило.

Встреча с Асланом Патроковым только укрепила заочное впечатление. Ему было немногим более тридцати, хотя, как и большинство кавказцев, выглядел он гораздо старше. Рост ниже среднего, широкая грудная клетка, огромный живот, навязчивый запах одеколона. Тысячедолларовый костюм от Хьюго Босс, несвежая сорочка с распахнутым воротником и разношенные кроссовки, будто из секонд-хэнда.

— Ноги отекают,— пожаловался он, перехватив мой взгляд, и протянул большую влажную ладонь. Золотой «Патек Филипп», массивный перстень с бриллиантом, на шее цепь толщиной с палец. В левой руке зажаты сразу два мобильника. Оба звонили, но Патроков не обращал на них внимания.

— Извините, что сам не встретил,— совсем не извиняющимся тоном произнес он.— У меня дел навалом: все чего-то просят. Мэру дай, министерству помоги, правительство поддержи... Вот сейчас премьер звонил, вопросы поставил... Кручусь, короче. Вот, брат помогает. Познакомьтесь...

Брат имел более адекватный вид: мрачный небритый абрек в спортивном костюме — он жевал резинку и не пытался из себя что-то изображать.

— Арсен,— твердая рука с набитыми мозолями на костяшках, жесткое рукопожатие, короткий, испытующий взгляд. На уровне пояса, слева, куртка красноречиво топорщилась. За ним полукругом стояли еще четыре столь же откровенных бандита с небрежно скрытым оружием.

— Полянский. Дмитрий Артемович,— скромно отрекомендовался я.

— Да-а? Без понта-а-а? — по-блатному растягивая слова, процедил он и криво усмехнулся. Если угроза и подозрительность входят в понятие кавказского гостеприимства, то я был встречен по его высшему разряду. Но, затевая большие дела, не стоит обижаться на подобные мелочи.

— Даже не сомневайся, центурион! — дружески подмигнул я. Слово оказалось слишком мудреным и ответной реакции не вызвало, как камешек, беззвучно сгинувший в глубоком колодце.

— Так называли начальника охраны в древнем Риме.

Массивные челюсти на мгновенье замерли, но тут же возобновили свою нескончаемую работу. Короткий взгляд на старшего брата.

Аслан важно надулся.

— Чего удивился? Знаешь, где человек работал? У него может сто фамилий. И все с ходу понимает, вон тебя сразу просек! Специалист! Не обманул наш генерал...

Так хвастают только что купленной породистой собакой. Я польщенно улыбнулся.

— А когда я вас обманывал? — без обиды спросил Иванников. Патроков-старший уже не слушал.

— Займи гостя, Валера! — отдуваясь, скомандовал он.— Короче, чтоб все как положено...

— Не беспокойтесь, Аслан Муаедович, программа уже готова!

Мир перевернулся. Какой-никакой человек Иван, но он окончил специальный институт и академию, много лет работал в разведке и дослужился до генерала, он входил в высшие номенклатурные круги, принимал важные для страны решения, его знали многие руководители государства. Теперь это ничего не стоит. Неотесанный сопляк, который наверняка пишет с ошибками, излучает властную уверенность и помыкает им, как своим адъютантом. Только потому, что каким-то непостижимым образом завладел горно-обогатительным комбинатом, примыкающим к нему городом, работающими и живущими там людьми, окружающими горами, ущельями — всем!

Меня поселили на шикарной высокогорной вилле. Добраться туда можно было вертолетом, по асфальтовой дороге, построенной Патроковым и им же перекрытой внизу и вверху шлагбаумами, либо по крутым горным тропам. Там были шашлыки, коньяки, баня, девочки, охота — все, что Иван пообещал, причем наилучшего качества. Огромный красавец архар оказался под стать великолепному «ремингтону», на мушку которого я поймал его украшенную коллекционными рогами голову... Только охотник не соответствовал ни тому, ни другому, поэтому я отвел ствол, пуля со свистом унеслась в синее небо, и животное скрылось среди скал раньше, чем смолкло эхо выстрела.

— Неужели потерял форму?— встревожился Иван.— Не может быть! Знаешь, зачем мы тебя пригласили?

Он доверительно взял меня под локоть. Я высвободился.

— Конечно. Заказать сложное убийство. Настолько сложное, что оно не по зубам вашим гориллам.

Иван остановился.

— Ты что, с ума сошел? Как ты мог такое подумать?! Речь идет об экономической безопасности государства!

— Насколько я знаю, вы уже год на пенсии. Причем здесь государство?

— Все взаимосвязано. Появилась информация, что в Андорре открыто крупное месторождение молибдена. Если это действительно так и его начнут разрабатывать с европейской интенсивностью, нашему комбинату конец. Оборудование изношено, нормальной рабочей силы нет — он просто не выдержит конкуренции. Конечно, в первую очередь разорится Патроков, но потом погибнет город, ослабнет регион, страна потеряет ряд позиций на мировом рынке!

— Это ужасно. Но при чем здесь я?

— Ты единственный подходящий специалист. Надо выехать на место и все лично проверить. А если информация подтвердится, устранить угрозу для страны. Тебе ведь это не впервой. Только раньше все делалось бесплатно, а теперь Аслан Муаедович заплатит любую цену!

— Любую?! — я вытаращил глаза.— А миллион заплатит? Вы же знаете, чем это пахнет. Меньше чем за миллион рисковать шкурой резона нет!

Когда мы вернулись на виллу, Иван поспешил звонить боссу, а я прошел к себе в комнату и достал маленький японский приемник со встроенным сканером, который прекрасно ловил волну, особенно на небольшом расстоянии.

«Он попросил миллион, Аслан Муаедович»,— донесся из динамика взволнованный голос Ивана.

«Всего? — удивился Патроков.— Очень дешево. Способ передачи, гарантии?»

«Он все продумал. Такой виртуозной страховки я в жизни не встречал! Хитрая скотина...»

Глава 7

Светящийся экран «Nokia 9290» все отчетливее выделялся в сгущающихся сумерках, отбрасывая блики на матовый цилиндр с цифрой «двести двенадцать» на боку. Точно такой, как купленный в парфюмерном магазине несколько часов назад, только потяжелее и из настоящего титана. Кроме того, здесь магнит удерживает не пробку на флаконе, а всю конструкцию на любой металлической поверхности. Есть и еще одно отличие: если напившийся пива любопытный глупец попытается снять пробку, то огненный веер разрежет пополам его, а заодно и все, что попадется на расстоянии до трех метров. Щелевой кумулятивный фугас — вот как это называется. Я почти воочию увидел широкий, зловеще блестящий меч андоррского палача и ощутил отвратительный запах напоенной кровью стали.

Эту штучку не слепишь кустарно в пещере кавказских гор. Здесь чувствуются высокие технологии специального военного назначения. Она сделана там же, где и спутниковые фотографии, которые Патроков пачками вынимал из внутреннего кармана. В век Великой Измены возможно все.

Но я был большим хитрецом и гораздо меньшей скотиной, чем думал Иван.

«Потери будут единичны: это ведь дно озера, там нет жилья. И ночь... Может, случайная машина...»

«Ну, тогда другое дело!»

Скотиной часто приходится притворяться, чтобы выжить. Ответь я по-другому — и с не успевшими перевариться деликатесами в желудке отправился бы в ледяной мрак какой-нибудь бездонной расщелины. Поэтому я взялся за грязную работу, но как всегда составил два параллельных плана. Теперь пора переключиться с одного на другой. А значит, без звонка в змеиное гнездо и связанного с этим риска не обойтись.

По личному номеру Патроков отозвался сразу.

— Это я, Аслан. Все подтвердилось. Пробы просто отличные. Действую по плану.

— Как так... Мне сказали, что тебя это... Короче, убили! — изумление было не наигранным.

После подчеркнутой почтительности это «тебя» покоробило. Впрочем, я и не обольщался насчет скоробогачика в раздолбанных кроссовках. Он не разрешил везти по своей дороге беременную жену провинившегося чем-то повара и при мне покрыл трехэтажным матом делегацию рабочих, униженно просивших выплатить хоть какой-нибудь аванс. «Работайте, козлы, тогда у вас все будет!» Хам есть хам, деньги его не исправляют.

— Кто-то сильно играет против тебя, Аслан. Путает все карты. Я чудом уцелел, мой друг погиб. Осмотрись вокруг — это кто-то из своих, из близких.

— Я найду эту зимию! — жутким голосом пообещал он.— А семью друга озолочу, клянусь!

Цена таким клятвам известна. К тому же у Марка не было семьи.

— Сделай все как надо, брат! Как договорились, так сделай! Я тебя не забуду...

— Посмотри ночные снимки. И торопись с игрой, как бы тебя не обошли!

— Спасибо, брат! Они все будут в жопе!

Я отключился и бросил взгляд на часы. Девять. Мадлен добралась до места и сейчас заступает на дежурство. Без отдыха, разве что успела принять душ и выпить чашечку кофе. А ведь у нее были напряженные дни, да еще я испортил бедняжке настроение! Пора бы ей бросить работу и пожить в свое удовольствие, девочка это заслужила. Если найдется солидный, порядочный и обеспеченный человек... Ладно, в сторону сантименты!

Я вновь вошел в Интернет и сосредоточенно застучал по миниатюрным клавишам. «В Западно-Европейское региональное отделение Мирового центра предупреждения катастроф и чрезвычайных ситуаций...» Отправив сообщение и дождавшись подтверждения приема, я перевел дух.

Потом стал собираться. В задний карман брюк сунул «беретту», в правый положил складной нож. Цилиндр «двести двенадцать» несколько раз с сомнением подбросил на ладони и все же спрятал в портфель, туда же определил коммуникатор. Выходя из квартиры, прихватил бумажный пакет с камнями.

Глава 8

— Вы ему родственник? — вышколенный служащий в черном фраке изображал искреннюю скорбь.

— Брат. Значит, по самому высшему разряду.

— Даже не сомневайтесь!

Он почтительно проводил меня до выхода. Самая лучшая погребальная контора Андорры займется беднягой Марком. Но это не освобождает меня от обязанности заняться теми, кто отправил его на тот свет. Хотя пока я совершенно не представлял, с какого конца подходить к этой проблеме.

Пробирки я выбросил в разные мусорные контейнеры, как и положено — в отсеки для белого стекла. Избавиться естественным образом от камней было сложнее: кругом асфальт, цветники, газоны. Пришлось незаметно, по одному топить их в Валире. Все время я проверялся, но не заметил ничего подозрительного. Тем не менее ощущение опасности не проходило. Возможно, оттого, что я знал: охота возобновлена, причем целенаправленно и очень активно. Утешало лишь то, что отыскать меня среди десятков тысяч горожан — задача сродни поиску иголки в стоге сена. Правда, квадратно-сетевой метод очень эффективен, но он требует значительного количества людей. А похоже, что ресурсов у моих преследователей и не хватает, иначе центральные улицы и ключевые перекрестки были бы перекрыты.

Странно. Если «третья сила» — это владельцы андоррского молибдена, богатые и могущественные хозяева этой земли, то нехватки в людях они испытывать не должны...

Ладно, что толку гадать! Лучше усилить маскировку... Узнать меня практически невозможно. Но кроме физических примет, существуют и социальные. Одинокий мужчина, иностранец, примерно пятидесяти лет. Я попадаю в эту категорию. Чтобы выйти из нее, достаточно найти спутника, а лучше — спутницу. Последнее реальней: сойдет любая проститутка... Что ж, поищем. Но вначале надо заправиться — я люблю, чтобы бак был полон, а сейчас стрелка лежит почти на нуле. Сколько учу Мадлен — все бесполезно!

Залив в «фокус» сорок литров бензина, я почувствовал, что и собственный организм требует заправки. На одном из шести углов площади Кабальерос пылал очаг ресторана «Эль Гриль», на крутящихся вертелах румянились упитанные цыплята и сочные свиные рульки. Если прокусить хрустящую поджаренную корочку, рот наполнится горячим ароматным жиром... Желудок сжал нервный спазм, я с трудом сдержал рвотный рефлекс и нажал на газ, чтобы быстрее проскочить мимо. Подъехав к автостанции, я все же купил два бутерброда с ветчиной и банку кока-колы. Против столь примитивной пищи организм не бунтовал, и я спокойно понес пакет к машине.

— Вы едете вниз? — молодая блондинка с длинными распущенными волосами и сумкой через плечо смотрела на меня в упор и улыбалась.— Не подвезете?

Она говорила на плохом испанском и была не похожа на проститутку, но я тоже вряд ли похож на шпиона и диверсанта. К тому же, плевать, кто она, хорошо хоть одна проблема разрешилась сама собой.

— Поехали! Хотите бутерброд?

— Потом,— неопределенно ответила она, привычно устраиваясь на соседнем сиденье. Салон стал медленно наполняться тяжелым ароматом дорогих духов. Сегодня у меня какой-то парфюмерный день!

— Машина сломалась, а я живу в Сан-Джулии... — пояснила блондинка.— Это совсем рядом. А автобус только через полчаса.

Объяснение было вполне правдоподобным. Другое дело — насколько правдивым...

Мы без проблем выехали из города, не встретив ни одного полицейского поста и ни одной подозрительной машины. Я все время смотрел в зеркала заднего обзора, но никаких признаков «хвоста» не заметил. Да и спутница держалась безукоризненно: не пыталась завести разговор, не задавала вопросов, не старалась расположить к себе. Так ведут себя абсолютно непричастные к нашему делу люди. Или профессиональные агенты.

Всего двенадцать часов назад я ехал по этой дороге в обратном направлении. А кажется, что прошла вечность. Ярко светила луна, справа высились черные громады скал, слева поблескивала река. Через несколько километров она вольется в новое водохранилище. Пожалуй, я выехал слишком рано. Придется ждать около часа.

— Сейчас будет паркинг, там можно съесть ваш бутерброд,— спокойно сказала блондинка, как будто за этой невинной фразой не скрывалась явная двусмысленность. Зачем спешащей домой порядочной женщине уединяться с незнакомцем на загородном шоссе? Ради бутерброда с ветчиной?

Паркинг оказался необорудованным: просто заасфальтированная площадка, стол со скамьями вокруг да небольшой туалет. Фонарь освещал центр площадки, края тонули в темноте.

— Остановитесь во-о-он там,— изящный пальчик указал в непроглядную тень. Это уже было совсем недвусмысленное предложение. Но дельное, если абстрагироваться от ситуации: из мрака гораздо лучше контролировать обстановку вокруг.

— В темноте неудобно есть,— сказал добропорядочный доктор Крюгер, выключая двигатель.

— Я не голодна...

Девушка развернулась, облокотившись спиной на дверь, и положила ноги мне на колени. Гладкие икры, босоножки на высокой шпильке, прямой откровенный взгляд... На миг сердце дрогнуло. Конечно, второе сердце мужчины — простата. Но накативший дурманящий запах «Бушерона» стал сигналом тревоги. Чары развеялись бесследно.

— Иди ко мне...

Она призывно протянула руки. В правой ничего не было, и я схватил за запястье левой. В напряженных пальцах зажат шприц-тюбик, еще мгновенье, и игла вонзилась бы мне в шею.

Бац! Я не джентльмен. Джентльмены не бьют женщин ни при каких обстоятельствах. Голова попутчицы запрокинулась, парик слетел, теперь узнать брюнетку из парфюмерного магазина не составляло труда, хотя она и переодела полупрозрачную блузу.

— Кто тебя послал? — Я выкрутил узкую кисть и отнял шприц.— Как ты на меня вышла? Где твое прикрытие? Говори!

Лже-блондинка молчала, довольно правдоподобно имитируя обморок. Впрочем, может, она и не притворялась. Женщины не должны встревать в такие дела — рассчитывать на снисходительность тут не приходится: око за око, зуб за зуб, укол за укол...

Раз! Тонкая игла проколола белую кожу, содержимое шприц-тюбика толчками выдавилось в предплечье. Теперь ее тело обмякло по-настоящему. Что там было — наркотик или яд? Хотя профессионалу и стыдно в этом признаваться, но мне дьявольски не хотелось больше никого убивать...

Два! Содержимое сумочки высыпалось на сиденье. Помада, сигареты, маленький красный телефон, авторучка, сигареты, зажигалка, ключи, пудреница, чем-то знакомый черный кожаный футляр... Неужели «Длинное ухо»? Я заглянул внутрь: так и есть — набор дистанционного аудио-контроля, применявшийся Комитетом в конце восьмидесятых годов. Пресловутый «русский след» уже набил оскомину, но от фактов не отмахнешься. Официальное название — «ДАК-500». В комплект входят чувствительный приемник и две радиозакладки размером с таблетку анальгина. Сейчас на месте была только одна, под номером два. Я активировал ее и положил в сумочку — в потайной карманчик для денег, кредитных карточек или презервативов. В общее отделение сгреб все остальное, оставив себе телефон и плоский миниатюрный приемник. «Хорст, Марк, расставьте людей и приготовьте оружие!» — крикнул я в темноту. Вреда от этого крика никакого, а польза могла быть, особенно если любители «Длинных ушей» контролируют происходящее в «форде».

Три! Я выволок девушку из машины и положил прямо на землю. Опять не по-джентльменски, но ни пледа, ни одеяла под рукой не было. Погладил теплую шею, пощупал пульс — немного учащенный, но ровный. Значит, обошлось — и ей, и мне повезло. Последний штрих — одернуть бессовестно задранную юбку и быстро убираться отсюда. Парни, с которыми она работает, соблюдали осторожность и не висели на хвосте, но это ничего не значит: в любую минуту из темноты могут вынырнуть огни их фар.

Глава 9

Проехав еще полтора километра, я свернул вправо, на уходящую вверх узкую дорогу и вскоре нашел прекрасный наблюдательный пункт: нависающую над ущельем смотровую террасу. Наискосок от нее, внизу находилась плотина — по прямой не больше трехсот метров. Я достал подзорную трубу. Мощные фонари ярко освещали весь комплекс: белое административное здание, чисто выметенную асфальтированную площадку с несколькими машинами дежурного персонала, темную массу воды, намертво сомкнувшиеся створы водосброса. Дальше расстилалась совершенно черная, без единого огонька долина. Сегодня ночью в нее придет вода.

В моем портфеле дожидался своего часа щелевой кумулятивный фугас. В памяти коммуникатора хранился текст отправленного недавно электронного письма: «В Западно-Европейское региональное отделение Мирового центра предупреждения катастроф и чрезвычайных ситуаций. По данным метеорологических тестов и спутниковой фотосъемки, таяние ледников в Пиренеях создает угрозу затопления для ряда регионов, в том числе находящейся в зоне вашей ответственности Андоррской долины. Для обеспечения возможности приема излишнего объема Валиры рекомендуется профилактический сброс ста тысяч кубометров из Андоррского водохранилища не позднее двадцати четырех часов сегодняшего числа. Директор центра Хаммершильд». Интересно, какое орудие окажется сильнее? Я склонялся в пользу письма.

Региональное отделение располагалось в Лионе. Предупреждение поступило туда два с половиной часа назад. Оно снабжено сегодняшним паролем, имеет необходимые реквизиты и подписано надлежащим должностным лицом. Дежурный диспетчер может проверить информацию у Хаммершильда по прямому телефону, но не станет этого делать. Потому что дежурного диспетчера зовут Мадлен, и это она сообщила мне пароли и реквизиты. Не испытывая сомнений в подлинности документа, диспетчер передает его по специальным каналам связи местным властям и в дирекцию плотины. Официальное сообщение, комар носа не подточит. Его обязаны выполнить — точно, безоговорочно и в срок.

Однако уже двадцать три пятьдесят, а никакого оживления внизу не наблюдается. Что-то не сработало? Может, Мадлен отстранили от дежурства? Или вообще уволили... Она говорила, что начальство недовольно ее «отпусками по семейным обстоятельствам». А может, она переметнулась на другую сторону? Или ее убили?!

Когда важное событие не наступает, в голову приходят наихудшие варианты объяснений. Минутная стрелка моей «Омеги» коснулась цифры двенадцать, и тут ситуация резко изменилась. Три черных автомобиля, свернув с шоссе, подкатили к дирекции, из первого вышел солидный господин с портфелем, из двух других — не менее солидные, но без портфелей. На крыльце их почтительно встретили двое клерков из дежурной смены, и все скрылись в административном здании.

Мигая сигнальными огнями, из темноты вынырнули две полицейские машины. Одна развернулась поперек дороги, вторая понеслась вниз по ущелью. Ее громкоговорители работали на полную мощность, даже до смотровой площадки доносились обрывки фраз: «Поки... долину! ...запрещено! Опасность затопле...»

Я опять оказался прав: письмо сработало эффективней бомбы. Теперь оставалось ждать.

Чтобы не терять времени, я достал маленький красный телефон и нажал несколько кнопок. На зеленоватом дисплее высветились цифры последних наборов. Владелица аппарата поддерживала связь с узким кругом абонентов: в памяти повторялись только четыре номера. Три относились к мобильной телефонной сети Испании, четвертый начинался со знакомых символов «плюс семь», а значит, находился в России. Снова «русский след»? Контакты с ним имели место всего два раза: в пятнадцать десять исходящий звонок, в двадцать один тридцать — входящий. Первый — сразу после убийства Марка, второй — через полчаса после того, как Патроков узнал, что я жив... Значит, это и есть змеиное гнездо, гадючий клубок, центр управления, где заказчики варят свою кровавую кашу! А изящный красный телефончик принадлежал координатору — посреднице между Центром и тремя местными головорезами.

Один проявился только два раза — ему адресован исходящий звонок в двенадцать тридцать, и от него поступил входящий в пятнадцать ноль пять. Если предположить, что это снайпер, то первым ему сообщили, где забрать мою фотокарточку, а вторым он отчитался о проделанной работе. Второй номер четыре раза встречался в исходящих звонках, это односторонняя связь, характеризующая малозначительную, подсобную фигуру, скорее всего, водителя. Зато третий занимал больше половины памяти: семь входящих и пять исходящих. Столь интенсивный диалог с координатором мог вести только руководитель местной сети.

Включив плафон, я аккуратно выписал все телефоны на клочок бумаги. Не терпелось выяснить, кто же заказал эту канитель, но действовать следовало аккуратно, чтобы не разворошить змеиное гнездо раньше времени. Мой смартфон имел антиопределитель номера, и я не торопясь набрал нужные цифры. Они показались смутно знакомыми.

— Да-а! — сразу же отозвалась трубка. Голос был самоуверенным и развязным. И тоже как будто знакомым.

— Ну, кто это-о? Че молчишь?!

Я узнал манеру растягивать слова и блатные интонации. Арсен Патроков! Его номер отличался от номера Аслана Патрокова только тремя последними цифрами.

Нажав кнопку отключения, я откинулся на спинку сиденья и вытер вспотевший лоб. Вот сволочь — играет против родного брата! Но что у него за интерес?

Впрочем, размышлять над этим сейчас не было времени. Я поднес к правому глазу подзорную трубу. Перед развернутым поперек шоссе автомобилем с мигающими красно-синими огнями выстроилась колонна остановленных на пути в долину машин. Двое полицейских в желтых накидках размахивали светящимися жезлами, разворачивая их обратно.

На плотине зажглись яркие прожектора, отчего вода под ними стала еще темнее. Тем отчетливее выделялись белые буруны, закручивающиеся в водоворот над отверстием аварийного сброса. Мне показалось, что я слышу гул несущегося по отводному тоннелю бурного потока. Сто тысяч кубов выплеснутся из нижнего среза тоннеля и растекутся по долине. Максимальная отметка — до полуметра. Через несколько дней вода сойдет, впитается в землю, и от происшествия останутся только воспоминания. Если бы взрыв фугаса снес основные створы и все содержимое водохранилища обрушилось вниз, последствия оказались бы совсем другими. Но на большом расстоянии эта разница нивелируется. Через полтора часа на высоте двухсот километров пройдет спутник, и к утру Аслан Патроков получит фотографии залитой водой долины. Что он на них рассмотрит? Только одно:

деньги за породистую собаку заплачены не зря — купленный с потрохами Дмитрий Полянский выполнил свой контракт.

А для полноты впечатления надо добавить к снимкам еще несколько убедительных штрихов. Я вновь взялся за верную «Нокию»...

Глава 10

За годы службы мне нередко приходилось выдавать себя за того, кем на самом деле не являлся: хирурга, физика-ядерщика, американского гражданина. Последний обман помог выжить в Борсхане — аборигены точно знали: если съесть американца, придут солдаты и всех убьют. Если бы эти легенды тщательно проверялись, я бы давно сидел в тюрьме или, превратившись в каннибальский навоз, удобрял почву африканских джунглей.

Но когда я работал под видом журналиста, самая дотошная профессиональная проверка не смогла бы меня разоблачить. Сотни публикаций в газетах и журналах мира, постоянное авторство в ведущих информационных агентствах, умение быстро подготовить статью на любую тему делали такое прикрытие железным. В мире журналистики имя Дмитрия Полянского было хорошо известно — «Известия», «Фигаро», «Вашингтон Пост», агентства «Рейтер» и «ИТАР-ТАСС» даже числили меня среди нештатных авторов. Им я и разослал двадцатистрочные информации о затоплении Андоррской долины. С несколькими вариантами версий: аварийный сброс, ошибка диспетчера, диверсия. В газетах все смешается, и каждый извлечет из получившегося винегрета то, что ему больше нравится.

Час ночи. Насвистывая сквозь зубы какой-то привязавшийся мотив, я в очередной раз включил приемный блок «ДАК-500». Тишина. Радиус действия прибора —

пятьсот метров. Значит, микрофон номер два, сумочка, в которой он спрятан, девушка, при которой находится эта сумочка, и ее друзья с бесшумными пистолетами в карманах обретаются дальше, чем в полукилометре. Что ж, это хорошо. Хотя я совершенно не представлял, как смогу их миновать, возвращаясь по единственной дороге на засветившемся «фокусе».

Палец машинально нажал кнопку переключения диапазонов, и решеточка динамика на серой матовой панели засвистела мне в унисон. Я перестал свистеть — приемник замолк.

— Черт!

Приемник четко повторил ругательство.

Значит, кратковременная попутчица времени зря не теряла! Куда же она всадила этот проклятый микрофон номер один? Да куда угодно: под панель, обшивку двери или ковролин пола, в подушку или спинку сиденья... Принимают ли приемники «ДАК-500» сигналы микрофонов из других комплектов? Я напрягся, вспоминая. Черт их знает! А что я говорил? Ничего. Набирал и передавал тексты, разбирался с телефонными номерами, кряхтел, сопел, возможно, матерился. Уже легче. Но включенный радиомикрофон легко запеленговать! Острое чувство опасности холодком прошлось вдоль позвоночника, волосинки на спине встали дыбом. Быстро выбросить эту гадость!

Я лихорадочно ощупал сиденье пассажира, пошарил под ним, сунул руку под панель. Пусто. Надо снимать кресло, поднимать пол, разбирать дверь. Поиски могут затянуться, а к увлеченному человеку легко подобраться! Ощущение опасности усиливалось. Я вновь включил второй диапазон.

— Он где-то рядом,— раздался мужской голос.— Тут неподалеку есть смотровая площадка...

Приподнявшись, я извлек из заднего кармана «беретту» и быстро дослал патрон в ствол. Чувство опасности прошло, осталась просто опасность.

— Надо было брать его на паркинге, как договорились! — раздраженно сказала женщина.

Я прицепил к поясу коммуникатор и с пистолетом в правой руке и приемником в левой выскочил в прохладную андоррскую ночь.

— Тебе же объяснили,— вмешался другой мужчина.— Вначале у нас спустило колесо, а потом оказалось, что с ним целая банда! Мы вернулись за автоматами...

Пригибаясь, я выбежал с площадки, пересек асфальтовую дорогу и стал продираться сквозь зловеще темнеющие заросли. Водятся ли здесь змеи?

— Один он! И откуда у него оружие? Из-за вашей глупости я получила дозу отключки, до сих пор голова болит!

В слабом свете луны я карабкался вверх по крутому горному склону. Камешки из-под ног с шумом сыпались вниз, несколько раз я упал на локти, но не выпустил ни «беретту», ни приемник.

— Тихо, подъезжаем... — раздался из динамика напряженный шепот. Одновременно послышался характерный лязг передергиваемого затвора.

Я облокотился на криво торчащее из склона дерево и замер. Сердце колотилось, ноги дрожали, сильно пересохло в горле. Стар я уже для таких дел...

Послышался приглушенный гул мотора. По дороге ночным хищником на одних подфарниках кралась машина. Внезапно двигатель взревел на форсаже, ослепительно вспыхнули ксеноновые фары, хищник стремительно вылетел на смотровую площадку, безжалостно слепя белым до синевы светом беззащитный «форд-фокус».

— Вперед! — рявкнул приемник.

Две тени с короткими автоматами в руках подбежали к форду, рывком распахнули дверцы, обшарили стволами салон, потом принялись нервозно оглядываться по сторонам.

— Он ушел! — сказал динамик женским голосом, в котором отчетливо слышались нотки неподдельного сожаления. И что я ей такого сделал?

— Никуда не денется,— уверенный мужской голос озадачил: я считал, что преследователей всего трое. Впрочем, где трое, там и четверо...

— Обыщите машину! Сегодня мы его сольем!

Ах ты, сливальщик яйцев! Никому не дано знать свое будущее, особенно когда имеешь дело с такой хитрой скотиной, как Полянский! Посмотрим, кто кого сольет...

Парни с автоматами залезли в «фокус». Женская фигура приблизилась к ним и оперлась на открытую дверь. Сумку она не взяла, и слышно ничего не было, до тех пор, пока я не догадался переключиться на первый микрофон.

— В ящике пусто... Подзорная труба... О, Мари, вот твой телефон, забирай...Что за пакет, проверь... Бутерброды? Дай сюда, у меня аж живот подвело...

— Один тебе, один мне, я тоже голоден...

— Нашли время жрать — каждая минута на счету!

— Не ругайся, Мари, это делу не мешает...

Теперь парни разговаривали с набитыми ртами. Девушку это явно раздражало.

— Не мешает... Разуйте лучше глаза: вон портфель за сиденьем!

— Точно... Ну-ка, посмотрим... Что это?

— Одеколон. Он его при мне покупал. Самый модный аромат года. Сорок восемь евро...

У Мари оказалась хорошая память.

— Гля, какой пижон! Давай и мы спрыснемся...

— У вас совсем крыша съехала... Не хотите работать! Пойду скажу Жаку...

Женщина в сердцах захлопнула дверь.

— Злюка. Видно, недотрахалась. Как он открывается, не пойму...

— Поверни крышку. Теперь в другую сторону... Потяни... Ну-ка, дай я!

Приемник на миг замолчал. От предчувствия того, что сейчас произойдет, захолодело внутри, сознание с компьютерной скоростью просчитывало плюсы и минусы такой развязки. Спутник как раз висел над долиной, значит, вспышка попадет в кадр и добавит моей фальсификации убедительности.

Кузов «фокуса» лопнул по хребту, неровный красно-голубой веер вырвался наружу, как зубчатый гребень стегозавра. Пронизывающий свет адского пламени затопил площадку, тьма рассеялась, тени сгустились. В черном ситроене медленно вдавливались растрескавшиеся стекла, расставив руки, парила над землей хрупкая женская фигурка, кляксами зависли над ней бесформенные лохмотья. Удар звуковой волны по барабанным перепонкам, толчок в лицо пахнущего гарью горячего ветра — и ад закрылся. В полной тишине клубился огонь в растерзанном «фокусе».

Отбросив в сторону ненужный приемник, я заскользил вниз по склону. Если руководствоваться холодным разумом, то мне здесь больше нечего делать, надо уносить ноги. Но они убили Марка, а это перечеркивает любые логические построения. Скользя, падая и вскакивая вновь, я спустился к дороге, выбежал на площадку, распахнул дверь ситроена и ткнул стволом «беретты» в лысину оглушенного пассажира. Он не шевельнулся, и я за подбородок вскинул безвольно обвисшую голову. Это был неулыбчивый француз из парфюмерного магазина. С тех пор он не стал веселее: крошки лобового стекла изранили лицо, плавающие зрачки свидетельствовали о сильной контузии. Я не верю любым свидетельствам, поэтому рывком выдернул его из машины и, бросив на асфальт, тщательно обыскал. Чисто. Я приткнул обмякшее тело к колесу.

— Кто стрелял? — Пара хороших пощечин приводит в чувство лучше, чем нашатырный спирт. А наставленный в лицо ствол располагает к искренности.

— Отвечай, кто стрелял?!

На окровавленном лице появилось осмысленное выражение.

— Хуан. Не я. Хуан.

— Где он?

— Там... Они оба там...

Дрожащая рука указала на пылающий «фокус». Чад горелого мяса чуть не вывернул меня наизнанку.

В нескольких метрах распростерлось на земле тело Мари. Я подошел ближе. Взрыв сорвал с нее кофточку и сильно опалил спину: багрово-черная кожа вспучилась пузырями. Но она была в сознании.

— Кто стрелял у термаля?

Девушка застонала.

— Хуан. Он сгорел в машине,— слабый голос прерывался.

— Кто тебя послал? — внезапно, подчиняясь интуиции, я перешел на русский.

— Этот бандит... Арсен Патроков...

— Зачем?

Она снова застонала.

— Хочет скупить акции по дешевке. И отнять комбинат у брата...

Что ж, картина предельно прояснилась. Я задумчиво взвесил «беретту» на ладони. Правила конспиративной работы и логика завершения специальных операций требовали только одного решения. Но оно мне не нравилось. Не спуская глаз с поверженных противников, я отошел на несколько десятков метров и, протерев платком, зашвырнул оружие в темноту. Снизу донесся вой полицейской сирены. Пришлось прыгнуть с дороги и снова ломиться сквозь кустарник вниз по крутому склону.

Глава 11

Проснулся я около полудня в мягкой постели, еще пахнущей духами Мадлен. Включив подзарядившийся за ночь коммуникатор, проверил котировки молибденовых акций. Ситуация резко изменилась — падение закончилось, цены шли вверх: Франкфурт — плюс шесть, Лондон — плюс пять, Нью-Йорк — плюс два. Сработало! Теперь главное — банк «Лео»... Торопясь, я ввел пароль. Так, сейчас... Вот оно! В восемь часов тридцать семь минут, через полчаса после начала биржевого дня, котировки молибдена повысились на один пункт. В полном соответствии с контрактом, резервный счет разблокировали, и миллион долларов немедленно был переведен на счет доктора Крюгера. Отлично! Так и хочется похвалить легендарную швейцарскую пунктуальность, но «Лео» — еврейский банк. Хвалить знаменитое хитроумие и умение обвести конкурента вокруг пальца? Но эти качества проявили отнюдь не банкиры, а скромный Дмитрий Артемович.

Аслан Патроков имел в виду повышение курса акций до прежнего уровня. А я заложил в контракт просто повышение цены. И ни сам неряшливый скоробогач, ни его придворный генерал, ни высокооплачиваемые юристы не рассмотрели подвоха. Что ж, это урок номер один. Деньги ума не прибавляют!

При всем уважении и симпатии к Мадлен, хорошей хозяйкой ее не назовешь. В шкафчике на кухне я нашел немного кофе, а в холодильнике — три сырых яйца, поэтому завтрак получился спартанским. Зато я насмотрелся телевизионных новостей. Французский репортер рассказал о затоплении Андоррской долины вследствие резкого таяния пиренейских снегов. Испанская информационная служба в качестве причины назвала трещину плотины. Местный канал намекнул на диверсию. В подтверждение показали взорванный «форд-фокус» с обугленными трупами внутри, контуженного Жака и обгоревшую Мари. Искореженные огнем автоматы и шпионский радиомикрофон добавляли репортажу убедительности.

— Полиция изъяла с места происшествия два телефонных аппарата предполагаемых террористов,— сказал напоследок журналист.— Проверка контактных номеров позволит выяснить их связи и возможных сообщников.

Я в очередной раз вошел в Интернет и, просмотрев газетные хроники, убедился, что все издания смакуют версию терроризма. Чего и следовало ожидать. На биржах котировки молибдена продолжали медленно расти. Объяснялось это не столько наводнением, сколько резкой игрой на повышение: два анонимных покупателя скупали все акции подряд, искусственно взвинчивая цену. Долго это продолжаться не могло в любом случае, а известие о полной сохранности андоррского месторождения и подавно обрушит весь рынок. Те, кто гонятся за сверхприбылью, рискуют стать банкротами.

Купленный с потрохами наемник обязан регулярно отчитываться перед хозяином, и Дмитрий Артемович позвонил Аслану Муаедовичу.

— Слушай, хорошая работа! — радостно завопил тот. Он, естественно, еще ничего не понял.

— Я видел фотографии, самый важный момент, ты меня понимаешь? Когда ты сделал «бум»! И теперь, пока низкая цена, я хочу скупить все, что смогу! Ты понял? Но маклер говорит, что мне кто-то мешает...

— Тебе мешает Арсен, твой брат,— сказал я, и трубка засорилась тишиной.— Давно мешает, с самого начала. Хочет «кинуть» тебя и забрать комбинат. Мне сказал его человек.

Тишина в трубке стала звенящей.

— Проверь его телефон и найдешь эти номера,— я продиктовал цифры.— Спроси, кому он звонил, и зачем ему звонили. Если он все стер — не беда: сегодня в вечерних газетах опубликуют его номер, поднимется большой скандал, он не отвертится! Алло, Аслан, ты меня слышишь? Алло?

— Слышу,— каменным голосом отозвался Патроков.— Я и раньше кое-что слышал, но не верил... Теперь ты дал доказательства, и я раздавлю гадину! И выгоню этого долбаного генерала — от него нет никакой пользы. Ты будешь вместо него! Куда прислать самолет?

— Я пока не собираюсь возвращаться. И наниматься на работу не собираюсь.

— Это не работа, это доля. Получишь пай вместо этой зимии. Будешь моим компаньоном, совладельцем будешь. По сравнению с этим то, что ты получил,— десять копеек! Куда прислать самолет?

— У меня еще много дел. Освобожусь — позвоню.

Целый день я просидел в квартире. Хотелось есть, но благоразумие требовало не выходить из дома, пока все не уляжется. Дышал воздухом на балконе, любовался прекрасным пейзажем, смотрел телевизионные новости, шарил в Интернете. К счастью, про доктора Крюгера никакой информации так и не всплыло. Вечером в информационных выпусках сенсацией прошел российский номер телефона, с которым связывались Жак и Мари. Замелькал излюбленный термин «русский след». В полуночном выпуске Интернет-новостей появилось короткое сообщение: «На Северном Кавказе группа вооруженных лиц напала на известного бизнесмена и брата влиятельного политика Арсена Патрокова. В перестрелке он и четверо его телохранителей были убиты.

Предприниматель получил более двадцати пуль». Слышишь, Марк, более двадцати! На свете все-таки есть справедливость, хотя до нее бывает трудно достучаться. А вот вам урок номер два: деньги не спасают от пуль.

Поздней ночью тональность репортажей изменилась. Взрыв машины и профилактический сброс из водохранилища разложили на разные полки, невнятно покритиковали бюрократическую путаницу в подразделениях Мирового центра предупреждения катастроф, а главное — заверили, что последствия сброса будут полностью ликвидированы через два дня.

Обрадованный столь оптимистическим сообщением, я лег спать. Но уже в восемь часов был разбужен тревожными трелями «Нокии». Этот номер знал только Марк, и, нажимая зеленую кнопку, я был готов даже к соединению с загробным миром.

— Ты «кинул» меня, как последнего лоха!

Услышав истерический крик Патрокова, я сразу успокоился. Удивляло только, как он преодолел блокировку.

— Акции обесценились! Это ты меня разорил! Я разрежу тебя на куски, как зимию...

— Попробуй. Но сперва спроси у Ивана, кто кого разрежет.

Патроков осекся, но только на мгновенье.

— Отдай мои деньги! Хотя бы половину! У меня ничего не осталось! — в голосе появились просительные нотки.

— Работай, козел, и у тебя все будет!

Возможность дать этот третий, последний урок доставила мне не меньшее удовольствие, чем полученный миллион долларов.

Глава 12

Сборы заняли немного времени: все вещи были на мне. Помыл посуду, по привычке протер стакан и ручки дверей, сдал ключи консьержке. В разведанной накануне прокатной конторе арендовал новенький «мерседес С» — вполне подходящую машину для респектабельного и патриотичного доктора Крюгера.

Дьявольски хотелось есть, но позавтракаю я уже на французской стороне. До Лиона пятьсот километров. Мадлен, конечно, не ждет, а зря — я всегда выполняю свои обещания. Почти всегда. Иногда, правда, с опозданием. Через пять часов я ее обниму: «Здравствуй, милая! Помнишь, что я обещал тебе десять лет назад?»

В такой ситуации без подарка не обойтись, поэтому единственную остановку я сделаю у парфюмерного магазина. Все-таки в Андорре большой выбор дешевого парфюма, глупо было бы этим не воспользоваться. Только «Бушерон» и «Двести двенадцать»я покупать не стану. Наверное, до конца жизни.

Андорра ла Велья—Камбриллс-Ростов н/Д
Август—октябрь 2002 года.

Оглавление

ПАРФЮМ В АНДОРРЕ

Литературно-художественное издание

Корецкий Данил Аркадьевич

ПОХИТИТЕЛЬ СЕКРЕТОВ

Книга издана в авторской редакции

ООО «Издательство АСТ»
170002, Россия, г. Тверь, пр. Чайковского, д. 27/32

ООО «Издательство Астрель»
129085, г. Москва, пр-д Ольминского, д. 3а

Наши электронные адреса: WWW.AST.RU
E-mail: astpub@aha.ru

Отпечатано с готовых диапозитивов
в ООО «Типография ИПО профсоюзов Профиздат»
144003, г. Электросталь, Московская область, ул. Тевосяна, д. 25